Lisa/Tess

Månpocket

Marias bok?

Malin Persson Giolito

STÖRST AV ALLT

Månpoc

D0181465

Denna Månpocket är utgiven enligt överenskommelse med
Wahlström & Widstrand, Stockholm

Omslag: Miroslav Sokcic
Omslagsfoto: Fotolia, Adobe Stock

Tryckt hos ScandBook UAB, Litauen 2017

ISBN 978-91-7503-646-5

Klassrummet

Vid den vänstra bänkraden ligger Dennis, som vanligt iklädd reklam-T-shirt, stormarknadsjeans och oknutna gymnastikskor. Dennis är från Uganda. Han säger att han är sjutton, men han ser ut som en fet tjugofemåring. Han går på verkstadslinjen och bor i Sollentuna på en inrättning för sådana som han. Bredvid honom, på sidan, har Samir hamnat. Samir och jag går i samma klass eftersom han lyckades komma in på skolans specialutbildning i internationell ekonomi och samhällskunskap.

Vid katedern finns Christer, klassföreståndare och självutnämnd världsförbättrare. Hans kopp har vält ut över bordet och det droppar kaffe på hans byxben. Amanda sitter inte mer än två meter därifrån, lutad mot elementet under fönstret. För några minuter sedan var hon bara kashmir, vitt guld och sandaler. Diamantörhängena hon fick när vi konfirmerade oss glittrar fortfarande i försommarsolen. Nu skulle man kunna tro att hon är lerig. Jag sitter på golvet mitt i klassrummet. I mitt knä ligger Sebastian, son till Sveriges rikaste man Claes Fagerman.

Personerna härinne passar inte ihop. Sådana som vi brukar inte träffas. Kanske på en tunnelbaneperrong under en taxistrejk, eller i en restaurangvagn på ett tåg, men inte i ett klassrum.

Det stinker ruttna ägg. Luften är grå och suddig av krutrök. Alla är skjutna utom jag. Jag har inte så mycket som ett blåmärke.

Huvudförhandling i mål B 147 66

Åklagaren m.fl. mot Maria Norberg

1.

Första gången jag såg insidan av en domstol blev jag besviken. Jag var på studiebesök med klassen och det är klart att jag hade fattat att domare inte är krokiga gubbar i krullperuk och slängkappa och att den åtalade inte skulle vara en orangeklädd galning med fradga om munnen och kedjor kring vristerna, men ändå. Stället liknade något mittemellan vårdcentral och konferensanläggning. Vi åkte dit med en hyrbuss som luktade bubbelgum och fotsvett. Den åtalade hade mjäll och pressveck och påstods ha fuskat med skatten. Förutom vår klass (och Christer förstås) var det bara fyra andra personer där för att lyssna. Men det fanns så få platser att Christer fick hämta en extrastol från korridoren utanför för att ha något att sitta på.

I dag är det annorlunda. Vi är i Sveriges största rättegångssal. Här sitter domarna på mörka mahognystolar med höga sammetsklädda ryggar. Mittenstolens ryggstöd sträcker sig högre upp än de andra. Det är chefsdomarens plats. Han kallas ordförande. På bordet framför honom ligger en klubba med skinnklätt handtag. Smala mikrofoner sticker upp vid varje plats. Väggpanelerna verkar vara av ek och flera hundra år gamla, gamla på det bra sättet. På golvet mellan sittplatserna ligger en mörkröd matta.

Publik är inte min grej. Jag har aldrig velat vara lucia eller ställa upp i talangtävlingar. Men härinne är det fullsatt. Och alla är här för min skull, jag är attraktionen.

Bredvid mig sitter mina advokater från Sander & Laestadius. Jag vet att Sander & Laestadius låter som ett antikvariat där två svettiga bögar med sidenrock och monokel hasar omkring med fotogenlampor och dammar av mögliga böcker och uppstoppade djur, men

11

det är Sveriges bästa advokatbyrå specialiserad på brottmål. Vanliga brottslingar har en ensam och trött offentlig försvarare, min offentliga försvarare har sällskap av en hel stab upphetsade wannabekostymer. De jobbar till småtimmarna på ett jättejusigt kontor vid Skeppsbron, har minst två mobiltelefoner var och alla utom Sander själv tror att de är med i en amerikansk tv-serie där man äter kinamat ur pappkartonger på ett jag-är-så-upptagen-och-viktig-vis. Ingen av de sammanlagt tjugotvå anställda på Sander & Laestadius heter Laestadius. Han som hette så dog, i hjärtattack antagligen, på ett jag-är-så-upptagen-och-viktig-vis.

Tre av mina advokater är här i dag: Peder Sander, kändisen, och två av hans medarbetare. Den yngsta är en brud med fulklippt hår och hål i näsan som hon inte har någon ring i. Antagligen får hon inte ha ring i näsan för Sander ("bort med det där skrotet omedelbart"). Jag kallar henne Ferdinand. Ferdinand tycker att liberal är en svordom och kärnkraft livsfarligt. Hon har gräsliga glasögon för hon tror att det visar att hon har fått kläm på könsmaktsordningen och hon avskyr mig eftersom hon anser att kapitalismen är mitt fel. De första gångerna jag träffade henne behandlade hon mig som om jag vore en galen modebloggare med en osäkrad handgranat i ett flygplan. *Visst-visst!* sa hon, utan att våga titta på mig, *visst-visst! Oroa-dig-inte-vi-är-här-för-att-hjälpa-dig.* Som om jag hotade att spränga alla i luften om jag inte fick min biodynamiska tomatjuice utan isbitar.

Den andra medhjälparadvokaten är en kille i fyrtioårsåldern med degmage, pannkaksrunt ansikte och ett leende som säger "jag har filmer hemma, jag förvarar dem i alfabetisk ordning i ett låst skåp". Pannkakan är snaggad. Pappa brukar säga att det är omöjligt att lita på någon utan frisyr. Men pappa har säkerligen inte hittat på det själv, antagligen har han snott det från en film. Min pappa vill gärna leverera one-liners.

Första gången jag träffade Pannkakan placerade han blicken strax under mitt nyckelben, tvingade tillbaka sin tjocka tunga i munnen och väste förtjust *flicka lilla, hur ska det här gå, du ser mycket äldre ut än sjutton.* Hade inte Sander varit där hade han väl flåsat. Eller dreglat,

12

kanske. Låtit saliven droppa från munnen ner på den för trånga kostymvästen. Jag orkade inte påpeka att jag var arton.

I dag sitter Pannkakan på min vänstra sida. Med sig hit hade han sin portfölj och en väska på hjul proppfull med pärmar och papper. Väskan har han tömt och nu står pärmarna på bordet framför honom. Det enda han lät ligga kvar var en bok (*Make Your Case – Winning is the Only Option*) och en tandborste som sticker upp ur ett av småfacken. Bakom mig, på första raden av åhörare, sitter mamma och pappa.

När jag var på det där studiebesöket för två år och en evighet sedan hade vår klass fått en genomgång innan, för att vi skulle "förstå allvaret" och "kunna följa med". Jag tvivlar på att det hjälpte. Men vi "skötte oss", sa Christer när vi gick därifrån. Han hade varit orolig, trott att vi skulle ha svårt att inte börja fnissa och plocka upp våra mobiltelefoner. Att vi tänkte sitta där och spela spel och sova med hakan på kragen som uttråkade riksdagsmän.

Jag minns Christers gravallvarliga röst när han förklarade ("hörrni, lyssna nu!") att en rättegång är ingenting man flamsar bort, folks liv står på spel. Man är oskyldig till dess att domstolen har sagt att man är skyldig. Så sa han, flera gånger. Samir lutade sig tillbaka när Christer pratade, vägde lite på stolen och nickade på det där viset som gjorde att alla lärare älskade honom. Nickar som sa att jag-förstår-precis, vi-är-på-exakt-samma-våglängd och jag-har-ingenting-att-tillägga-för-allt-du-säger-är-så-smart.

Man är oskyldig till dess att domstolen har sagt att man är skyldig. Vad är det för märkligt påstående? Antingen är man oskyldig hela tiden eller så har man gjort det, redan från början. Domstolen ska väl ta reda på hur det är, inte bestämma vad som är sant? Att polisen och åklagaren och domarna inte var där och vet exakt vem som gjorde vad betyder knappast att domstolen i efterhand kan hitta på det.

Jag kommer ihåg att jag sa det till Christer. Att domstolar gör fel hela tiden. Våldtäktsmän blir jämt frisläppta. Det är inte ens någon idé att anmäla ett sexuellt övergrepp för även om man blir tvångsknullad av en halv flyktinganläggning och får en hel back tomglas uppkörd mellan benen så tror de aldrig på tjejen. Och det betyder

13

inte att det inte hände och att våldtäktsmannen inte gjorde det han gjorde.

"Det är inte så enkelt", sa Christer.

Ett typiskt lärarsvar: "En mycket bra fråga …" "Jag hör vad du säger …" "Det är inte svart eller vitt …" "Det är inte så enkelt …" Alla sådana svar betyder samma sak: de har inte en aning om vad de pratar om.

Men, okej. Om det är svårt att veta vad som är sant och vem som ljuger, om man inte vet säkert, vad gör man då?

Jag läste någonstans att "sanning är det vi väljer att tro på". Det låter om möjligt ännu mer rubbat. Att man ska kunna bestämma vad som är sant och vad som är falskt? Att saker kan vara både sanna och påhittade beroende på vem du frågar? Och att om någon vi litar på säger något, ja, då kan vi bestämma att det är på det viset, då kan vi "välja att det är sant". Hur kan man ens komma på något så idiotiskt? Om en person skulle säga till mig att han "väljer att tro på mig", då skulle jag fatta på en gång att han egentligen är övertygad om att allt är lögn men att han går med på att låtsas motsatsen.

Min advokat Sander verkar mest likgiltig inför hela grejen. "Jag är på din sida", säger han bara och ser ut som en tumnagel i ansiktet. Sander är liksom inte den upphetsade typen. Allt med honom är avslappnat och kontrollerat. Inga utbrott. Inga känslor. Inga gapskratt. Antagligen skrek han inte ens när han föddes.

Sander är motsatsen till min pappa. Pappa är långt ifrån den "coola kille" (hans egna ord) han önskar att han vore. Han gnisslar tänder när han sover och står upp när han tittar på landslagsmatcher i fotboll. Min pappa blir arg, förbannad på pedantiska kommungubbar, när grannen parkerar fel för fjärde gången samma vecka, på obegripliga elavtal eller telefonförsäljare. Datorn, passkontrollanter, farfar, grillen, myggen, oskottad trottoarsnö, tyskar i liftköer och franska kypare. Allt hetsar upp honom, får honom att gapa och skrika, slå i dörrar och be folk att dra åt helvete. Sander däremot, det tydligaste tecknet på att han är skitförbannad, arg på gränsen till vansinnig, är att han rynkar pannan och gör ett klickande ljud med tungan. Då blir alla hans kollegor skräckslagna och börjar stamma och leta efter papper och böcker

14

och annat som de tror ska få honom på bättre humör. Lite som mamma håller på med pappa om han någon gång inte är irriterad utan alldeles tyst och lugn.

Sander har aldrig blivit arg på mig. Aldrig blivit upprörd över det jag har berättat eller sur för det jag inte sagt, eller när jag har ljugit och han har fattat det.

"Jag är på din sida, Maja." Ibland låter han tröttare än vanligt, men det är allt. "Sanningen" är inget vi pratar om.

För det mesta tycker jag att det är skönt att Sander bara bryr sig om vad polisen och åklagaren har bevisat. Jag slipper oroa mig för om han tänker göra ett bra jobb eller bara låtsas att han ska göra det. Han har liksom plockat alla döda och all skuld och all ångest och omvandlat det till siffror och om inte ekvationerna går ihop så vinner han.

Det kanske är så man ska göra. Ett plus ett kan inte bli tre. Nästa fråga, tack.

Men det hjälper inte mig, förstås. För antingen har något hänt, eller så har det inte gjort det. Det är som det är. Allt annat kringelikrokande runtomkring är bara sådant som filosofer håller på med, och (uppenbarligen) en och annan jurist. Konstruktioner. "Det är inte så enkelt..."

Men Christer, jag minns hur han insisterade inför det där domstolsbesöket, verkligen gjorde allt för att få oss att lyssna. *Man är oskyldig till dess att domstolen förklarat att man är skyldig.* Han skrev det på tavlan: *Grundläggande rättsprincip.* (Samir nickade igen.) Christer bad oss att anteckna. Skriva av. (Samir antecknade. Trots att han knappast behövde.)

Christer älskade allt som var kort nog för att lära sig utantill och gick att göra om till en fråga. Rätt svar gav två poäng på provet vi fick två veckor senare. Varför inte ett poäng? För att Christer tyckte att det fanns gråskalor i utantilläxor, att man kunde ha nästan rätt. *Ett plus ett blir visserligen inte tre, men jag ger dig ett halvt rätt för att du svarade med en siffra.*

Det är alltså drygt två år sedan vi gjorde det där besöket på domstolen tillsammans med Christer. Sebastian var inte med, han gick inte i vår klass förrän sista året, det han fick gå om. Jag trivdes ganska bra i skolan

15

då, med mina klasskompisar och lärarna som vi hade haft i olika versioner sedan lågstadiet: kemiläraren Jonas som pratade för lågt, aldrig kom ihåg vad någon hette och väntade på bussen med ryggsäcken på magen. Franskläraren Mari-Louise med glasögon och maskroshår, hon sög alltid på en minimal rest av en svart halstablett så intensivt att munnen blev liten som ett smultron. Kortklippta Friggan Gymnastik såg ut som ett nylackat trädäck, med oklar könsidentitet, visselpipa runt halsen, renrakade, blanka, breda vader och ständigt omgiven av en lukt av sockiplast och någon annans svett. Tankspridda Malin, vår blonderade mattelärare, missnöjd och försenad, sjukskriven i snitt två dagar per vecka och med ett fotografi av sig själv tjugo kilo yngre iförd trekantsbikini som profilbild på Facebook.

Och Christer Svensson. Engagerad på låt-oss-träffas-på-Mariatorget-och-ta-ställning-viset; ordinär på fläskkotlett-mosa-potatisen-i-gräddsås-viset. Han trodde att rockkonserter kan rädda världen från krig, svält och sjukdom och pratade med den där överentusiastiska lärarrösten som borde vara förbjuden när den inte används för att få en hund att vifta på svansen.

Varje dag hade Christer med sig en termos hembryggt snutkaffe till skolan med så mycket socker och mjölk i att det liknade flytande underlagskräm. Kaffet hällde han i en egen mugg ("Världens bästa pappa"), muggen tog han med sig till klassrummet och fyllde på under lektionerna. Christer älskade rutiner, samma-sak-varje-dag, favoritlåten-på-repeat. Antagligen hade han ätit samma frukost sedan han var fjorton, någon sorts långfärdskidgrej, typ havregrynsgröt med lingonsylt och fetmjölk ("frukosten är dagens viktigaste måltid!"), säkert drack han öl och nubbe varje gång han träffade sina vänner ("polare"), åt tacos med familjen på fredagarna och gick på kvarterspizzerian (en med ritpapper och kritor åt barnen) och delade på en flaska husets röda med "frugan" när han ville fira något stort och viktigt. Christer hade ingen fantasi: han åkte på charter, skulle aldrig använda koriander i maten eller steka i något annat än smör.

Christer blev vår lärare redan i första ring och han klagade minst en gång i veckan på att vädret blivit så konstigt ("det finns inte några årstider längre") och varje höst på att julskyltningen bara kom tidigare och tidigare ("snart står det väl en dekorerad julgran på Skeppsbron redan innan sommarfärjorna slutar gå").

Han klagade på kvällstidningarna ("varför läser folk sån skit?") och Let's Dance, melodifestivalen och Paradise Hotel ("varför tittar folk på sån skit?"). Allra värst tyckte han om våra mobiltelefoner. ("Är ni kossor? De där chattarna som plingar och bjällrar hela tiden, ni kunde lika gärna ha haft en klocka runt halsen ... Varför håller ni på med sån skit?"). Varje gång han klagade såg han nöjd ut, han tyckte att han var ungdomlig och "cool" (inte bara pappas ord) och att det var ett bevis för hur nära han stod sina elever att han kunde säga "jävla skit" till oss.

Christer bökade in en dos portionssnus under överläppen efter varje kopp kaffe och la prillorna i en pappersservett innan han slängde dem i papperskorgen. Christer gillade ordning och reda, även på snusket.

Och efteråt, när rättegången mot skattefuskaren var över och vi åkte hem till skolan igen, då var han nöjd. Han tyckte att vi klarat oss "bra". Christer var alltid "nöjd" eller "bekymrad", aldrig överlycklig eller skitförbannad. Christer ville alltid ge åtminstone ett halvt poäng på utantillfrågorna.

Christer låg ner när han dog. Med armarna om huvudet och knäna uppdragna, ungefär som min lillasyster Lina när hon sover som djupast. Han förblödde redan innan ambulansen kommit fram och jag undrar om hans fru och hans ungar tycker att saker och ting inte är så enkla i verkligheten och att jag är oskyldig eftersom ingen domstol ännu har sagt att jag är skyldig.

2.

Mamma har köpt kläderna jag har på mig i dag. Men jag hade lika gärna kunnat ha på mig en randig bröderna Dalton-pyjamas. Jag är utklädd.

Tjejer klär i och för sig all id ut sig. Till den snygga tjejen med koll, eller till den smarta, seriösa tjejen. Eller till den avslappnade jag-bryr-mig-inte-om-hur-jag-ser-ut-tjejen, med håret i lagom slarvig tofs, bomullsbehå utan byglar och en nästan-för-tunn T-shirt.

Mamma har försökt klä ut mig till en artonårig, helt vanlig tjej som har hamnat här utan att ha gjort något fel. Men min blus stramar över brösten. Jag har gått upp i vikt i häktet och det är små runda glipor mellan varje knapp. Jag påminner om en försäljare som dragit på sig en läkarrock för att springa efter folk i köpcentrum med hudvårds-prover. *Du ska inte tro att du kan lura någon.*

"Vad fin du är, älskling", viskar mamma till mig från sin plats på raden längst fram. Hon gör alltid så, kastar komplimanger efter mig, sopor hon förväntar sig att jag ska sortera. Påhittade komplimanger. Jag är inte "vacker" eller "bra på att rita". Jag borde inte *sjunga mer* eller *ta teaterlektioner* efter skolan. Att mamma påstår det är sjukt förolämpande, eftersom det bevisar att hon inte har en aning om vad jag verkligen är bra på, eller när jag faktiskt är snygg. Min mamma är inte tillräckligt intresserad av mig för att kunna ge mig en komplimang som stämmer.

Mamma har alltid haft obegripligt dålig koll. "Spring iväg en stund om du vill", kunde hon uppmana mig de där sista månaderna när hon inte orkade låtsas att hon ville att jag skulle "stanna och berätta" om min dag. *Spring iväg en stund?* Jag var gammal nog att rösta och köpa

18

sprit på krogen. Jag hade kunnat knulla lagligt i tre år. Vad trodde hon att jag skulle göra? Leka kurragömma med grannarna? Ett-två-tre-fyra-nu-kommer-jag, andfådda rundor runt trädgården för att leta bakom samma buske, i samma garderob, bakom samma trasiga parasoll i garaget. "Hade ni kul?" frågade hon när jag kom tillbaka och mina kläder stank hasch. "Kan du hänga din jacka i källaren, älskling?"

I går kväll fick jag prata med mamma i telefon. Hennes röst var ljusare än normalt. Det är rösten hon använder när någon annan lyssnar eller när hon gör något annat samtidigt. Mamma gör nästan alltid något annat samtidigt, plockar undan, flyttar saker, torkar av, sorterar. Hon är konstant nervös, orolig i kroppen. Det har hon alltid varit, det är inte mitt fel.

"Det kommer att gå bra", sa hon. Flera gånger. Orden snubblade över varandra. Jag sa inte så mycket. Bara lyssnade på hennes för ljusa röst. "Det kommer att gå bra. Oroa dig inte, allt kommer att gå bra."

Sander har försökt förklara vad som ska hända under förhandlingen, vad jag kan vänta mig. Jag har fått se en informationsfilm på häktet där skämskuddedåliga skådisar spelade upp en rättegång om två snubbar som slagits på krogen. Den åtalade blev fälld, men inte för allt han var åtalad för, bara för typ hälften. När vi sett klart filmen undrade Sander om jag hade några frågor. "Nej", sa jag.

Det jag minns bäst av skatterättegången som vi gick på med klassen var att den liksom var tyst. Alla pratade lågt och alla andra ljud blev förstorade – en harkling, en dörr slog igen, en stol skrapade i golvet. Om någon skulle ha glömt att sätta på ljudlös och fått ett mess därinne hade det dånat lika högt som när de släcker ljusen i biosalongen och demonstrerar att de just installerat nytt surroundsystem. Och medan allt var tyst satt skattefuskaren och strök sin feta lugg ur pannan. När åklagaren läste upp vad han var åtalad för tittade han på sin advokat och pyste ur sig upprörda fnysningar. Jag minns att jag tänkte att han var en fjant. Varför låtsades han vara förvånad? Åklagaren och fjantens advokat pratade en i taget, läste innantill, sa samma sak två eller tre gånger och harklade sig för ofta. Hela grejen kändes störd. Inte för att ingenting "var som på film", men för att alla inblandade verkade ha långtråkigt, till och med brottslingen verkade ha svårt att koncentrera sig. Även i verkligheten var alla taskiga skådespelare som inte lärt sig sitt manus.

Samir däremot, han tyckte inget var fånigt. Han lutade sig fram i sin obekväma stol, vilade armbågarna mot knäna och rynkade pannan. Det här var hans bästa gren: att visa hur seriös han var, att han tog allvarliga saker på allvar. Samir tyckte att de här rumpnissarna i polyester var de mest fascinerande talare han hört i hela sitt liv. Och Christer njöt. Av domstolen och av Seriösa Samir. Samir behövde sällan öppna munnen för att slicka Christers röv. Vi retade honom efteråt för det, Amanda och jag. Vi gillade att reta Samir. Men Labbe klappade honom på axeln som om han vore hans yngsta son och hade gjort det avgörande målet i en fotbollsmatch. "Samir har fattat allt", sa Labbe och Samir flinade. "Precis allt."

Jag trivdes ganska bra hemma också, när jag gick i andra ring. Mamma och jag pratade fortfarande om saker som inte hade att göra med hur dags hon tyckte att jag borde komma hem. Mamma var stolt över mig, eller åtminstone över hur hon hade uppfostrat mig. Hon skröt om sina effektiva metoder för att få mig att göra precis det som behövdes för att hennes liv skulle bli enklare. Hon berättade saker som att jag sov hela nätter redan när jag var fyra månader gammal, att jag åt "allt" och höll i skeden redan första gången jag skulle äta fast föda. Att jag ville börja skolan ett år tidigare, för att jag tyckte att dagis var tråkigt. Att jag ville gå till skolan själv redan innan jag fyllt åtta år och att jag "älskade" att vara ensam hemma utan barnvakt. Hon sa att hon låtit mig börja cykla på en balanscykel innan jag satte mig på en riktig tvåhjuling och tack vare det behövde hon aldrig böja sig ner och hålla i pakethållaren för att jag inte skulle ramla. Jag bara "poff" började cykla och hon kunde gå bredvid i sina svala kläder och skratta lagom högt.

Vad mamma gjorde för mig, för att mitt liv skulle bli enklare, framgick aldrig, men på den tiden var hon fast övertygad om att jag var så lätt och problemfri tack vare att hon gjort allt rätt.

20

I dag, härinne, är det också tyst, antar jag. Men inte alls på samma sätt som på skattegrejen. Luften känns trögflytande av alla viktiga personer som väntar på att viktiga saker ska hända. Åklagaren och advokaterna är nog skiträdda för att göra bort sig. Till och med Sander är nervös, även om man aldrig skulle märka det om man inte känner honom.

De vill visa vad de går för. När Pannkakan pratade om hur han trodde att det skulle gå, då pratade han om "oddsen" och "våra chanser", precis som om han varit min baskettränare och jag var center i laget. Han vill *vinna*. Inte förrän Sander klickade med tungan blev Pannkakan tyst.

Dagens förhandling börjar med att chefsdomaren har något slags upprop. Han harklar sig i mikrofonen, folk slutar viskprata med varandra. Domaren kontrollerar att alla som ska vara här är här. Jag behöver inte sträcka upp handen och säga ja, men ordföranden nickar mot mig och läser upp mitt namn. Sedan nickar han mot mina advokater och läser upp deras namn också. Han talar släpigt, men inte sömnigt, han skulle kunna spricka i sömmarna på sin fula kostym, så seriös är han.

Domaren säger välkomna, han gör faktiskt det. Jag säger inte tack-trevligt-att-få-komma för det är knappast meningen att jag ska svara, men jag tror att jag sköter mig. Att jag ser ut på ett ungefär som jag ska. Jag ler inte, jag gråter inte, jag petar mig inte i några kroppsöppningar. Håller ryggen lagom rak och försöker undvika att knapparna i min blus ryker åt helvete.

När chefsdomaren säger åt åklagaren att hon kan börja ser hon så laddad ut att jag tror att hon ska resa sig upp. Men hon drar bara till sig stolen, lutar sig framåt mot den lilla sugrörsmikrofonen, knäpper på en knapp och harklar sig. Tar sats, liksom.

Ute i advokaternas väntrum, där vi satt innan vi gick in hit, berättade Pannkakan att folk har köat för att få plats i rättegångssalen. "Precis som en konsert", deklarerade han, närmast stolt. Sander såg ut som om han ville klippa till honom.

Ingenting med det här påminner om en konsert. Jag är ingen rockstjärna. De som dras till mig är inga galna groupies, bara asätare. När

21

journalisterna agnar sina första sidor med mig luktar det död och det gör hyenorna ännu mer upphetsade. Men Sander ville ändå att förhandlingen skulle vara öppen. Han har krävt att media och allmänhet ska släppas in, trots att jag är så ung. Inte för att Pannkakan ska få känna sig tuff, utan för att "det är avgörande att åklagaren inte får monopolisera rapporteringen". Det betyder väl visserligen att han gärna vill visa upp sina egna insatser, men kanske har han också fått för sig att mina hatare kommer att ändra åsikt, bara de får höra "min version". Sander har fel. Det kommer inte att spela någon roll.

De älskar att hata mig. De hatar allt med mig. *Precis som en konsert?* Att Pannkakan skulle ha varit i närheten av levande musik som inte sorterar in under kategorin Allsång på Skansen är knappast troligt. Får jag gissa lyssnar han på Vinyl 107 och sjunger med till reklamfilmer för den perfekta familjebilen.

För nio månader sedan, en vecka efter att det hände, blev det kravaller i Djursholm. Ett antal killar tog tunnelbanan till Mörby, bytte till buss 606 och åkte alla åtta stationerna, hela vägen till Djursholms torg. För att "märka de jävlarna!" Eller, som de mer välformulerade uttryckte det, "snobbjävlarna". Förortskravaller brukar annars äga rum i ligisternas egna sunkiga kvarter, bland miljonprojekt och fritidsgårdar och avgiftade motorcykelsnubbar som är "ungdomsledare" och "kvartersvärdar" eftersom ingen normal arbetsgivare vill ta i dem med tång. Och när det står i tidningen att "förorten brinner", då brukar det handla om pimpade bilvrak med luktgran och körförbud, inte helförsäkrade leasingbilar som står på firman och blir utbytta så fort ena sidospegeln krånglar. Men inte den här gången.

I tre dagar och nätter var det fullt krig på torget och kring Sebastians hus nere på Strandvägen. Andra kvällen var det ett femtiotal inblandade i bråken. Sander berättade, han visade mig artiklarna.

Sönderslagna rutor i tantbutikerna på torget. Vad snodde de? Varsin knytblus, en skotskrutig pläd och en vinkaraff i kristall? Och vart gick de när de blev bortmotade från Fagermansvillan? Upp mot vårt hus? Hittade de dit? Och med tanke på hur viktigt min mamma tyckte att det var "att hälsa ordentligt för att visa respekt" på den första tiggaren som satte sig utanför Coop på Vendevägen med sin kopp och sin kissiga filt, vad gjorde hon med baseballträna och molotovcocktailsen? "Hej hej. Ha en bra dag. Trevlig helg." Under de där dagarna när nationella insatsstyrkan hjälpte till utanför vårt hus för att "hålla ordning", jag undrar vad mamma sa till dem. "Går det bra för er?"

I tidningarna Sander har visat mig spekuleras det kring "varför". Om det hade att göra med vad Sebastian och jag "symboliserade", vad vi var "uttryck för" och vad det vi gjort "hade utlöst". Blev det bråk för att det som hänt var så överjävligt vidrigt? Blev de extra arga för att vi var för rika och för att de inte var det? Eller blev det slagsmål bara för att en grupp smågangsters ville ha en anledning att slåss (och för att Allsvenskan har sommaruppehåll i juni)? Oavsett vilket, ligisterna blir i alla fall inte insläppta här.

I rättssalen är det mest journalister. Många skriver på laptops. Ingen får ta kort, det råder "fotoförbud", antagligen har de till och med fått lämna ifrån sig sina telefoner innan de kom in, en del av journalisterna har i alla fall vanliga block och pennor.

Det finns en stackars tecknare här också. Man skulle kunna tro att jag var något ur Dickens, en loppbiten unge som riskerar galgen, eller någon Elvira Madigan ur ett gammalt skillingtryck. *Sorgerliga saker hända, än i våra dar minsann.* Vi sjöng den i mellanstadiet. Amanda grät, naturligtvis, hon var allra sötast när hon grät utan att vara ledsen på riktigt ("bedårande"), då fick hon till och med ännu mer uppmärksamhet än hon brukade få.

Amanda beskrivs som min bästa vän. I tidningarna, på tv, i förundersökningen, till och med min egen advokat kallar henne för det. *Min bästa vän.*

Var Amanda den person jag umgicks mest med, förutom Sebastian? Ja. Var Amanda den person jag pratade mest med, förutom Sebastian? Ja. Står hon bredvid mig på ungefär tvåhundrasextio av mina fotografier på Facebook? Snapchattade jag med henne i snitt två timmar om dagen under de första fyra av de sex månader som de har kollat min mobilverksamhet? Har hon taggat mig på över hundra #bff-poster på Instagram? Ja. Ja. Ja.

Älskade jag Amanda? Var hon min allra bästa vän? Jag vet inte.

3.

Jag älskade i alla fall att vara med Amanda. Vi var nästan alltid tillsammans. Vi satt bredvid varandra i klassrummet och i matsalen, vi läste läxor ihop och skolkade ihop. Vi pratade skit om tjejer vi störde oss på ("inte för att vara taskig, men ..."), trampade mot ingenstans på gymmets trappmaskiner. Vi sminkade oss tillsammans, shoppade ihop, pratade i timtal, chattade oavbrutet, skrattade på det där sättet som tjejer skrattar på film när en ligger på mage på den andras säng medan den andra står på madrassen och har ett alldeles för kort nattlinne och använder en hårborste till mikrofon och mimar till en bra låt eller imiterar någon av de töntiga tjejerna i skolan.

Vi festade ihop. Amanda blev snabbt full. Fyllan följde alltid samma mönster: fnittra, skratta, dansa, ramla omkull, skratta lite till, lägga sig i en soffa, gråta varma tårar som rann ner i öronen. Kräkas, ta sig hem. Jag tog alltid hand om henne, det var aldrig tvärt om.

Jag tyckte att det var skönt att vara med Amanda, att kunna koppla av allt. Tillsammans med henne kändes det självklart att leva för att ha så kul som möjligt. Och hennes dumma-blondin-grej var också för det mesta riktigt underhållande. Frågade man henne vad det skulle bli för väder svarade hon "flipflop". Eller "40 denier". Om det var riktigt kallt så konstaterade hon att "det är värsta after-skin" och då kom hon till skolan med fodrade leggings, moonboots och dunjacka med kaninpälskrage.

Att säga att Amanda var ytlig vore för lätt. Visst, hon skulle knappast kunnat extraknäcka som ledarskribent på någon seriös tidning. Hon tyckte att "förtryck är hemskt" och "rasism är hemskt" och "fattigdom är jättehemskt". Hon var en positiv stammare. En som dubblerade alla omdömen. Jättejättebra, supersupermysigt och pyttepytteliten. (Det där sista är väl till och med en trippel?) Hennes syn på politik och jämställdhet eller vilken annan valfri politisk fråga som helst grundade sig på de tre och ett halvt avsnitt Uppdrag granskning hon hade sett (och gråtit till). Och när hon tittade på Youtubeklipp om hur världens fetaste man för första gången på trettio år gick utanför det hus där han levde sa hon "hysch! inte nu, jag tittar på nyheterna".

Det Amanda tyckte bäst om att prata om var sin ångest. Hon lutade sig fram och viskade om hur jobbigt det var med ätstörningar och sömnbrist ("verkligen jättejättejobbigt"). Under en period förklarade hon att hon "måste" undvika grönt och siffran nio, att hon "måste" undvika trottoarkanter ("alltså, det är inget jag väljer, jag måste göra det annars tror jag att jag ska dö, dö på riktigt, alltså, verkligen dö"). Ibland skruvade hon upp volymen om hon inte fick den reaktion hon var ute efter. Hon låtsades att ett brännmärke hon fått när vi försökte steka pannkakor till mellanmål var ett ärr efter något annat, något hon "helst inte ville prata om". Tanken var att folk skulle tro att det kom från ett självmordsförsök. Att jag skulle berätta sanningen föresvävade henne inte ens.

Men det var inte så enkelt som att hon ljög, i alla fall inte bara. Visst tyckte hon att livet var jobbigt ibland. Och hon trodde att ångest var att oroa sig för att missa bussen och att hon hade bulimi eftersom hon mådde illa om hon åt tvåhundra gram nötchoklad på mindre än tio minuter.

Amanda var bortskämd, naturligtvis var hon det, av sin mamma, sin pappa, sin terapeut och den som skötte hennes häst. Men det handlade inte om kläder och prylar. Det var något annat. Hon hade samma inställning till sina föräldrar, sina lärare – alla auktoriteter inklusive Gud – som hon hade till servicepersonal, typ receptionisten på ett lyxhotell. Hon förväntade sig att få hjälp med allt från en finne på näsan och ett borttappat örhänge till akutsjukvård och evigt liv. Det var ointressant om Gud fanns eller inte, men självklart att han skulle hjälpa hennes cancersjuka kusin eftersom det var "jättejättesynd om honom" och kusinen var "jättejättegullig, fast han är flintis". Hon tyckte synd om folk med problem men tyckte att det var jobbigt att folk inte tyckte lika synd om henne tillbaka.

Och hon var självupptagen. Hon ägnade så mycket tid åt sitt midje-långa hår att man kunnat tro att det var hennes döende mormor. Folk tyckte att hon var trevlig. Men hon var inte trevlig på riktigt. Hon frågade alltid två gånger om du ville ha mjölk i kaffet ("är du verkligen säker?") och fick dig att känna dig fet. Hon sa "jag skulle så gärna vilja vara som du, avslappnad och bara strunta i hur jag ser ut" och "du är verkligen otroligt fotogenisk" och förvärtade sig att man skulle säga tack efteråt för hon fattade inte att man fattade att det var en förolämpning.

Och visst, hon tyckte att "politik är superviktigt". Men hon var inte politiskt engagerad på det där sättet som får folk att vilja gå med i ett ungdomsförbund, åka på läger och kasta pil tillsammans med andra i kortbyxor. Hon skulle aldrig heller färga håret svart eller tända eld på en minkfarm eller ens orka läsa en rapport om ozonläckage och krym-pande korallrev och hon var definitivt inte politiskt engagerad på det där sättet alla lärare trodde att Samir var, för att han hade en pappa som fängslats och torterats för sina åsikters skull.

För Amanda handlade politik om att landstinget borde betala den gastric bypass-operation hon planerade att göra om hon någonsin skulle väga "typ sextio kilo". Det var "inte mer än rätt", "med tanke på skatten vi betalar". Och med "vi", menade hon inte sin mamma eftersom de enda pengar hennes mamma kunde göra vad hon ville med kom från de kontanter hon tog ut i kassan på Ica varje gång hon handlade mat. Hon satte in dem på banken sedan, hon kallade det sitt "skokonto" och Amanda himlade åt det där kontot, hon föraktade det, berättade om det för mig, men bara för att hon tyckte att hennes mamma var fånig, inte för att hon tyckte att det var konstigt att mam-man kunde spontanbeställa en resa med förstaklassflyg och lyxhotell i Dubai över novemberlovet för hela familjen men var tvungen att göm-ma undan småpengar för att kunna köpa ett par nya jeans till sig själv utan att fråga om lov först.

Hur Amanda blev en del av "vi" tillsammans med pappan och hans pengar och hur hon tyckte att hon själv bidrog till nationalekonomin, det framgick aldrig.

Under en politisk diskussion med Christer några månader innan alltsammans hände, kom vi in på Che Guevara.

26

"Jag tycker att det är helt vidrigt att döda barn", sa Amanda. "Även om jag inte är speciellt insatt i det där med Mellanöstern."

Samir satt snett bakom henne i klassrummet och hon fick liksom vänta en stund innan han hajade att det var honom hon vände sig till.

"Så jag fattar faktiskt att du hatar amerikaner", sa hon när hon äntligen fångade hans blick.

Jag kommer inte ihåg vad Christer sa. Bara att Samir tittade på mig. Rakt på mig, inte på Amanda. Han tyckte det var mitt fel att Amanda inte visste vem Che Guevara var. Att hon inte kunde skilja mellan Latinamerika, Israel och Palestina. Och att hon fått för sig att Samir hade något principiellt emot USA.

Visst. Amanda var politiskt engagerad på ett Disney Channel-vis och ibland var det svårt att tycka att hon var supersupercharmig. Vi pratade sällan politik. Det gav mig huvudvärk och Amanda blev sur eftersom hon märkte att det märktes att hon inte visste vad hon pratade om.

Men många gånger tänkte jag, när jag låg på hennes matta och lyssnade på hennes entusiastiska nu-är-vi-med-i-en-härlig-ungdomsfilm-där-alla-hoppar-in-i-sina-nedkabbade-bilar-utan-att-öppna-dörrarna-först-röst, lika uppmärksamt som om det varit hissmusik, att hon och jag var så olika att vi blev ganska lika. Amanda låtsades vara engagerad och jag låtsades inte bry mig. Och vi var så bra på att låtsas att vi lurade alla, inklusive oss själva.

Om jag tyckte att hon var korkad? I förundersökningen finns ett mess från Amanda till Sebastian. Hon skrev det fyra dagar innan både hon och han dog. "Var inte ledsen", skrev hon. "Snart är den här våren ett minne blått."

Åklagaren har inte börjat prata om Amanda ännu. Hon sparar det till sitt crescendo. Istället koncentrerar hon sig på Sebastian.

Sebastian, Sebastian, Sebastian. Hon kommer att prata om honom i dagar, alla kommer att prata om honom. Hela tiden. Om någon i allt det här liknar en rockstjärna så är det Sebastian. Sander har visat mig fotografierna som pressen har hittat och publicerat. Sebastians svart-vita individuella klassfoto har varit på minst tjugo tidningsomslag, över hela världen, inklusive Rolling Stone. Men det finns också andra foton. När Sebastian ler med ciggen i munnen, när han är full och svettig i pannan, när han står upp i aktern på sin båt och vi kör genom Djurgårdsbrunnskanalen på väg till Fjäderholmarna och jag sitter snett nedanför och lutar huvudet mot honom. Det finns ett från samma resa där Samir sitter på min ena sida och tittar åt andra hållet, bort från oss. Han ser ut som om vi har tvingat dit honom, att han blir sjösjuk av att vara i närheten av oss. Amanda är på min andra sida, vita tänder, bruna ben, blåa ögon, massvis med hår som blåser åt rätt håll. Dennis är inte med på de fotona, såklart. Men det finns foton på Dennis i förundersökningen, Sebastian hade några i sin mobiltelefon, han gillade att fota honom när han var full, jag vet inte varför de inte fått tag i dem också. Faktum är att det finns foton på honom och Dennis, tillsammans, lika fulla, höga, galna. Sebastian är fruktansvärt snygg på samtliga. Dennis ser ut som Dennis.

Åklagaren kommer att prata mer om det Sebastian gjorde än allt annat eftersom hon säger att allt det han gjorde, gjorde vi tillsammans. Jag vet inte hur jag ska orka lyssna. Men det är farligt att släppa koncentrationen. För då kommer ljuden.

Ljudet när de kom in i klassrummet och drog bort mig, ljudet när Sebastians skalle föll i golvet, det lät ihåligt. Det dånar i mig, så fort jag inte passar mig kommer det tillbaka. Jag pressar naglarna in i mina handflator, försöker ta mig därifrån. Men det hjälper inte. Jag kan inte ta bort det. Min hjärna släpar alltid tillbaka mig till det där jävla klassrummet.

Ibland när jag sover drömmer jag om det. Och hur det var precis innan de kom. Hur jag håller handen mot hans blod, han ligger i mitt knä och jag trycker så hårt jag kan. Blodflödet går inte att stoppa hur hårt jag än trycker. Det är som att försöka hålla emot vatten som sprutar ut ur en vattenslang som börjat lossna från sitt fäste. Visste ni det, att blod kan spruta? Att det är omöjligt att stoppa med händerna? Och Sebastian blir kall, jag känner det fortfarande, om nätterna – igen och igen – hur hans händer blir allt kallare. Det går snabbt. Och jag drömmer om när Christer drog sina sista andetag. Det lät som ett avlopp man hällt kaustiksoda i. Jag visste inte att man kunde drömma om hur någon annans hud känns och hur ljud låter, men det kan man för jag gör det hela tiden.

Jag försöker undvika att titta på dem som är i rättssalen för att titta på mig. Jag tittade inte ens efter pappa när jag kom in. Men mamma tog tag i mig när jag gick förbi. Det var något i hennes ögon jag inte kände igen. Hon log mot mig, vippade huvudet åt sidan och drog upp mungiporna i något som väl skulle påminna om vad hon sagt i går på telefon. Ett det-här-kommer-att-gå-bra-leende. Men hon darrade till precis innan jag vände bort blicken igen, en mikrosekund för tidigt, hon skakade av sig något.

Innan allt det här hände var min mammas tuffaste utmaning att försöka leva utan kolhydrater. Hon gick upp och ner i vikt så snabbt att man skulle kunna tro att det var hennes yrke och hon var verkligen stolt när hon hade maten under kontroll. Nu sitter hon här. I förundersökningen står det mesta. Inte bara om den där dagen. Om våra fester, vad Sebastian gjorde, vad jag gjorde. Om Amanda. Min mamma älskade Amanda. Hon älskade Sebastian också, i början i alla fall, men det vill hon nog inte erkänna längre.

Jag undrar om mamma tror på "min historia". Om hon "väljer" att tro på den. Men hon har inte sagt något om det och jag har inte frågat. Hur skulle jag kunna göra det? Jag har inte träffat mamma och pappa sedan häktningsförhandlingen för nio månader sedan och våra telefonsamtal har inte varit direkt förtroliga.

Hur konstigt är inte det? Att det har gått nio månader sedan jag, mamma och pappa var i samma rum. Fast då träffades vi egentligen inte heller. Jag såg dem bara genom glasrutan mellan den där klassrumsstora rättegångssalen på häktet och raden av åhörarplatser där de fick sitta i säkert en hel kvart innan domaren förklarade att häktningsförhandlingen skulle hållas bakom stängda dörrar och samtliga, inklusive mamma och pappa, blev utskickade.

Jag storgrät under häktningsförhandlingen. Oavbrutet. Jag grät redan när vi klev in. Jag kände mig ungefär lika normal som en tvångsmatad gåslevergås, lika illamående, och mamma och pappa såg livrädda ut.

På häktningsförhandlingen hade mamma en ny blus. Jag hade inte sett den förut. Jag undrar vad hon var utklädd till den där dagen, när allt fortfarande var så oklart. Innan hon visste. Ni tror kanske att hon var utklädd till en mamma som visste, visste säkert, att allt var ett misstag och att ingenting var hennes dotters fel. Men jag tror att hon var utklädd till en mamma som gjort allt rätt, en mamma man inte kunde skylla något på, alldeles oavsett vad som hänt.

Häktningsförhandlingen hölls tre dagar efter att jag kommit till häktet och jag önskade att jag inte gråtit så mycket. Jag hade velat slå sönder den där glasrutan för att kunna fråga mamma om saker som inte spelade någon roll.

Jag ville fråga om hon hade bäddat min säng efter att jag gått iväg till Sebastian. Tanja jobbade inte på fredagar. Stod den orörd tills polisen kom? Men sedan? Vad hände då? Hade Tanja städat efter det, eller hade mamma och pappa förbjudit henne att gå in i mitt rum, så-där som föräldrar gör när deras barn dör och de bevarar rummet orört i trettio år, precis som det var när ungen gick bort?

Jag ville att mamma och pappa skulle ha gjort det, jag ville att de skulle säga det till mig, att allt såg precis ut som det gjort när jag åkte, att poliserna inte hade ändrat på något, att livet, mitt liv, livet innan, före, var fastfruset, konserverat, inlindat i tjocka lager av mumie-bandage. Om jag överlevde det här och fick komma hem igen ville jag känna igen mig.

Men det kunde de inte säga förstås. Och antagligen spelade det ingen roll om mamma hade bäddat sängen eller inte. Jag visste redan att polisen hade gjort husrannsakan, för det hade de sagt när de för-hörde mig. Och de hade berättat att de hade min dator och att de hade tagit min telefon på sjukhuset (jag fick lämna ut alla mina lösenord, till vartenda forum, varenda app, varenda sida jag varit inne på), och när jag frågade vad de tagit mer så sa de "det mesta ... Ipaden och papper och ... böcker, sängkläderna, dina kläder från festen". "Vadå för kläder?" hade jag frågat och de svarade, som om det vore normalt och inte alls konstigt. "Din klänning, din behå och dina trosor."

De tog mina skitiga trosor. Varför gjorde de det? Jag ville slå sönder den där glasrutan och kräva att mamma skulle förklara det för mig, för jag ville inte fråga Sander. "Varför tog de mina trosor, mamma?" Det ville jag fråga henne. Jag ville inte prata med Sander om något med mina flytningar på.

Och sakerna de lämnade kvar, vad hade mamma och pappa gjort med dem? Jag ville veta det också. Jag undrade om Tanja hade fått tvätta bort min lukt ur alla mina andra kläder. Jag har alltid trott att hon tycker om att hänga tvätt. Dra ur skrynklorna, sträcka ut sömmarna, släta till vecken. Hänga tröjorna uppochner, med ärmarna sådär uppgivet nedåtvända, som om de har gett upp, jag-ger-mig, liksom. Och strumporna i par, två stycken med en klädnypa. Så att det blir lättare att sortera sedan.

Jag undrade om de hade låtit Tanja städa bort mig. Eller om mamma tittade på smörkniven på morgnarna, den jag alltid glömmer framme, och tänkte: nyss var hon här. Nu är hon borta.

"Mamma?" ville jag skrika. Rakt ut. *Vad är det som händer?*

Men det var ett glasfönster i vägen. Och jag hann knappt sätta mig ner innan domaren skickade ut alla åhörare. Jag fick inga svar, jag blev häktad istället.

En gång, långt innan allt det här, frågade jag mamma varför hon aldrig frågade mig någonting viktigt. "Vad vill du att jag ska fråga?" undrade hon. Hon gissade inte ens.

I dag får hon och pappa sitta kvar. De har reserverade platser – de "bästa", antar jag, allra längst fram, närmast mig (även om det är några meter mellan oss). Och mamma har gått upp i vikt. Hon är fortfarande utklädd till en mamma som inte gjort något fel, men vem vet, kanske har hon fått trösäta lite? Goffa i sig flottig pasta med smör, ost och ketchup. Frossa i snabba kolhydrater. Med tanke på vad jag har gjort har hon en ursäkt för allt, till och med att gå upp vikt. Alla förstår. Och föraktar henne gör de också, vare sig hon är smal eller inte.

När mamma blir nervös blir hon alldeles fläckig på halsen och hon blir alltid nervös när hon ska försöka förklara vad hon menar. Och det är omöjligt att koncentrera sig på vad hon säger, man kan bara glo på halsfläckarna. Antagligen är det därför mamma så sällan berättar vad hon tycker. Det är för riskabelt. Hon håller sig till att undra vad pappa tycker. Är han på gott humör berättar han det. Och då kan det gå en hel kväll utan att hon säger "vi praaatar aldrig med varandra längre".

Att hon kan vara bekymrad över att man inte pratar tillräckligt med henne och ändå aldrig våga fråga hur man mår, det övergår mitt förstånd. Men jag har aldrig hatat henne för att hon har dålig koll. Jag hatar henne för att det är så hon vill ha det. Och jag hatar henne mest när hon säger åt mig vad jag känner.

"Jag vet att du är orolig." "Jag vet hur rädd du är." "Jag vet hur det känns."

Min mamma är en idiot. "Jag önskar att jag kunde ta Majas plats." Har hon sagt det? Inte till mig i alla fall.

4.

Chefsåklagare Lena Pärsson pratar och pratar, herregud vad hon pratar. Hon har två poliser från utredningen med sig. Bredvid dem sitter målsägarnas advokater, de är där för att kräva skadestånd. De har också ställt upp massvis med pärmar på borden framför sig, ett litet minibibliotek. Det hänger två storbildsskärmar härinne, en på väggen bakom mig och en likadan bakom dem. Just nu syns det bara en rad dokumentikoner där, allt känns rörigt, ett illa förberett föredrag i samhällskunskapen.

Amandas föräldrar får inte sitta vid åklagarens bord. Inte de andra anhöriga heller, de sitter bland åhörarna, tror jag. Eller kanske i hörsalen bredvid, där man kan följa rättegången på storbildsskärm. De vill nog inte sitta i samma rum som jag.

Sander har sagt att det är åklagarens "uppgift" att "förklara" varför vi är här. Vad det är hon anser att jag har gjort och varför hon yrkar maxstraff.

"Med hänsyn till din ålder", har Sander sagt till mig, "borde du inte få mycket mer än tio år." Man kan inte döma en person under tjugoett år till livstid, enligt lagen. Men om jag får fjorton år är jag trettiotvå när jag blir utsläppt. Och Pannkakan har berättat om dem som ringer och skriver till både honom och Sander. (Pannkakan är stolt över att inte bara Sander får hatbrev utan han också, det hörs på hans röst.) Han har till och med berättat om dem som tar sig in på vår tomt om nätterna och kastar avföring på ytterdörren. Mamma och pappa får spola av den med högtrycksspruta innan de går till jobbet. Han berättade det när Sander inte var med.

Så jag vet. De som betalar åklagarens lön, skattebetalarna, folk i allmänhet, alla utom Peder Sander och kanske mamma och pappa, de tycker inte att tio eller fjorton år räcker, de tycker inte ens att livstid skulle vara tillräckligt, de nöjer sig inte med att förstöra mitt liv, de vill att jag ska dö.

Sander har sagt att det inte kommer att hända så mycket i dag. Men när åklagaren läser upp namnen på offren hör jag hur någon gråter.

Jag är inte beredd på det. Långt innan chefsåklagare Lena Pärsson hunnit klart fylls salen av ljudet. Människan ylar. Är det Amandas mamma? Det kan det inte vara, hon skulle aldrig låta sådär. Kanske har de hittat en mamma eller mormor till Dennis. Kanske har de flugit hit henne så att hon kan få sitta här bland de vita formfranskorna likt en Queen Latifah på Nobelkonserten.

Det låter som en professionell gråterska. En galning med svart sjal virad runt huvudet som kastar upp händerna i luften, stirrar upp i himlen och ställer sig precis framför tv-kamerorna och skriker rakt ut när någon har gått ombord på en skolbuss och sprängt sig själv och femtio barn i luften. Kan det sitta en sådan kvinna här? Skulle hon komma igenom säkerhetskontrollen?

En sak är säker. Journalisterna kommer att sälja den här gråten redan i nästa paus. De kommer att rapportera om den. Livechatta och twittra. Förklara hur den ser ut, hur den låter, på högst hundrafyrtio tecken. Och alla mina gamla "skolkamrater" kommer retweeta det, kanske lägga till en gråtande emoji, för att visa hur personligt det är, för just dem. Jag undrar hur många av dem som har tagit sig hit, köat i flera timmar, sett till att skaffa sig en plats för att "bearbeta minnen" av det som inte hände dem.

Jag vill inte lyssna på det här, men jag måste sitta kvar. Så jag trycker handflatorna mot bordsskivan. Åklagaren pratar och pratar. Jag hoppas att hon börjar bli klar. Hon säger något om Amanda, något annat om Samir, Dennis, Christer … Sebastian och hans pappa. Ordföranden ser nervös ut, han pillar på klubban på bordet framför honom och blänger på en av vakterna.

Åklagaren pratar på, trots gråten. Hon klickar upp skolfotografier på skärmarna och ylandet från människan i publiken går över i något annat, vakten har väl sagt åt henne att vara tyst, det svider i halsen på mig, jag blir tvungen att lägga ena handflatan mot mina läppar för att vara säker på att inte jag också låter. Åklagaren borde lära sig att uttrycka sig lite snärtigare. Hon har inte sagt en enda mening kort nog att twittra. Trots att det här är en "sammanfattning" av vad hon tycker att jag ska straffas för. Rättegången beräknas hålla på i tre veckor och när Sander berättade det tyckte jag att det lät skitlångt, men med tanke på hur lång den korta sammanfattningen är kan det bli ont om tid.

Jag vänder mig fortfarande inte om, istället tittar jag ner i bänken. Det kommer de att rapportera om också, antar jag. Att jag lyssnade på listan över döda och skadade, att jag hörde gråten, den här förbannade gråten, utan att visa några känslor. De gillar att tycka att jag är iskall. Omänsklig.

Hela jag är ett problem för mina advokater, inte bara det att Pannkakan tycker att jag ser äldre ut än jag är. Jag är för lång och för stark, har för stora bröst, för långt hår. Friska tänder, dyra jeans. *Inget barn.*

Jag har ingen klocka på mig i dag, inga smycken. Men det behövs inte. Märkena efter vem jag är utanför häktet är lika tydliga som solbrännelinjerna runt ögonen efter en vecka i alperna. Kan åklagartanten vara klar snart? Jag vill ta paus, jag vill byta om, jag måste sätta på mig något annat än den här trånga skitskjortan. Sander har sagt att han kommer att begära paus minst varannan timme. Det måste vara dags nu. Jag vill bli införd i något rum där bara vi fyra får vara och Ferdinand kan fråga om jag vill ha kaffe. Alltid detta kaffe. Jag är vuxen nog att sitta här och alla vuxna dricker kaffe. Utom Pannkakan förstås – han är den enda människa äldre än femton jag har träffat som dricker varm choklad, till och med choklad från automaterna i samtalsrummen på häktet. Han sörplar och smuttar med de där röda läpparna, gräver ner i muggen med pekfingret efter sockerkladdet i botten.

Jag måste ut, jag måste ut härifrån.

Jag pressar ner axlarna. Det känns som om jag har håll. Jag tänker på min sista frukost hemma. Vad som helst, bara jag slipper lyssna. Jag gick ner i köket, precis som vanligt. Både mamma och pappa var där, pappa läste tidningen, mamma stod upp och drack en djup klunk i taget av den där gröna sörjan hon livnär sig på. Hon pressar juice ur grönkål, spenat och gröna äpplen och mixar med avokado i en speciell råsaftpress slash blender för niotusen kronor. Innan hon började med juicen var det en särskild tesort från en amerikansk hälsokostaffär på nätet. Den drack hon varje morgon till en omelett på fyra äggvitor. Tanja slängde de överblivna äggulorna, en gång i veckan, tjugoåtta stycken som fått stelna i kylen.

"Jag kan omöjligen äta gulorna", brukade mamma säga till henne och skratta, som om det varit ett skämt som Tanja också fattade. "Men du kanske vill ha dem, Tanja?"

Mamma har alltid samma röstläge när hon pratar med Tanja. Samma släpiga röst, som till ett bångstyrigt barn. Med det undantaget att hon knappast skulle prata så med min lillasyster Lina, eller något annat barn heller för den delen. En röst för barnen, en röst för husan. Ett litet massmord skulle knappast ändra på den saken. Huvudet upp och fötterna ner. En vippdocka med en blydank i röven, det är min mamma.

Hon brukar låtsas att Tanja och hon är goda vänner, kollegor ungefär. Det är nog därför hon frågar om hon vill ha något att äta hela tiden. Jag har aldrig sett Tanja äta. Eller ens dricka något annat än ett halvt glas vatten, det häver hon i sig så snabbt hon kan, stående lutad över diskhon. Eller gå på toaletten, jag har aldrig sett Tanja gå på toaletten. Kanske skiter hon i våra rabatter och urinerar i mammas gröna juicer? Eller så håller hon sig tills hon kommer hem. Jag undrade alltid vad mamma trodde att Tanja skulle göra med de där överblivna äggulorna. Gulpa i sig dem som Rocky inför en viktig boxningsmatch, eller ta med dem hem och göra äggtoddy till sina gråa ungar? Vi har aldrig träffat Tanjas barn, men mamma har lärt sig namnen på dem av samma skäl som hon hälsar på tiggare. *Hur är det med Elena? Går det bra för Sasha i skolan?*

På köksbordet den sista morgonen stod färskpressad juice (vanlig, apelsin), ost och smör, skuren tomat och gurka, det luktade kaffe och äggröra tror jag, jag såg den inte, men jag tror det var äggröra. Frukosten verkade nästan rituell, en offergåva. Kontakten var urdragen ur radion, den låg slapp som en avskuren kroppsdel vid sidan om skärbrädan. *Vi måste prata*, betydde det. De ville prata allvar. *Hade någon ringt dem och berättat? Polisen? Hade någon ringt polisen?* Jag ville inte prata. Jag vägrade. Mamma tittade på mig utan att säga något, jag tittade bort utan att säga något tillbaka. Då ringde min telefon. Det var Sebastian.

Jag hade lovat att vi skulle åka till skolan tillsammans. Han hade insisterat. *Du måste.* Jag hade inte velat, jag ville fortfarande inte. Men jag ville inte stanna här heller. Vem ska äta upp allt det här, hann jag tänka innan jag krånglade på mig skorna och tog mina nycklar. De låg på hallbordet. Kommer Tanja att få plasta in det och ställa det i kylen? Fast Tanja jobbade inte på fredagar. Hon jobbade inte och de skulle hinna göra husrannsakan hemma hos oss innan hon kom tillbaka.

"Jag hinner inte", skrek jag till mamma och pappa. "Vi får prata i kväll." Men jag tänkte inte prata med dem, aldrig mer. Hur skulle de kunna fatta någonting? Det var försent.

Chefsåklagare Lena Pärsson pratar och pratar och jag vänder mig fortfarande inte om och tittar på publiken. Jag vill inte riskera att få syn på Amandas mamma eller någon annan som vill att jag ska straffas i all evighet, helst dö, men åtminstone bli inlåst så att de kan kasta bort nyckeln. Varför skulle de vara det minsta intresserad av Sanders resonemang om bevis och händelseförlopp och kausalitet och uppsåt och allt vad det heter? Inte ens jag är intresserad av det.

Och journalisterna, jag vill inte titta på dem heller. Jag fattar vad de vill, de vill förklara mig, säga att jag var si eller så, min uppväxt var sådan, mina föräldrar sådana, jag "mådde inte bra", drack för mycket, rökte fel sorts cigaretter; jag lyssnade på fel sorts musik, umgicks med fel människor, jag var "inte någon vanlig tjej". Inbillade mig vissa saker, förstod inte andra.

De är inte intresserade av att veta vad som hände, de vill muta in mig i en så liten ruta som möjligt. Då blir det lättare att avfärda mig. De vill bli övertygade om att vi inte har något gemensamt. Först då kan de sova gott om nätterna. Först då kan de tänka att det som hände mig aldrig, aldrig, aldrig skulle kunna hända dem.

Åklagaren, chefsåklagare Lena Pärsson ("kalla mig Lena", sa hon, första gången hon satt med vid ett av mina förhör) med sina tackiga örhängen (äkta varianter på de stenarna hade sålts med beväpnad säkerhetspersonal som kostnadsfritt tillägg), sin ojämna lugg och de där ögonbrynen som ser ut att vara ditritade med kulspetspenna, hon pratar. Och pratar och pratar. Nu har det börjat surra i mitt huvud. Jag stryker handen över munnen igen. Det klibbar under mina armar, jag undrar om det syns att jag har ringar under dem. Pärsson har klickat på ett av dokumenten, nervöst. Det verkar vara en närmast övermänsklig övning för henne att koordinera ihop rörelserna för att få de jävla bilderna att visas. Men nu för hon en liten prick fram och tillbaka över ett fotografi för att peka på det hon vill att vi ska titta på.

Sander berättade inte att det skulle visas bilder nu. Åklagaren visar redan bilder, trots att det bara är inledningen, hur lång kan en inledning vara, ska det här aldrig ta slut? Jag måste ut härifrån. Jag tittar på Sander men han tittar inte tillbaka. Nu visar hon en karta över skolan. Labyrinten av gångar, klassrummet, den närmsta nödutgången, aulan. Det syns inte på kartan hur lågt i tak det är i skolkorridorerna. Det syns inte hur mörkt det är därinne, även en solig morgon i slutet på maj.

Hon pekar på ritningen för att visa mitt skåp, där den ena av Sebastians väskor hittades, hon pekar på dörrarna längst bak i klassrummet, de som leder ut mot gården. De var låsta den där dagen. Jag antar att det är för att förklara varför polisen inte gick den vägen (de har blivit kritiserade för det i media), trots att det knappast skulle gjort någon skillnad. Det var över redan när de larmade polisen. Hon pekar på dörren ut mot korridoren. Den var bara stängd, inte låst, men ingen öppnade den ändå förrän det var försent. Hade någon annan än polisen kunnat göra något? Hur? Vem skulle det ha varit? Hon byter bild till en teckning av klassrummet. Jag slår ner ögonen. Hur lång tid har hon hållit på? Det känns som timmar.

Kalla-mig-Lena går grundligt tillväga. Jag har läst förundersökningen, det allra mesta i alla fall, och hon har dissekerat mig. Kalla-mig-Lena har skurit upp mig, plockat sönder mig, tagit ur mina inälvor, luktat på innehållet i mina tarmar. Kalla-mig-Lena har haft presskonferenser om mig, varje vecka, ibland flera gånger om dagen, i månader. Hon har analyserat mina jävla trosor.

Kalla-mig-Lena-skitfula-chefsåklagare-Lena-Pärsson är säker på att hon känner mig. Det hörs på hennes röst. Varje ord är en avdammad dyrgrip. Hon lyfter upp dem, en i taget, i ljuset. Hon är så nöjd. Hon är övertygad om att hon vet allt om mig, vem jag är och varför. Vad jag har gjort. Hon pekar inte på mig, men det är bara för att hon inte behöver. Titta på Maja Norberg allesammans: mördaren, monstret, hon sitter där!

Alla tittar redan.

Själva stämningsansökan, där det står vad åklagaren säger att jag har gjort och vad hon vill att jag ska dömas för, är på totalt elva sidor och innehåller noggranna beskrivningar. Det finns bilagor också, med detaljer om offren, vilka de var, vad som hände dem och vad jag gjorde, vilka jag sköt och vilka Sebastian sköt och hur allt var mitt fel. Det finns fotografier, rättsutlåtanden. Förhör med folk som påstår att de känner mig, att de visste, att de kan förklara. Chefsåklagare Lena Pärsson har en hel berättelse. Den hänger ihop från början till slut och alla tror att den är sann, även om de inte har hört den än.

Jag undrar vad mamma menar när hon säger att det kommer att gå bra.

5.

Hon blir faktiskt klar till slut, chefsåklagare Lena Pärsson. Sedan pratar offrens advokater. Jag krävs på skadestånd, men det är inte speciellt mycket pengar. Bara en av advokaterna pratar längre än två minuter. Och när det också är klart frågar Sander äntligen om vi kan ta en paus. Chefsdomaren ser nästan mer lättad ut än jag känner mig. Vi går ut. Jag i mitten, Ferdinand och Pannkakan på varsin sida. Sander går först.

När vi kommer fram till rummet de har gett oss går vi in och stänger dörren. Det sitter en fasttejpad lapp på utsidan av dörren, *den tilltalade* står det på den. Är jag någon de ska säga något till, förklara något för? Det är märkligt att en domstol, stället där sanningen ska komma fram, har så svårt att säga saker och ting rakt ut, våga kalla saker vid deras rätta namn.

"Vill du ha något?" undrar Ferdinand. Jag svarar inte, inväntar fortsättningen. "Kaffe?"

Jag skakar på huvudet. *Vita liljor i min loge*, tänker jag. Om jag sa det högt skulle Ferdinand svimma, av det enkla skälet att hon inte har någon humor och tror att jag är typen som gillar vita liljor. Men jag säger inget.

Under hela pausen står Sander upp. Han säger inte heller något. Det finns en toalett i direkt anslutning till vårt rum, jag tror att det är därför vi får vara här trots att det vanligtvis är avsett för något annat: vi ska slippa gå på toa med de andra. Eller, de andra ska slippa gå på samma toa som jag. Vi turas om att använda den. När det blir min tur är sitsen varm.

Det är knäpptyst. Ingen dricker kaffe. Ferdinand tar upp en vatten-

40

flaska och smuttar ur den. Rättegången har redan hållit på i drygt två timmar. Åklagarens sammanfattning tog en timme och fyrtiosju minuter.

Efter exakt tolv minuter går vi tillbaka. Pannkakan smäller igen dörren så hårt att papperslappen ramlar av. Ferdinand trycker tillbaka den igen. Jag glömde att be att få byta kläder.

När vi återigen har satt oss på våra platser, då hör jag pappa harkla sig, precis när Sander ska börja prata. Jag får anstränga mig för att inte vända mig om och titta på honom. Istället koncentrerar jag mig på Sander. Vi sitter precis bredvid varandra, han har dessutom gett mig ett block och en penna och sagt åt mig att skriva ner allt jag tycker verkar konstigt eller som jag vill fråga honom om.

"Det är viktigt", har han sagt, fler gånger än jag kan hålla reda på, "att du tycker att det blir rätt."

Jag gillar Sander. Men jag begriper inte alltid vad han menar. Eller, rättare sagt, jag förstår innebörden, själva meningen, men jag förstår sällan tanken bakom.

Att det blir rätt. Att jag blir nöjd, kanske? Jag var tvungen att fråga vad han menade. Men det hade jag kunnat skita i, för jag fick bara en obegriplig harang om att han "förde min talan" och att om han sa saker som inte "överensstämde med min syn på händelseförloppet" så måste jag "påpeka det".

Efter en stund tror jag att han fattade hur idiotisk han lät, för han slutade prata. Istället tittade han på mig en stund innan han sa: "Om jag säger något som gör dig förbannad, rädd, irriterad eller något liknande, då måste du säga det till mig. Men du kan inte säga det precis när jag säger det, inte så att åklagaren och domarna hör. Skriv ner det så tar vi det efteråt."

Det finns annat jag inte heller förstår meningen med. Saker han vill prata om ("ta upp") under rättegången. Det stör mig att han uppenbarligen diskuterar mig när jag inte är med, att han "lägger upp taktik" tillsammans med Ferdinand och Pannkakan och alla deras andra kollegor som jag knappt kan hålla isär för att de ser likadana ut allesammans. De sitter vid långbord på advokatkontoret och diskuterar "strategier". Det är väl då de petar i sina pappkartonger med kinahämtmat, antar jag.

"Maja Norberg medger delar av gärningsbeskrivningen men nekar till brott", säger Sander och jag undrar om någon tror att det betyder att jag är oskyldig; om någon låter sig övertygas om att jag inte har gjort något fel och jag undrar vad jag ska anteckna på mitt papper för att få Sander att förklara tillräckligt bra.

Sander säger att jag måste lita på honom. Att han är "helt öppen" med mig. Och vad har jag för alternativ? Jag vet ändå inte hur det skulle kunna bli rätt.

Sander har en uppsättning blickar, de är olika för olika personer. Han har den koncentrerade men uttråkade blicken, när han tittar rakt på den som pratar och det syns att ingenting kan förvåna honom, ingen kan berätta något han inte redan har räknat ut. Den blicken gav han poliserna när de förhörde mig och jag brukar fantisera om att han tittar på journalisterna så när de ställer frågor han inte har rätt att svara på ("yppandeförbud"). Just nu tittar han på domaren och åklagaren på exakt det viset: artigt trött.

Blicken han ger Pannkakan är värre. När Pannkakan säger saker som "vill man göra omelett måste man knäcka ägg" och "även en trasig klocka visar rätt tid två gånger per dygn" blir Sander tror-du-att-du-är-rolig-nu-irriterad. Och då vill man inget hellre än att han ska sluta blänga, för det allra bästa är när han har klickat klart med tungan och säger något.

Blicken som betyder att Sander är sjukt besviken, att han förväntade sig mer, men att han står ut med det eftersom han inte har något val, den får de allra flesta, åtminstone någon gång då och då. Ibland får Ferdinand motsatsen, en nästan-nöjd-blick. Men den är närapå lika förolämpande eftersom det syns hur förvånad han är över att hon inte är dum i huvudet. Vad Sander inte märker är hur Ferdinand tittar på honom. Eller så bryr han sig inte.

Men jag gillar hur Peder Sander tittar på mig. Han vill inte att jag ska skratta åt hans skämt eller fråga honom vad han gör för något och vad han har för åsikt om saker. Sander skulle aldrig komma på tanken att smygtitta på mina bröst. Han är intresserad av vad jag säger och kommer att göra sitt jobb. Punkt slut.

Jag behöver inte vara rädd för att han ska tycka att det jag berättar

42

är för jobbigt för honom. Jag behöver inte vara orolig för att han ska bli sårad, eller för hur jag får honom att känna sig. Han tittar på mig som om jag vore vuxen eller åtminstone förtjänar att behandlas så. Jag antar att det är Sanders klientblick. Och att den är en av anledningarna till att han är kändis.

Jag är "nöjd" med Sander.

Om jag frågade skulle pappa säga att han valde honom för att han "anses vara bäst". Om Sander är dyr? Antagligen dyrare än jag kan föreställa mig, men det skulle pappa aldrig prata om. För det "gör man inte" och pappa följer alla regler om vad man gör och inte gör.

Det är inte så enkelt som att mamma är gamla pengar och pappa nyrik. Ingen av dem är fin på det sätt de själva tycker är fint. Men mamma växte i alla fall upp med pengar. Mycket pengar som morfar tjänat alldeles själv på ett sorts instrument som används vid knäoperationer. Han fick patent på det medan han fortfarande gick på läkarlinjen och innan läkemedelsindustrin hann begripa att morfars pryl inte bara var något nytt utan att den dessutom gick att använda. På ett par år blev den "oundgänglig" (mammas ord). "Alla" använder den, "över hela världen" (fortfarande mammas ord). Morfar har blivit "snuskigt rik" på den här prylen. (Absolut inte under några omständigheter mammas ord. Morfar däremot, han säger det så ofta han kan.)

Morfar har samma förhållande till sina pengar som han har till vädret. De finns där, han använder dem, de verkar inte ta slut hur han än spenderar, tänk vilken tur ändå, lika bra att passa på. Kanske har morfars inställning gjort mamma finansiellt skitnödig. Och med skitnödig menar jag att hon tycker att det viktigaste är att alla tror att hon är rikare än hon är, och det försöker hon åstadkomma genom att låtsas att pengar inte är det minsta viktigt för henne.

Mamma brukar säga om antikviteterna hemma hos oss att de kommer från hennes "familj". Klockan i köket till exempel, hon vet inte riktigt om den är snygg eller groteskt ful, så hon skrattar genom näsan när någon pratar om den eller bara råkar slänga ett öga på den och så säger hon "familjen" och himlar med ögonen, som om klockan hade varit arvegods hon är tvungen att leva med för att inte hennes döda anfader ska vrida sig i gravplågor.

Att alla våra möbler kommer från olika konkursbon som morfar ropat in på Bukowskis och sedan tröttnat på och därför dumpat hos oss, det berättar hon aldrig. Inte för att någon låter sig luras, inte en enda människa har någonsin trott att mamma är den hon låtsas att hon är. Men hon fortsätter att låtsas. Och folk är för det mesta artiga, de låter henne hållas.

Pappas pengar är inte ens en kvart gamla. Och han har inte tillräckligt för att kompensera det. Men han gick sista året på gymnasiet på en internatskola utanför Uppsala medan hans ordentliga, supertråkiga medelklassföräldrar arbetade med bevattning på ett u-landsprojekt i Nordafrika. Och där, på internatskolan, tror han att han lärde sig vad som krävs för att passa in, vad han måste göra för att fint folk ska tycka att han är en av dem. Han har rel såklart.

Pappa måste vara rädd nu. Att han ska bli sedd för precis den han är. Han kallas för Finansmäklaren i tidningarna. Det kanske imponerar på folk, vad vet jag? Men alla som räknas vet att "mäklar" är något man gör tills man blir max trettiofem, sedan börjar man jobba med sina egna pengar, annars är man lika pinsam som en servitris med hängbröst och åderbråck. "Jag arbetar med rådgivning", har jag hört honom säga en gång. Med ett snett leende som sa att det var alldeles för komplicerat för att förklara närmare. På hans visitkort står det fondförvaltare. Det betyder inte finansmäklare, men nästan.

Jag har alltid fått höra att jag brås på pappa. När jag blir förbannad säger mamma det till mig, när jag får mina betyg säger pappa det till mig. Men allt i den här rättssalen tyder på att pappa hädanefter kommer att få nöja sig med att vara "Mördar-Majas pappa – finansmäklaren." Grattis.

Jag undrar vad mamma är mest rädd för. Om det är vad som kommer att hända mig, eller om det är vad som redan hänt henne själv. Jag skiter egentligen i vilket, men jag vill inte att Lina ska vara rädd. Att tänka på hur rädd Lina måste vara är nästan lika jobbigt som att tänka på klassrummet.

Jag brukade bära in Lina i min säng när jag hade svårt att sova. Med henne bredvid mig kändes det nästan alltid lite bättre, till och med de allra sista veckorna. Hennes hår lockades i nacken av

44

sovsvett och hon luktade alltid gott, till och med när hennes hår var smutsigt. Jag låtsades att hon hade drömt en mardröm och kommit till mig. Ibland sa jag det till henne. "Du drömde något läskigt, kommer du ihåg vad det var?" Då tittade hon på mig, förvirrad först, sedan berättade hon om mardrömmen. Det var oftast detaljerat och sjukt trist och osammanhängande om mamma och vårt hus och en ny leksak och rosetter och kanske en hund eller två. Mer än något annat i hela världen vill Lina ha en hund. Jag hoppas att mamma och pappa har köpt en till henne och att de låter den sova i hennes säng. Men mest av allt hoppas jag att hon sover i min säng, att hon går in och lägger sig där och att det får henne att må lite bättre än hon gjorde innan.

Jag försöker tänka att Lina inte förstår vad som händer. Att hon slipper vara här, hon slipper undan. Men det går inte så bra. För jag kan inte låtsas att den som inte förstår vad som händer skulle vara mindre rädd. Jag vet hur det är; det är precis tvärtom.

"Maja nekar till de anklagelser som riktas mot henne. Hon har inte medverkat på ett sätt som genererar rättsligt ansvar. Maja har inte varit medveten om eller gjorts medveten om Sebastian Fagermans planer, inte heller kan hon sägas ha gjort sig skyldig till anstiftan, eller en underlåtenhet som medför rättsligt ansvar. Hon saknar alla former av uppsåt, inklusive likgiltighetsuppsåt. Maja medger att hon avlossat det vapen som finns angivet i gärningsbeskrivningen och på den plats som anges, men detta har skett i självförsvar. Hon kan sålunda inte heller dömas till ansvar i dessa delar."

Genererar, anstiftan, likgiltighetsuppsåt… Orden skramlar i mitt huvud och det gör mig livrädd när Sander pratar på det där sättet, för det låter som bortförklaringar, att vi använder juridiska termer och konstiga ord för att undvika att berätta sanningen och inget annat.

Jag vill berätta. Jag skiter i vad det leder till. Det värsta har redan hänt. Jag undrar om Sander tänker prata lika länge som åklagaren. Jag tror inte det. Han verkar vara nästan klar och det har bara gått elva minuter. Jag vet inte om det är bra eller dåligt, men jag blir rädd för det

45

också. Tror inte folk att han är så kortfattad för att han inte har något att säga? Jag stryker med handen över mitt block, trycker kulspetspennan mot pappret. Men jag skriver ingenting. Tre minuter senare är Sander klar.

I verkligheten tog det inte ens tre minuter, från det att jag stängde dörren till vårt klassrum till att det sista skottet avlossades. Polisen stormade klassrummet nitton minuter efter att det började.

Hur många kom in genom den där dörren när de öppnade den? Ambulanspersonal, poliser, massvis med poliser. Med kängor, visir, tunga vapen. En av dem trampade mig på armen, en annan sparkade mig på handen. Någon slet upp mig från marken, slet bort geväret. Det var oväsen. Det kom ohyggligt mycket folk. Skrek de? Jag tror det. Men jag kommer inte ihåg om jag sa något. Innan de rörde mig drog de bort Sebastian. De lät vapnen ligga kvar en sekund längre än de lät honom vara kvar hos mig. Jag undrar fortfarande varför.

De la mig på en bår. Någon svepte en filt om mig. Jag vet inte om jag var den första de bar ut. Jag tror inte det.

En minut, kanske en och en halv. Så lång tid höll skottlossningen på. Det står i förundersökningen, jag behöver inte komma ihåg det. Ändå blir jag förvirrad av de där uträkningarna. Ibland när jag tänker tillbaka känns det som om det var över på tio sekunder, ibland tror jag att jag var därinne i åratal. Som Narnia, där man hamnade för att man öppnade fel garderobsdörr och när man kom tillbaka efter flera års krig mot den vita häxan så hade det inte gått ens en minut.

Nitton minuter från att jag stängde klassrumsdörren tills att den öppnades igen. Det är klart att det kan stämma. Mer än tillräckligt med tid för att allt skulle hinna ta slut. Fast det beror förstås på när man menar att det började. Inte själva skottlossningen alltså, utan alltsammans. Poliserna och åklagaren säger att vi planerade det, jag och Sebastian, att det växte fram, vår isolering, vår ilska, men också att det utlösande var festen kvällen innan, det sista bråket. De som står utanför den här rättssalen och kastar gatsten på varandra för att de hatar mig och allt det de tycker att jag symboliserar, de skulle väl antagligen säga att det började med kapitalismen, eller monarkin, eller alliansregeringen, eller när vi övergav asatron, eller något annat absurt som inte ens de kan förklara logiken bakom.

Bara jag vet. Jag vet att allt började och allt slutade med Sebastian.

Ett av mina första minnen, inte bara av Sebastian, men av mitt liv, är att jag såg honom sitta i ett träd. Mamma och jag gick förbi Fagermans tomt på väg hem från dagis. Han var bara fem år, men alla var förälskade i honom. Han hade vågigt halvlångt hår som lockade sig i pannan. Han ställde allvarliga oemotståndliga frågor, var okoncentrerad men tusen procent på hela tiden. Han var den alla killar ville leka med och alla tjejer viskade om. Till och med våra dagisfröknar blängde avundsjukt på den som fick knäppa hans jacka, rätta till halsduken, gräva fram det rätta paret galonbyxor ur torkskåpet innan det var dags att gå ut. Och Sebastian brukade peka på sin favoritfröken för dagen. *Anneli ska hjälpa mig. Laylah ska dra av strumporna.*

Sebastian ropade på mig från sin plats däruppe i trädet. Det var så viktigt, så avgörande, att det jag minns starkast är att jag inte ens klarade av att svara. Mamma sa säkert något, om tomten, huset, vems son han var. (Viskade upphetsat till mig: *Är inte det där Sebastian Fagerman? Är ni i samma dagisgrupp?* Som om hon inte redan visste det, hade full koll.) Men jag minns bara att min kropp pirrade av att höra hans röst säga mitt namn.

"Maja." Mer ett konstaterande än en hälsning. Jag svarade inte. Det gjorde nog mamma. "Hej, hej Sebastian", sa hon väl. "Ramla inte ner därifrån", kanske hon sa också, eller något i den stilen, medan jag slet åt mig min hand. Jag ville inte att hon skulle lägga sig i. Det här hade hon inte med att göra, det här skulle hon inte få förstöra.

Bara en vecka senare pussades vi när vi lekte i kuddrummet. Jag tänker på det ibland, att vi aldrig lekte, inte ens på dagis, bara hånglade. Med killarna gjorde han det killar gör, de sparkade på bollar och varandra, kanske byggde de saker också, torn av klossar som de kunde riva ner igen. Men med mig var det hela tiden fysiskt, han tog på mig, smekte, luktade på mitt hår, kände på insidan av min arm, drog en filt över oss och låg nära och andades in min andedräkt; jag blev alldeles snurrig av värmen och syrebristen. Till och med på dagis hade han svårt att leka vanliga lekar med tjejer. Femåriga Sebastian tog på mig. Det varade kanske en vecka eller två, sedan skulle jag få vänta i tretton år innan han upptäckte mig igen.

Saknade jag det alla år däremellan, när han lekte med andra, var ihop med andra, gick en klass över min och bara jag visste vem han var och inte tvärtom? Ja, det gjorde jag.

"Du kan inte bestämma vad de ska tycka om Sebastian", har Sander sagt till mig, fler gånger än jag orkar hålla reda på. "Du ska inte bekymra dig om hur folk ska minnas honom. Vi måste fokusera på dig. Vi måste säkerställa att den här rättegången handlar om det du kan ställas till svars för. Det och ingenting annat."

Det jag kan ställas till svars för. Som om det inte hörde ihop med det Sebastian gjorde. Som om det skulle kunna gå att särskilja, stansa ur, klippa rent, skära bort, rensa från det andra. Det tycker verkligen inte åklagaren. Kalla-mig-Lena tycker att allt hör ihop. Kanske ska jag anteckna i mitt block att jag tycker att hon har rätt?

6.

Susse från häktet väntar på mig i garaget när vi är klara för dagen. Hon har någon sorts uniform på sig och hon ler, grinar bredare än hon borde kunna, hennes tänder är så vita att de ser ljusblåa ut. De verkar felplacerade i hennes duschsolbrända ansikte, de väntar bara på rätt tillfälle att sticka därifrån. Susse frågar hur det har gått, jag orkar inte svara, går bara in i bilen och pressar ihop ögonen.

Jag har fått ta med mig mitt block. Det håller jag fortfarande i handen. Inte ett ord har jag skrivit, bara ritat istället. Runda cirklar, i varandra, på varandra, bredvid varandra, små, stora, runt-runt-runt.

Susse sätter sig i baksätet, bredvid mig. Jag känner hur hon tittar på mig från sidan, men utan att säga något mer. Hon låter mig vara.

Hur gick det?

När Sander pratade om klassrummet lyssnade jag inte så noga. Men jag märkte när han började prata om mig. "Maja." Han var noggrann med att säga för och efternamn på alla inblandade varje gång han pratade om dem, men mig kallade han Maja. Bara Maja, inget efternamn, hela tiden Maja, trots att jag faktiskt är döpt till Maria. En Maria kan vara politiker, författare eller läkare. *Mördare*. Maja däremot, hon är gullig och harmlös: Pelle Svanslös vita kattflickvän. Åklagaren sa "den tilltalade", någon gång Maria Norberg. Aldrig Maja, trots att hon alltid kallade mig det när hon satt med vid mina förhör.

"Det är viktigt", har Sander förklarat, mycket är *viktigt* i Sanders värld, "att rätten får lära känna Maja."

Jag vet inte hur Sanders idéer ska kunna leda till något annat än det vi alla förväntar oss, alla inklusive Sander själv, men i sin korta sammanfattning, bestående huvudsak av juridisk lingo, hann han ändå nämna mamma och pappa, skolan; att vuxenvärlden svek mig, att jag haft det jobbigt sedan Sebastian kom in i mitt liv, att jag hamnade i en situation jag inte klarade av att ta mig ur, och att jag bara var arton år när det hände, "nyss fyllda".

Sander sa att jag är "brådmogen" och "intelligent", men "osäker" och "lättmanipulerad". Sander har gjort intelligenstest på mig, låtit mig prata med två olika psykologer. Han har en massa utlåtanden om vem jag är och varför jag gjorde det jag gjorde och inte gjorde en massa annat som jag enligt åklagaren borde ha gjort.

När vi kommer ut på motorvägen tar Susse min hand och jag lutar mig mot hennes axel. Jag är duktig i skolan. På det där självklara sättet som får lärare att småle när man räcker upp handen, men aldrig ger en frågan eftersom man inte längre behöver bevisa något. Elever som jag omges av en speciell aura. Sedan första klass har jag haft den där utstrålningen. Ända sedan första dagen när jag fick alla rätt på rättstavningsprovet vi fick utan att fröken berättat för oss att det skulle bli prov. Ända sedan jag lärde mig skrivstil trots att vi inte behövde det. Ända sedan första gången jag bad att få fler svarspapper till provet än dem som fröken delade ut. Ingen annan än jag använde fler papper än de vi fått.

Jag är duktig och alla lärare vill tro att det är deras förtjänst. Jag är det lärare påstår att de "lever för" eftersom det knappast kan vara lönen.

Eller, förlåt. Jag "var" en sådan elev. Jag är det inte längre. Nu är jag det yttersta beviset på skolans slutgiltiga sönderfall. Och Sander kan prata till nästa vecka om hur "duktig" jag är, men han kommer inte att kunna ändra på den saken. Jag kommer inte att få A på det här.

Och att vara "duktig" är dubbelt, åtminstone om man hävdar att man bara råkat hamna i ett klassrum fullt med döda människor och att ingenting av det man gjorde var ens eget fel. När Sander berättade för mig om resultatet på intelligenstestet hade han något beklagande i rösten. Som om jag inte redan visste att det var dåliga nyheter. Som om jag inte redan i åratal har gjort vad jag har kunnat för att låtsas som ingenting.

Jag har gjort som alla tjejer, klagat på allt som har med mig själv att göra, låtsats vara nervös inför prov och låtsats vara besviken när provtiden är över. "Åh, guuud, jag hann inte klart sista frågan. Jag bara skrev något, det gick säkert jättedåligt." Jag har spelat naiv för både lärare och kompisar, killar och andra vuxna, låtsats vara dummare än jag är, allt för att försöka undvika att verka jävligt nöjd, *hon-tror-att-hon-är-nån*. Jag är tillräckligt smart för att begripa hur meningslöst det är att vara smart, hur lite det betyder och att det är ett problem.

Under genomgången i dag sa Sander inte ett ljud om intelligenstestet. Istället pratade han om hur jag manipulerades, vad jag "utsattes för", hur det "påverkade" mig, att "det var omöjligt för Maja att förutse konsekvenserna" och att det "är avgörande att lägga ansvaret på dem som verkligen är ansvariga" och att det var ännu viktigare att minnas att "vi nu diskuterar rättsligt ansvar". Mot slutet lät han rösten sakta ner, sänkte volymen för att få folk att lyssna.

"Låt er inte luras", sa han. Hans röst vajade lite för advokat Peder Sander ville visa hela rättssalen hur emotionellt engagerad han var i det här. Att det han sagt till journalister om att det här skulle bli "hans sista och också viktigaste mål" var sant och inte påhittat. Jag är inte vilken klient som helst för Sander, sa den darrande rösten. Jag är Maja. *Oskyldigt anklagad*. Sedan höjde Sander rösten och lät nästan arg. Äcklad. "Sebastian Fagerman", loskade han ur sig "bär ensam det rättsliga ansvaret."

Och sedan gjorde han en paus och la handen på min axel, lät den ligga där medan han väntade på att alla domarna skulle titta på oss. Jag kan fortfarande, här i bilen bredvid Susse, känna hur tung hans hand var. Sedan sa han det:

"Vi vill ha någon att ställa till svars för denna tragedi. Det är mänskligt att leta efter förklaringar. Men det saknas grund för att åtala Maja. Den ansvarige är Sebastian Fagerman. Han är död."

Och pappa harklade sig igen. Mamma grät. Jag drog efter andan. Mamma, pappa och jag skötte vår dramaturgiska tajming perfekt, och Sander pratade bara om det som får plats i en paragraf.

När vi svänger in framför häktesbyggnaden och bilen saktar in för att Susse ska kunna visa sitt passerkort har min huvudvärk krafsat sig upp mot pannan. Jag sväljer och sätter mig upp, rätar på ryggen. Öppnar ögonen.

"Det gick bra", säger jag till Susse medan vi kör in genom grindarna till häktet. "Det gick bra."

Ambulansen, sjukhuset

7.

Hela området var avspärrat. När de bar min bår mellan klassrummet och ambulansen såg jag en stor folksamling längre bort; jag såg hur det fladdrade blåvita plastremsor längs med hela vägen upp mot skolan, jag anade de uppvecklade kravallstaketen mellan kohagarna och majsodlingarna.

När de lyfte in mig i bilen hörde jag ännu en ambulanssiren, på väg mot skolan. Eller bort?

Jag vet inte vilken väg ambulansen tog när de körde mig från skolan till sjukhuset, för jag kunde inte se ut. Men jag låg på britsen, under min filt och ville hem. Jag låtsades att ambulansen bara tog en omväg, att vi snart skulle vara framme vid Altorp, de mjuka, krattade motionsspåren med gula elljus tända hela nätterna "tänk så praktiskt ändå" (mammas ord), att vi skulle köra förbi golfbanan "precis om knuten, tänk så praktiskt ändå" (också mammas ord) och Framnäsviken med alla båtarna, nymålade och nyss nedsläppta i sjön, redo att åka ut i skärgården, "vi bor granne med paradiset" (ja, fortfarande mammas ord).

Sebastian hade lagt i sin båt för tre veckor sedan. Vi hade bott över där på valborg. Sebastian sov, jag låg bredvid och tittade upp på den igenimmade skylighten. Det var alldeles nyss och jag visste att ambulansen inte var på väg hem med mig, men jag ville hellre än något annat jag velat förut se det jag kände igen: Norrängsgården med tennisbanorna under kupat tak, gångvägen till Sammis som var för brant att cykla uppför, Vasaskolan, de steniga stigarna på Ekudden, den smala stranden på Barracuda, träden längs med Slottsbacken, hängmattan pappa hade köpt för en vecka sedan. Om jag bara fick se dem hade inget hänt. Men det fanns inga fönster i ambulansen och vi körde snabbt, bort, bort, bort

Skulle skolorna få hålla stängt nu? Hur skulle det bli med studentfirandet? Måste det ställas in? Amandas studentskiva? Hon skulle ha sin fest sist av oss allesammans och hon hade sagt att jag måste hålla tal. *Du måstemåstemåste!* Vad skulle hända med hennes fest nu? Visst var hon död? Jag hade hört henne dö, jag hade hört alla dö, varenda en, de var alla döda, visst var det det? Jag såg dem dö. Alla utom jag var döda och alldeles nyss levde vi.

Vad var klockan? Var det bara timmar sedan festen tagit slut och vi gick förbi Djursholms torg, Sebastian och jag? Vi hade pratat klart, det fanns inte mer att säga och han gick framför mig, vägrade att gå bredvid mig och jag såg att skylten utanför bageriet hade trillat omkull. Lämnade de den ute över natten? Det var varmt, det var en varm vår, nästan sommar. I en dryg vecka hade värmen känts slösaktig, som om det inte skulle finnas någon kvar till lovet. Under hela promenaden med Sebastian gick jag barfota på asfalten eftersom mina fötter gjorde ont, jag bar mina skor i ena handen, höll dem i ankelremmen. Med andra handen försökte jag ta i honom, han slog bort mig. Ändå trodde jag att han inte var arg längre. Att han var lugn. Han verkade lugnare än på länge. Det var väl bara några timmar sedan? Var Sebastian död nu?

Den där promenaden. Vi gick upp på Henrik Palmes allé, gatan låg alldeles öde men var ljus som mitt på dagen och vi skulle snart åka till skolan och träffa alla igen. Dennis och Samir och de andra. Men just där och då var vi ensamma. Ingen gick efter oss, framför eller förbi oss. Villorna låg långt upp på sina höjder, bilarna stod parkerade i stängda garage, dörrarna var låsta, larmade.

Hela Djursholm kändes övergivet, jag hörde inte några fåglar, inga morgonljud alls, det var bara tyst. Dödstyst, minuterna efter en atombomb, tänkte jag. Varför tänkte jag på atomvapen? Gjorde jag det, eller var det något jag tänkte först nu, efteråt? Nu när det var över. Allt var slut.

Hela vägen från skolan till sjukhuset låg jag på ambulansbritsen och lyssnade utan att se. Vi hade kört ett tag när jag hörde ännu en siren, på avstånd. En siren borde väl betyda att det var bråttom? Att det inte var över? Att någon fortfarande levde?

"Är inte alla döda?" frågade jag polisen bredvid mig, jag tror det var han som burit ut mig. Polisen svarade inte. Han tittade inte ens på mig. Han hatade mig redan.

Sjukhuspersonalen hade plasthandskar när de klädde av mig och de stoppade mina kläder i olika påsar. Inte förrän efter många timmar fick jag tvätta mig. Jag träffade tre olika läkare och fyra sjuksystrar innan de släppte in mig i duschen. Jag skruvade bara på varmvattnet, inget annat. Klev in under strålen medan den fortfarande arbetade sig upp mot skållhett, men jag kände knappt temperaturen förändras. Lukten av blod fick jag ändå inte bort. Badrumsdörren stod öppen, något duschförhänge fanns inte och en kvinnlig polis stod lutad mot dörrkarmen och glodde på mig under tiden. De hade tagit massvis med prov, petat mig under naglarna, skrapat på mig, i mig, med instrument av metall, med overkligt stora tops och jag fick stanna på sjukhuset en natt trots att det inte var något fel på mig.

Inte förrän långt senare fattade jag att när poliserna kom för att prata blev jag förhörd, inte förrän långt senare fattade jag varför jag inte fick prata med någon annan än poliserna, varför sjuksköterskorna och läkarna sa "vi får inte prata med dig om det" med röster som inte ens ansträngde sig för att låta medlidande. Inte förrän långt senare fattade jag varför det tog flera timmar innan jag fick träffa mamma och pappa.

Det satt en annan kvinna vid min säng och höll i knoppen på sin batong. När jag blivit avklädd och lagd i sängen frågade jag henne om mamma och pappa var döda. Jag vet inte varför jag sa så. *Är min mamma och pappa döda?* Men det syntes att det gjorde henne nervös. Hon ringde på sin telefon och då kom den första poliskvinnan tillbaka, hon hade pojkhöfter och åttiotalspermanent och en bandspelare. Med smala ögon frågade hon mig varför jag undrade om mamma och pappa var döda. Varför ville jag veta det? *Varför, varför, varför?* Jag fattade inte varför hon undrade det. Inte förrän senare.

Två poliser turades om att sitta och glo på mig på sjukhuset. Mamma och pappa fick komma in till mig i fem minuter, det måste ha varit sent på kvällen, mitt i natten kanske, tillsammans med ytterligare en polis. Vi var sex personer inne i mitt lilla rum och mamma satte sig på den allra yttersta kanten av min säng. Hon sa ingenting, frågade ingenting, inte "vad hände", inte "vad har du gjort", inte ens "hur mår du". Hon sa inte att det skulle ordna sig, eller hur jag skulle göra nu, vad jag skulle ta mig till för att inte dö, även om jag sa det, att jag skulle dö, ville dö, kanske? Mamma bara grät. Jag hade sett henne gråta många gånger förut, men aldrig på det viset. Det var en annan människa. Hon såg förvriden ut, livrädd. Jag tror det var mig hon var rädd för. Jag tror att hon inte vågade fråga mig något, eller säga något till mig, för att hon var rädd för vad jag skulle svara.

Det är möjligt att de blivit tillsagda av polisen (eller Sander) att inte ställa några frågor, eller prata om vad som skulle hända med mig, men min mamma har ändå aldrig sagt åt mig vad jag ska göra. Hon försöker rynka sin stela panna och "resonera". Bland alla mammatyper hon väljer mellan är hon oftast Den Omtänksamma. Den som vill visa sin dotter att hon förstår att dottern är mogen att ta eget ansvar. Inte för att mamma tycker det, utan för att det är viktigt för henne att folk tror det. Men det var väl inte läge att visa vilken förträfflig morsa hon var. Chanserna för att hon skulle lyckas med just det, just då, just där, var också rätt usla. Pappa stod bakom henne. Han grät också. Jag hade aldrig sett honom gråta tidigare, inte ens på mormors begravning.

"Jag har ringt Peder Sander", sa han. Inget att resonera om.

Jag visste faktiskt vem advokaten Peder Sander var. Alla vet nog vem han är, han dyker upp i dagstidningar och på nyheterna när han försvarat någon barnamördare eller våldtäktsman. Och i blanka skvallermagasin när han varit på premiär, eller på kalas hos kungen, inte bara Nobelfesten, utan de när kungen själv får välja vem han ska umgås med. Han har varit med i massor av andra tv-program också, han brukar vara expert och prata om rättegångar där ingen har haft turen att få honom.

Det hade kunnat vara lustigt. Att den enda advokat jag hört talas om, som finns på riktigt och inte skriker objection-your-honour i tv eller på film, han umgås med kungen av alla människor, Sveriges mest kända låtsasfigur.

Jag nickade bara.

Mamma nickade också. Hon snöt sig och nickade. En miljon hysteriska nickar. Kanske hade de gett henne något för att hjälpa henne att hålla ihop, eller åtminstone hålla käften. Jag var rädd att om jag öppnade munnen utan att tänka först skulle jag släppa ut ett skrik som aldrig tog slut. Jag höll munnen stängd. Nicka. Skaka på huvudet. Nicka mest.

Gör bara det, tänkte jag. *Håll munnen stängd. Prata inte.*

Pappa tog ett halvt steg bakåt och plötsligt trodde jag att han skulle be mig att tacka. Att han skulle sänka rösten en halv oktav på det där sättet han gjorde när jag var liten och undra: "Vad säger man, Maja?" Det gjorde han inte. Han gick därifrån istället.

Jag tror att de kanske hade fått stanna längre. Poliserna ville nog gärna lyssna på ett riktigt förtroligt mamma-pappa-dotter-samtal. Men så blev det inte. Mamma och pappa gick därifrån. Jag tror inte att de ville vara kvar.

Innan mamma reste sig kramade hon mig. Hon grävde in naglarna i mina överarmar. Jag böjde mig fram för att krama tillbaka, men lite för sent, hennes bröstben slog i mitt nyckelben. Om jag inte varit större än hon hade hon kanske kunnat pussa mig på pannan, eller något annat moderligt. Men det gick inte nu. När jag drog mig bort från henne såg jag att kanterna på hennes ögon var alldeles rosa, som på en laboratorieråtta. Mamma hade gråtit bort allt smink och inte bättrat på det efteråt. Vidden av det. Avgrunden det skvallrade om.

När de gått kom en sjuksyster in med två tabletter till mig. De låg i en plastmugg. Jag tog dem. Krånglade in dem i munnen. Svalde med vatten från en annan, lite större plastmugg. Sedan gick hon, dörren lämnade hon öppen. Det satt fortfarande en uniformerad polis bredvid min säng och en annan utanför rummet.

De trodde förstås att jag tänkte ta livet av mig, att jag inte kunde leva vidare med skammen över det jag gjort, men det tog det också ett par dagar innan jag fattade. Jag gläntade på munnen och ropade efter henne. "Tack", fick jag ur mig. Men förlåt hade antagligen varit mer på sin plats. *Jag borde ha dött, men det gjorde jag inte. Istället lever jag. Förlåt. Jag är verkligen ledsen. Det var inte meningen.* Jag vill dö, jag lovar.

Jag vet inte om jag somnade den där första natten. Jag tror inte det. Men jag lyckades hålla munnen stängd. Jag började inte skrika.

Morgonen därpå kom två poliser till sjukhuset. Jag var färdigundersökt och torrögd. Kvinnan, den magra med permanenten, var tillbaka och hon hade med sig en yngre man med stirrande blick. Han höll sig ett halvt steg bakom henne. Kanske hade han suttit utanför min dörr. Han såg i alla fall nyvaken ut. Glodde på oss, en i taget. Avslutade med mig. Jag funderade på att stirra tillbaka, tills han blev tvungen att vika undan med blicken, men jag orkade inte. Jag var trött, som om jag precis varit på väg att somna.

Poliserna verkade inte stressade, men de ville ändå inte sätta sig ner. Det kom in en läkare med ett papper som poliskvinnan skrev under. Jag behövde inte byta om de sa att jag kunde åka i sjukhusets pyjamas. Jag skulle ändå få ett ombyte när vi kom fram. Mina egna kläder, mobilen, min dator, min Ipad, nycklarna hem och till skåpet i skolan. Allt hade de tagit.

Jag bad att få gå på toaletten och borsta tänderna. Det fick jag, men Permanenten följde mig in i badrummet. Hon vände sig bort när jag drog ner trosorna, sjukhusets trosor, för att kissa, men jag såg hur hon tittade på mig genom spegeln när jag torkade mig.

Jag frågade inte hur länge jag skulle vara borta. Innan vi gick ut ur rummet plockade polisen upp ett par handbojor, hon satte fast dem på mina handleder, höll ena fingret mellan min handled och metallen för att se till att de inte satt för hårt. Sedan fick jag ett bälte runt midjan och handbojorna fastkedjade vid bältet. Jag hade inte trott att jag skulle åka hem. Men kanske var det först då jag förstod exakt vart vi skulle. Även om det som chockade mig mest var att jag blev bojad.

"Får ni verkligen göra så här?" frågade jag. "Jag är bara …" Jag hade tänkt säga att jag var ett barn, eller tonåring i alla fall, men jag ångrade mig.

Utanför sjukhuset stod journalisterna samlade. Precis utanför sjukhusporten stod fyra män med kameror och fyra kvinnor med varsin mobiltelefon fastklämd i handflatan. Ett par, tre till stod ännu en bit bort.

De skrek inte när jag klev ut genom dörren, men de liksom vred sig i läge. Morfars stövare kör upp nosen i vädret och börjar gnälla bara morfar sätter på sig ett par gummistövlar. Jag var journalisternas gummistövlar. Ljuden från kamerorna hördes bara avlägset. På "respektfullt avstånd", tänkte jag först. De hade ställt sig där jag inte behövde se dem.

Medan jag väntade på att den civilklädda poliskvinnan skulle öppna bakdörren till den grå bil vi skulle kliva in i, frågade en av journalisterna hur jag mådde. Med låg röst, jag hade inte märkt att han stod så nära. Jag ryckte till.

"Tack, bra", sa jag. Det bara kom. Jag glömde att hålla munnen stängd och ut kom det enda som var värre än om jag börjat skrika okontrollerat. Jag kände i hela kroppen att det blev fel. "Eller ..." försökte jag lägga till. Då såg jag journalistens smala ögon. Han tyckte inte synd om mig.

Poliskvinnan tog tag i mig. Hon ville absolut inte att jag skulle börja prata.

"Dina kompisar är döda ...", började journalisten. Men han fick inte fortsätta.

"Om du inte håller käften nu", sa Permanenten. Hon såg ut som om hon tänkte klippa till journalisten. "Om du inte omedelbart slutar att fråga dina frågor riskerar du att sabotera vår utredning. Vill du det?"

Efteråt har jag förstått att Permanenten var rädd att journalisten skulle avslöja det som de inte berättat för mig ännu. Polisen ville se min reaktion när de sa det. Men just då trodde jag att hon var arg på mig, till och med argare än hon varit innan och jag rodnade. Jag är ingen tunn skönhet med krämfärgad hy; jag kan inte rodna gulligt. Jag får svårt att andas och svettas sur, skarp svett som lämnar fläckar med saltränder. Men jag försökte låtsas som ingenting och rätade på ryggen.

Medan Permanenten med de smala höfterna och kantiga naglarna rotade i fickorna efter sin bilnyckel och journalisten försökte tolka innebörden av vad polisen just sagt kände jag hur vinden tog tag i mitt utsläppta hår och lyfte det bakåt. Jackan som Permanenten lagt över mina händer och bojorna ramlade ner på marken. Och där stod jag, i för stora sjukhuskläder, utan behå, med bröstvårtorna riktade mot närmaste fotograf. Om inte handfängslet suttit fast i midjan hade jag väl börjat vinka. En galen jag-har-sprungit-hundra-meter-snabbast-i-världen-gest, en idrottshand på rak arm, med spretande fingrar, riktad mot den stumma folksamlingen som inte var en folksamling, bara ett dussin minst sagt häpna journalister med oborstade tänder och natt-gamla kläder.

När jag satt mig i bilen värkte hela kroppen. Kläderna brände, svets-lågor mot huden. Brännmaneter, brännässlor, tredje gradens bränn-skador med variga blåsor, herregud, vad ont det gjorde. Jag tror att jag skakade. Jag klamrade mig fast vid säkerhetsbältet som låg tvärs över mina armar och händer, jag vände mig bort från Permanenten, anda-des inte förrän vi svängt ut från parkeringen och upp på motorvägen.

Tre bilar följde efter. De höll sig på avstånd. Jag såg inte deras frenetiska ringande hem till redaktionen, deras fipplande med tele-fonerna för att föra över fotografierna, men jag förstod vad de höll på med.

Bilderna på mig. Maja Norberg bortskämd Djursholmsslyna, verk-lighetsfrånvänd galning. Mördare. Maja Norberg var en galen mörda-re, varför skulle annars polisen reagerat på det där viset, varför skulle en tonåring annars transporteras med handfängsel? Det var bara en fråga om minuter innan jag skulle dyka upp på löpsedlarna, i fjorton olika vinklar, alla med samma motiv.

Permanenten lugnade snabbt ner sig. Hon verkade inte bry sig om att vi var förföljda, la in en portion snus under läppen, bökade det bak-åt med tungan. Hon lyfte hakan och snusdosan i en frågande gest. Jag skakade på huvudet.

Herregud, tänkte jag. Ska vi vara tvungna att bonda nu, hon och jag? Jag önskade att jag kommit ihåg att be om en huvudvärkstablett innan vi åkte. Eller att jag ätit något av det de gett mig till frukost. Plötsligt kände jag hur hungrig jag var. När åt jag senast? Det måste ha varit i går. Men jag kunde inte minnas annat än att jag hade tagit en cigarett på en balkong tillsammans med en polis. Ingen hade sagt något om det när jag frågade. Det hade tagit en stund innan de bestämde sig för vilken balkong jag fick gå ut på, och ytterligare en stund innan de grävt fram en cigarett åt mig, men annars tyckte de att det var okej. Det enda som krävdes för att kunna sluta röka i smyg var alltså ett massmord.

Men hade jag ätit frukost i dag? Nej. Lunch i går, absolut inte. Middag? Nej, jag trodde inte det.

Jag la pannan mot fönsterglaset och blundade. Jag önskade att jag hade vinkat åt journalisterna, trots handfängslet. Då hade kungens kompis kunnat åberopa sinnessjukdom.

Huvudförhandling i mål B 147 66

Åklagaren m.fl. mot Maria Norberg

8.

Alla rättegångar följer samma schema. Det finns regler för vem som ska tala och i vilken ordning det ska ske. Sander har förklarat. Jag har lyssnat noggrant. Jag vill inte bli överraskad, vill vara beredd på allt.

Andra dagen när vi möts i rummet som det borde stå mördare på är klockan inte ens halv tio, men någon från Sander & Laestadius har redan hämtat dagens lunch från Östermalmshallen. Den är kall, men ser ändå ungefär en miljon gånger godare ut än något jag har ätit de senaste nio månaderna. Det ligger en hög mintchoklad på bordet bredvid kaffetermosen och skålarna med trekantsmjölk och sockerbitar. Det var bara två timmar sedan jag åt frukost, men jag äter upp chokladen och rullar stanniolpapperet till små runda kulor, dem travar jag på varandra till en liten minipyramid. Jag frågar inte om någon annan vill smaka, men jag frågar om jag får röka. Sander ber mig att "avstå" (ett typiskt Sanderord) eftersom vi aldrig kommer att kunna gå ut från det här rummet utan att få journalisterna över oss och dessutom är det "problematiskt ur ett säkerhetsperspektiv".

Ferdinand undrar om jag vill ha snus istället. Självklart snusar Ferdinand. Antagligen rakar hon sig inte under armarna heller. Jag har ett par vakter på häktet som också verkar vara övertygade om att snus och rikligt könshår är ytterligare ett steg i rätt riktning för kvinnokampen. Och att en antydan till svettlukt är ett tecken på naturlig skönhet, Ferdinand påminner mig om dem, fast på ett mer välutbildat vis. Jag blir inte förvånad över att dosan Ferdinand räcker mig inte är portionssnus.

"Nej, tack", säger jag. Jag har fått fler snusuppmaningar från kvinnor de senaste nio månaderna än de flesta behöver utstå under hela livet.

"Vet du inte att det är farligt att röka?" väser Pannkakan rakt in i mitt öra. "Man kan dö i förtid."

Jag kan inte bedöma om det är ett skämt eller inte.

Åklagaren ska i alla fall prata om min död i dag. Om att jag borde ha varit död.

Hennes upplägg är så här: Sebastian och jag bestämde oss för att hämnas dem som svikit oss. Vi åkte till skolan med en bomb i en väska, vapen i en annan, för att döda så många vi kunde. Dödandet slutade med att Sebastian dog. Jag borde också vara död, men det är jag inte, trots att det är så skolskjutningar ska, eller åtminstone brukar, se ut. En eller flera galningar bestämmer sig för att hämnas på sina kamrater, skjuter vilt omkring sig tills de inte orkar mer eller polisen har kommit och då avslutar de med att skjuta varandra, begå självmord eller se till att polisen tar livet av dem. Om de inte fegar ur, förstås. Bara fegisarna överlever. Och här sitter jag, högst levande, i Stockholms tingsrätt, utanför sal 1. En ynkrygg, det är så man måste tolka åklagaren.

Jag svarar inte på Pannkakans kommentar. En säkerhetsvakt öppnar dörren och meddelar att vi får gå in nu. Medan Sander plockar ihop sina grejor bygger jag om pyramiden med stanniolkulor en sista gång. Ferdinand frågar mig, igen, om jag vill ha snus. Jag skakar på huvudet. Jag måste se sjukt röksugen ut.

"Nikotintuggummi!" utbrister hon då, lyckligt, hon har fått en snilleblixt. Ferdinand hinner till och med börja rota i sin slappa handväska innan Sander klickar med tungan. Aldrig i livet att Sander skulle gå med på att jag tuggade tuggummi under pågående förhandling. Vi går in och sätter oss.

Kalla-mig-Lena är rosig om sina glansiga kinder. Hon har kanske börjat dagen med att stå på trappan utanför domstolen och hålla presskonferens, det är fint väder i dag, soligt och kallt. Och jag är beredd att satsa pengar på att hon skulle älska utomhuspresskonferens på domstolstrappan. Very Viktig Person i en Very Spännande Film. Eller kanske har hon promenerat hit eftersom det är viktigt att få in motion i vardagen? Om jag får gissa tar Lena Pärsson trappan istället för hissen och tror att det gör att hon kan äta två wienerbröd eller individuellt inplastade Delicatodammsugare till fikat på jobbet, varje dag. Kalla-mig-Lena ser också ut som om hon köper statsobligationer och extra pensionsförsäkring och tog sig genom juristlinjen utan att ta studielån (för den som står i skuld är inte fri!). Jag behöver knappast anstränga mig för att kunna fantisera om hur det ser ut hemma hos henne (i radhuset): furupanel i vardagsrummet, drömfångare över barnens sängar, Sveriges största samling keramikgrodor i ett vitrinskåp och nu är det hennes tur att prata. Igen. Jag avskyr chefsåklagare Lena Pärsson.

Efter nio månader av tidningsartiklar och tv-program då alla, verkligen precis alla, har fått prata utom jag, alla utom jag har fått gråta på bästa sändningstid, alla utom jag har kunnat ha presskonferens på valfri jävla trapp medan min advokat och min familj har haft yttrandeförbud. Då – som sur grädde på den dioxinförgiftade laxen – är det åklagarens tur att prata. Och nu ska hon berätta historien om massmördaren som borde ha skjutit sig själv men inte vågade: en fegis, en som vägrar ta konsekvenserna, en som tror att hon kan smita undan. Det är jag.

Sander kan förklara sig hes, jag fattar ändå inte varför hon får börja. Åklagaren ska prata skit om mig minst en dag, kanske två. Sedan, när vi har fått prata, blir det hennes tur igen. Då ska hon kalla vittnena, ett efter ett, och alla har de en sak gemensamt: de är överens om att jag är ett monster.

I dag, och jag vet inte hur många fler dagar, är chefsåklagare Lena Pärssons dag. Helt och hållet hennes. Mamma är så blek att hon ser vitsminkad ut, pappas panna blänker. Sander är totalt avslappnad, han skulle kunna vara i sitt eget vardagsrum och prata med sina inbjudna gäster. Men jag är inte bjuden på det här cocktailpartyt. Jag ligger uppfläkt på serveringsbordet. Det är mig de ska äta, sticka tårtspaden i.

Vi ska lyssna. Och sedan ska vi titta på fotografier, ritningar, vapen, protokoll. Vi ska läsa mina mejl. Mina mess. Mina Facebookuppdateringar. Vi ska gå igenom vem jag har ringt och hur länge vi pratade. Vi ska prata om innehållet i min dator och i mitt skåp i skolan. Vi ska till och med läsa en anteckning som jag skrev på insidan av pärmen på en av mina skolböcker, ett citat från en dikt. "när inget finns att vänta mer och inget finns att bära på", den tyder på dödslängtan, enligt åklagaren. Nästa vecka ska Lena Pärsson kalla hit folk. De ska berätta, berätta "allt". Om kalla-mig-Lena fick bestämma skulle mina använda underkläder skickas runt i salen så att alla kunde lukta på dem.

Jag blir insläppt sist av alla. Jag sätter mig på min plats och stirrar ner i bordet. Att prata en stund med mamma och pappa är omöjligt, gudskelov. Låta dem krama mig, ta på mig, rätta till mitt hår. Pann-kakan skulle gilla om de kunde göra det, för journalisterna tittar på allt jag gör och Pannkakan har inget emot att journalisterna glor bara han kan styra vad de får se. Han skulle älska om mamma fick stryka undan min lugg från mitt ansikte och lägga hårslingan bakom mitt öra.

Hon har gjort det så länge jag kan minnas. Om man hade tagit kort på alla gånger hon har gjort det, pekfingret och tummen, håret bakom örat, skulle det kunna bli en sådan där bildsekvens som man kan hitta på Youtube. Foton tagna av samma motiv i trettio år, filmer av hur glaciärerna smälter eller hur en ung flicka går från att vara skitsnygg till att bli en tandlös gammal tant två år senare för att hon har tagit crystal meth. Massvis med stillbilder jättesnabbt efter varandra: Maja får håret undanstruket. Kort dunigt babyhår, längre lockigt flickhår, luggen jag klippte själv samma dag de tog gruppfoto på dagis, när jag färgade slingor utan att fråga mamma först, när jag bad henne locka mitt hår till konfirmationen. Med midsommarkrans. Luciaglitter. Flätor som gummisnodden ramlat från. Jättelångt hår tvättat med fängelseschampo och inte klippt på elva månader.

Journalisterna skulle titta ordentligt om mamma gullade med mig. Pannkakan skulle praktiskt taget skita på sig av lycka. Jag sitter kvar på min plats och glor på ingenting.

När Lena Pärsson knäpper på sin mikrofon sprakar det i högtalarna.

"Välkomna", konstaterar ordföranden och lyckas få det att låta be-klagande. Sedan lämnar han över ordet till åklagaren. Hennes kinder är fortfarande rosa.

"Den tilltalade har genom sitt agerande under dagarna och timmarna före morden gjort sig skyldig till anstiftan till mord på ..." Hon läser innantill. "… i det att hennes agerande förmått Sebastian Fagerman till …"

Varför läser hon innantill? Har kärringen verkligen svårt att komma ihåg vad hon åtalar mig för? Är det möjligt att vara chefsåklagare och dum i huvudet?

"Det inledande mordet var det första steget i Norbergs och Fagermans gemensamma planer på att genomföra attacken på Djursholms allmänna gymnasium, i klassrum 412, samma morgon." Nu lägger hon ner sitt papper. Hon tar till och med av sig läsglasögonen. "Jag kommer att redogöra för hur den tilltalade har tagit aktiv del i såväl förberedandet som utförandet av detta", fortsätter hon.

"Vi får tala sist. Det är en fördel", har Ferdinand sagt. Hon har fel, såklart. Ingen kommer att orka lyssna efter att åklagaren är klar med det här. Ingen kommer vilja titta på mig, än mindre låta mig berätta. Men vad kan jag göra åt den saken? Ingenting.

Det spelar ingen roll vad vi kommer att berätta, ingen kommer att förstå vad jag menar, ingen kommer att gå med på att vi alla spelade samma spel, bara olika roller. Sander kommer att berätta *min sida av saken*. Men det kommer att vara försent, då kommer domstolen redan att ha bestämt sig.

Åklagaren tjatar om att vi var tillsammans, Sebastian och jag. Att han var min kille. Åklagaren menar att jag älskade Sebastian så att det tog över allt annat. Jag ville göra allt för honom, för vår kärlek.

Lena Pärsson fortsätter att berätta om hur hon ska bevisa att hon har rätt. "Jag kommer att kalla följande vittnen …" "Förhörstema …", blablabla … "Bevistema …", blabla.

Ferdinand spelar medlidande, sneglar på mig från sidan. *Sluta glo*. Pannkakan byter plats på två pärmar. *Sitt still*.

Jag undrar varför de är här egentligen. De är meningslösa figurer. Ferdinand, mitt stackars blatte-alibi, en gång kunde jag inte låta bli att fråga henne vad hon tyckte om att försvara mig. Hon blev så fruktansvärt nervös att jag trodde hon skulle kissa ner sig. Det var "ett unikt tillfälle", stammade hon. Hon var "hedrad av förtroendet" och "hoppades kunna bidra med sina erfarenheter".

Vilket utomordentligt skit snack. Ferdinand hatar allt med mig och min rättegång. Hon hatar att det är uppenbart att hon inte har tillräckligt med erfarenhet för att få vara min advokat, men ändå får sitta här i rättssalen. Hon hatar att hon "passar" för mitt ärende, eftersom det innebär att hon måste göra sitt bästa – inför alla journalister och alla avundsjuka kollegor – för att se ut som Sanders muslimska förortsalibi, trots att hon är född i Sundsvall och döpt i Svenska kyrkan. Det är uppenbart att det hon tänker, men aldrig skulle säga, är att det enda hon tycker om med den här rättegången är att vi kommer att förlora.

Lena Pärsson fortsätter.

"Enligt rättsmedicins utlåtande, se bilaga 19 och 20, orsakas Amanda Steens död av de två inledande skott som den åtalade Maria Norberg avlossat med Vapen 2. Några sekunder senare avlossar den åtalade återigen Vapen 2. Dessa tre skott orsakar enligt rättsmedicins utlåtande, se bilaga 17 till 18, Sebastian Fagermans död."

Vi "medger den här delen av gärningsbeskrivningen". Det betyder att det är sant. Jag dödade dem. Jag dödade Amanda. Jag dödade Sebastian. Och det var inte av kärlek. Vi kan säga vad vi vill om det, jag gjorde det i alla fall.

9.

Jag hade aldrig satsat pengar på det, men chefsåklagare Lena Pärsson lyckas trots allt hinna klart med sin sakframställan före lunch. Efter lunch (Ferdinand sprang iväg och värmde maten innan vi åt den) är det dags för henne att börja presentera de skriftliga bevisen. Det är en miljard olika obduktionsprotokoll, handlingar och polisanteckningar och konstiga kartor och ännu fler protokoll, labbresultat, utdrag och utlåtanden och jag orkar inte hålla reda på allt, det blir lättare och lättare att inte lyssna, Lena Pärsson läser högt, Lena Pärsson läser innantill, Lena Pärssons röst är gnällig, mot slutet nästan lite hes, Lena Pärsson borde harkla sig, men gör inte det.

Själva stämningsansökan är alltså bara elva sidor, men åklagaren tjatar som om det borde ha varit elvatusen. Och hela materialet är också något i den storleksordningen, åtminstone om man räknar allt i utredningen.

Inte på hela dagen får jag säga ett ord, men jag får inte åka härifrån. Jag måste sitta med, härda ut. Jag försöker låta bli att lyssna på fula Lena.

Hon läser högt ur våra mess. Dem jag skickade till Amanda, till Sebastian och Samir. Dem jag fick av Sebastian och Amanda. Och Samir, förstås. Samtidigt visar hon våra messkonversationer på storbildsskärm så att alla kan läsa innantill. Hon är vansinnigt nöjd över hur hon får ihop det. *Pedagogiken.*

Jag kommer ihåg att Amanda visade mig ett brev som hennes mormor skrivit inför sin död. I brevet fanns instruktioner om hur hennes mormor ville vara klädd i kistan och vad de skulle spela för musik i kyrkan. Det var något klassiskt stycke som skulle sjungas av en speciell fyrmannakör. Amanda och jag hade inte hört talas om vare sig stycket eller kören. Men Amanda berättade att problemet var att mormoderns bästa väninna hade dött och på hennes begravning hade de spelat exakt samma låt, så nu var mormodern tvungen att komma på något nytt, för hon ville inte vara någon utan egna idéer. Mormodern skulle visserligen vara död när stycket spelades. Väninnan var också redan död. Ändå var det viktigt för Amandas mormor att inte framstå som en härmapa.

Det är obegripligt, det här att alla vill vara originella in i döden, unika. Man ska minsann inte spela Blott en dag som en simpel Ullaredsshoppare, det ska vara speciellt och oförglömligt. För att inte riskera att gå in i evigheten ackompanjerad av en banalitet ska därför någon stackare sjunga Tears in Heaven med klassiskt gitarrplinkeplonkkomp. Precis som på alla andra "personliga" begravningar.

Folk är patetiska ända in i döden, inte unika.

Nu är Amanda död. Amanda, Sebastian, alla de andra. Ingen av begravningarna fick jag gå på. Att jag inte fick permission var inte det största hindret, förstås. Men jag ville ändå veta när de ägde rum och Sander berättade. Den enda han inte kunde säga något om var Sebastians för den organiserades i hemlighet.

Jag undrar om Sebastian berättade för någon hur han ville ha sin begravning. Antagligen inte. Han pratade bara om döden, aldrig om det som skulle komma efteråt. Amanda skulle däremot säkert kunnat ha en massa idéer om hur hennes *avsked* borde vara. Men varför skulle hon planera något sådant?

Det måste ha varit en utmaning att fixa begravning för Sebastian. De kunde inte gärna skicka ut inbjudningskort eller sätta in en annons i tidningen. *Blommor undanbedes. Tänk gärna på Läkare utan gränser.*

Men något måste de väl ha gjort? *I tysthet*, på den där ceremonin med bara de allra närmaste, vilka det nu kan ha varit eftersom varken jag eller hans pappa kunde komma. Jag undrar vad de spelade för musik. Spelade de någon av Sebastians pappas favoritlåtar? Det var dem han lyssnade mest på. *Preacher takes the school. One boy breaks a rule. Silly boy blue, silly boy blue.* Jag undrar hur de klädde honom. De andra fick väl ha "sin favorit-T-shirt", antar jag. Eftersom "alla" döda ungdomar förväntas ha haft en favorit-T-shirt.

74

Jag tror de satte på Sebastian kostym. Majlis fick väl köpa den. En dyr, i en diskret färg, passande för att kremera en massmördare.

Om jag får gissa hade de en kyrkobegravning, med jordfästning direkt efteråt, eller så kanske Sebastians brorsa spred honom för vinden, över något hemligt hav, allt för att slippa ha en gravsten som skulle kunna vandaliseras och hamna i tidningen.

Jag undrar om Sebastians mamma var där, inringd från tablettkliniken i Schweiz eller välgörenhetsarbetet i Afrika, eller var hon nu kan tänkas ha hållit hus medan hennes son mådde allt sämre.

Jag kan se henne framför mig: gigantiska solglasögon, så rakad, vaxad och lasrad att hennes hud blivit blank och genomskinlig som en manet. Med en orangeröd pion till kistlocket, kanske? Aldrig att hon skulle ta med sig rosor, rosor på begravning är för banalt, brillor som får kärringar att likna spyflugor anses däremot märkligt nog classy.

När chefsåklagare Lena Pärsson visar bilder från klassrummet hör jag hur pappa vrider sig på sin plats, jag behöver inte se honom för att veta att det är han som har svårt att sitta still. Men när hon spelar upp övervakningsfilmerna från Sebastians uppfart, filmen där man ser hur jag bär en väska från hans hus till hans bil och sedan sätter mig bredvid Sebastian i bilens passagerarsäte fram, då är salen knäpptyst. Det ser ut som om jag tycker att väskan är tung. (Den var tung.) De hittade den i mitt skåp efteråt. Men bomben utlöstes aldrig, den var *undermålig*, enligt experterna som Lena Pärsson inte citerar, eftersom det inte passar in i hennes bild av oss som två monster med obegränsade resurser.

Jag sa aldrig hej då till Lina den där morgonen, när jag gick hemifrån för sista gången. Hon sov fortfarande. Antagligen hade hon sovmorgon. Jag önskar att jag hade gått in till henne och tittat på henne i alla fall, jag älskar att titta på Lina när hon sover (alltid på mage, med knutna nävar ovanför kudden). Jag har försökt komma ihåg när jag såg henne senast, vad vi pratade om, vad hon hade på sig, hur hon såg ut, men jag kan inte minnas det.

Pappa måste ha tagit ledigt från jobbet i tre veckor för att kunna vara med på rättegången, jag undrar om han får lämna ifrån sig sin mobiltelefon i säkerhetskontrollen och jag undrar vad Lina gör när de är här. Är hon hos morfar? Jag undrar vad morfar säger om det här. Pratar han med Lina, om var jag är? När mormor levde hade hon och morfar ett förhållande som gick ut på att morfar berättade saker och mormor ställde massor med uppföljningsfrågor för att låta morfar förklara hur det var. Inte för att hon ville eller behövde veta mer för att förstå, men för att morfar gillade att förklara saker. När mormor dog verkade morfar tappa taget, han blev förvirrad. Vi fortsatte att ställa onödiga frågor, men det blev aldrig samma sak. Han blev gammal när mormor dog, redan på begravningen hade det hänt något med hans hållning. Numera är han en gubbe (vattniga ögon och knän), han går aldrig på långpromenader med lössläppta hundar och pekar med hela handen mot växter man förväntas kunna artbestämma. Jag vet inte om morfar kan svara på saker om mig. Jag vet inte om Lina vågar fråga.

Mer än något annat längtar jag efter Lina. Jag drömmer att hon lägger sin lilla hand, lätt som ett björklöv, på min arm, tittar på mig och undrar varför. *Jag vet inte*, vill jag säga. Men det finns ingen fråga som Lina kan ställa som jag skulle kunna svara på. Jag vill aldrig träffa henne mer.

När kalla-mig-Lena Lena Pirsson pratar får jag kramp i nacken av att hålla huvudet upprätt. När hon säger vad vi skrev till varandra, jag och Sebastian, under den där natten då det kändes som om ett atomkrig just hade tagit slut, vill jag skrika rakt ut.

Ja! Jag hör vad du säger din pedagogiska jävla kärring. Håll käften.

Nu läser hon innantill igen.

"Åklagaren yrkar ansvar för brott enligt följande …" Och så börjar hon rabbla: "anstiftan till mord …" blabla … "mord alternativt dråp, alternativt vållande till annans död …" Blablabla. Blablabla. Hon rabblar upp allt jag ska straffas för i minst en kvart, så känns det i alla fall.

Jag tror att Sebastians begravning blev ganska ovanlig. På Amandas spelade de – med hundra procents säkerhet – Tears in Heaven.

Häktet, första dagarna

10.

Den allra första gången jag träffade Sander var bara någon timme efter inskrivningen på häktet. Jag fick vänta på honom i besöksrummet i några minuter innan han klev in. Jag satt på en av fyra vuxenstolar och glodde på lekhörnan. Där stod ett miniatyrbord, en trasig dockvagn, en kaffeservis i plast och några sönderlästa böcker, typ *Lotta på Bråkmakargatan* och *Max napp*. Lina har aldrig varit och hälsat på mig. Hon har sluppit fängelseleksakerna.

Varje gång jag träffar Sander skakar vi hand, första gången också. Den där allra första dagen kändes det som om han var min gäst, men att jag inte visste vad jag skulle bjuda på. Jag hällde upp ett glas vatten och gav honom, mina händer skakade, men jag spillde inte.

Första gången vi sågs, pratade mest han. Han frågade "hur jag ställde mig till anklagelserna". Men jag visste inte vilka anklagelserna var. Polisen hade säkert sagt det, men just då kunde jag inte minnas det, om de verkligen hade sagt det rätt ut.

"Du har delgivits misstanke om delaktighet i ...", han lät förvånad när han förstod hur förvirrad jag var. Jag försökte förklara, men det blev rörigt.

Sander nickade och sa åt mig att försöka ta en sak i sänder, att alltsammans skulle klarna "under dagen" eller "allteftersom", att vi nog skulle börja med att lyssna på vad poliserna hade att säga.

"Du är skäligen misstänkt för bland annat mord", sa han sedan, med en alldeles normal röst, "men den misstankegraden kommer troligtvis att höjas under dagen", förklarade han. Som om det skulle göra att jag fattade allting bättre.

Precis innan han skulle gå räckte han över en väska med kläder,

79

mina egna kläder. Han måste ha hämtat dem, eller fått dem av min mamma. Det kändes praktiskt på ett vis jag inte hade väntat mig. Jag hann inte börja gråta förrän han gått därifrån.

Det stod en bricka med kall mat och väntade på mig när jag kom tillbaka till mitt rum. Väskan la jag på golvet i min cell, jag åt ingenting, tackade nej när någon erbjöd sig att värma upp det på tallriken och la mig istället på rygg i min säng och stirrade rakt upp i taket i ett oklart antal halvtimmar (de kollade mig en gång i halvtimmen eftersom de fortfarande trodde att jag tänkte ta livet av mig), sedan kom de och sa att jag skulle förhöras. Permanenten från morgontransporten och sjukhuset var tillbaka. Hon hade med sig en ny poliskollega. Och Sander var där, förstås. Han hade också kommit tillbaka. Nu hade han med sig Ferdinand. Hon presenterade sig med svettiga händer och torra läppar. 'Evin", hette hon (inget efternamn). Permanenten hade bytt om till nya kläder, även de här kläderna verkade vara tvättade i fel gradantal. De väntade på mig i ett särskilt förhörsrum.

Jag har fått läsa utskrifterna av alla förhör, trots att jag knappast hade behövt göra det, för jag minns dem i detalj. Alla dessa dagar och månader när det kändes som om jag bara nickade och skakade på huvudet, jag förstod kanske ingenting då, men jag minns allt nu.

Förhörsrummet på ungdomshäktet låg i samma hus som "mitt rum", till och med på samma våning. Det hade fönster med frostade glas. Ingenting av det utanför gick att urskilja, det var en dimma av färger eller nyanser utan namn. Olika skuggningar av svensk novemberkväll? Eller natt? Men det var snart juni. *Varför syns inte solen?* minns jag att jag tänkte. *Får man verkligen förhöra någon mitt i natten?* Jag frågade vad klockan var.

"Är du hungrig?" undrade Permanentens poliskollega. *De tjatar hela tiden om mat. Äta-äta-äta. Sveriges samlade brottsklientel måste bestå av bulimiker.* Jag skakade på huvudet.

Klockan var fem, berättade poliskollegan. *Fem på morgonen?* undrade jag, men jag frågade inte. Oavsett vilket borde det vara ljust utomhus. Om det fortfarande var sommar.

Det skulle finnas middag till mig när vi var klara, fortsatte han.

Kväll, alltså. Jag var inte hungrig. Jag kunde inte föreställa mig att jag någonsin skulle klara av att äta igen.

Jag fick sitta i en sorts fåtölj. Sander och Ferdinand satt tillsammans med Permanentens manliga kollega vid sidan om, på vanliga stolar vid ett vanligt bord. Den manliga polisen hade inte på sig uniform utan något pyjamasliknande, antagligen ett par ostrukna kostymbyxor. Han presenterade sig och jag glömde omedelbart bort vad han hette. Hade han varit med på sjukhuset dagen innan? Jag mindes inte. Men borde jag inte minnas honom? Det där håret hade uppenbarligen inte borstats sedan han vaknade för en vecka sedan och var åtminstone i teorin oförglömligt. Hans harklande etsade sig in i hjärnbarken på alla som tvingades lyssna. Någon härinne luktade gårdagens cigaretter, det borde vara han. Jag frågade honom en gång till vad han hette och han harklade ur sig sitt namn igen. Jag uppfattade det fortfarande inte. *Det spelar ingen roll*, tänkte jag och nickade.

Förhöret filmades, berättade Permanenten. Hon pekade på en kamera snett ovanför dörren och en annan mittemot. Hon lät piggare än sin kollega och var uppenbarligen, trots sina bensinmacksjeans, någon sorts chef för utredningen. Jag nickade åt henne också samtidigt som jag hittade en torkad snorkråka uppkletad i skarven mellan sidan och dynan till min stol. Den gick inte att sitta normalt i. Jag kunde inte begripa varför de ville att jag skulle halvligga, jag ville inte luta mig bakåt, jag fick svårt att andas då, men jag kom inte på hur jag skulle förklara det så jag gjorde det ändå, kände hur jag fick dubbelhakor och satte mig upp igen, jag var tvungen att sitta på tvären i stolen för att inte hamna i nedförsbacke.

Permanenten sa mitt namn. Ofta. *Maja*. Telefonförsäljarstilen.

"Hej, Maja. Har du ändrat inställning i skuldfrågan, Maja? Inte? Maja?"

Ibland försökte hon se medlidande ut. Då använde hon visa-på-dockan-var-han-tog-på-dig-rösten.

"Maja. Kan du då tala om för mig... förklara hur du har hamnat i det här, Maja? Varför tror du att du är här, Maja? Jag hoppas att du förstår, Maja, att vi måste ..."

Och sedan kom telefonförsäljarrösten tillbaka.

"Hur mår du, Maja? Vill du ha något att dricka, Maja? Tror du vi kan börja nu, Maja? Tror du att du skulle kunna … Maja … Maja?"

Jag skakade på huvudet några gånger. När hon såg förvirrad ut nickade jag istället tills hon fortsatte prata igen. Hon tog fram ett vitt papper och en trubbig blyertspenna. Det förstod jag definitivt inte. Var det meningen att jag skulle använda mig av dem? Skriva ner mina svar. Trodde hon att jag var dövstum?

När jag inte gjorde något började hon rita lite på pappret. En skiss. Först en stor rektangel, klassrummet, sedan små rektanglar i den, katedern och bänkarna. Hon markerade ut fönster och dörren ut mot korridoren. Ställde frågor under tiden. Men hon gav upp frågorna om klassrummet efter ett tag. I ett par rundor försökte hon få mig att prata om vad jag gjorde innan. *Vad åt du till frukost, Maja? Hur tog du dig till skolan, Maja?*

Skjutsade mamma mig? Huvudskak. Tog jag bussen till skolan? Huvudskak. Åkte jag med Sebastian? Nick. De här frågorna var en sorts uppvärmning, antog jag. Prata om annat. Jogga på stället. Stretcha ut musklerna.

Permanenten gav upp det också efter ett tag.

"Sebastian var din pojkvän, Maja", sa hon plötsligt och det lät inte som en fråga och jag var inte beredd på det. Jag vet inte varför, men jag trodde inte att hon skulle fråga det. Det kändes för banalt. Skulle hon visa fotografier på de döda, som de alltid gör i tv-serier? Jag fick för mig att hon skulle börja sprida ut likbilder, spelkort på bordet. Rita på sin skiss, markera upp konturerna efter deras kroppar. Amanda, Samir, Sebastian, Christer, Dennis.

Jag blundade. Och då var han där. Med ögonen som såg rakt igenom mig. Händerna som min hud aldrig skulle glömma. Hans kropp, hela han, allt det sträva och mjuka, hårda och vassa, lukten, hur han kändes, när han trängde in i mig, och tyngden av honom på mig. Allra mest det. Hans kropp på min. Ända tills de hämtade mig i klassrummet. Tog honom från mig. Bar bort hans kropp.

Sebastian, tvingade jag mig att tänka. Hon vill att jag ska prata om Sebastian. Ingenting annat.

Nej, tänkte jag. Bara nicka. "Mm." Inte säga någonting.

Keep your 'lectric eye on me babe, Put your ray gun to my head, Press your space face close to mine, love.

Inte säga något. Det tjöt i huvudet. Jag la händerna om det för att det inte skulle gå sönder.

Sebastian lyssnade jämt på sin pappas favoritmusik, jämt och ständigt, och när vi kysste varandra första gången (inte på dagis, utan när han kysste mig på riktigt första gången) då kallade han mig Sweet Mary Jane. Jag visste det inte då, men det var också från en av hans pappas favoritlåtar. Jag hade satt mig på vespan och precis fått på mig hjälmen. Han sa det och räckte mig jointen han haft i munnen. Underläppen glänste av saliv. Jag skakade på huvudet. Mamma och pappa stod väl och tjuvtittade genom något fönster, jag förstod inte hur han vågade. Nej tack. Då kysste han mig istället, lutade sig fram, särade på mina läppar med sin tunga. När han drog sig bort stoppade han den i min halvöppna mun. "Maja", viskade han och jag drog halsbloss, hostade inte. Han lät mig dra tre halsbloss innan han kysste mig igen. Sebastian kysste mig och jag rökte braj ett par meter från mina föräldrar.

Jag kunde ha nickat. "Mm." Han var min pojkvän. Eller skakat på huvudet. "Det var slut." De hade ändå inget förstått.

Han brukade sätta sina hörlurar på mig, låta mig lyssna på sin pappas favoritlåtar medan han kysste mig, strök sina händer mot min hud. Höll i mig. Vägrade släppa mig. Han vägrade släppa taget, vägrade låta mig gå, vägrade.

Om han var min pojkvän? Det förtjänade inget svar.

"Jag sa till honom att jag inte orkade längre", viskade jag. Jag vet inte om hon hörde mig. "Att det måste ta slut."

Visst hade jag sagt det, när vi tog den sista promenaden? Eller tänkte jag det bara? Would you carry a razor, just in case, in case of depression?

Jag kan inte minnas att Permanenten tittade på mig, men jag kommer ihåg att hennes röst saktade in.

"Du", började hon. "Du måste förstå att innan man vidtar de åtgärder som vi har gjort mot dig ... du har nyss fyllt arton år, va?"

Jag nickade, trots att jag inte behövde. Det är klart att hon visste hur gammal jag var.

"Ja, det är ovanligt att unga personer blir häktade, att de får fulla

83

restriktioner och blir isolerade på det vis vi har gjort med dig. Du förstår att det betyder att när det händer, då finns det något mer man går på, det är ju inte bara det att du är, eller har varit ihop med en kille som har gjort något ... med Sebastian ... det finns mera saker."

Jag nickade. Sander rätade på ryggen.

"Vad handlar detta om?" undrade han.

"Vi kommer att gå in på det längre fram, i detalj, när vi har bearbetat klart det material vi har. Men vi har mer, och jag kan bara vädja till dig nu faktiskt, att du berättar allting på en gång, och det är för din egen skull. För jag tror att du kan berätta mera om det här, än vad du berättar nu."

Jag nickade, av bara farten, ångrade mig och skakade på huvudet igen. Sander satt på helspänn.

"Och vi behöver delge dig ytterligare en misstanke."

Varje ord kändes plötsligt viktigare än det varit tidigare, redan innan hon sagt dem.

"Det handlar om det som hände innan ni åkte till skolan, du och Sebastian. Det med Sebastians pappa." När jag inte sa något fortsatte hon. "Tror du att du behöver prata med din advokat några minuter? Vi kan ta en paus här."

Jag skakade på huvudet.

"Vill du prata med din advokat en stund, Maja?"

"Nej" sa jag. Nej. Varför skulle jag behöva det?

Och så berättade hon vad Sebastian hade gjort någon timme innan jag kom till honom för att åka med honom till skolan. Hon pratade, berättade, frågade. Munnen rörde sig. Hon frågade mer och mer.

Men jag sa inte något. Istället öppnade jag munnen. Och då kom det. Skriket. Ingenting annat. Bara skriket. Jag kunde inte sluta.

11.

Jag skrek tills halsen började brinna och kroppen slutade fungera och trettiotvå timmar efter att jag kommit ut ur klassrummet somnade jag till slut. Allt jag behövde var ett hysteriskt sammanbrott, en läkare i kostym, en spruta i armen. Men sömnen blev inte lång. Och när jag vaknade pep det i huvudet på mig. Fragment av musik, texter jag inte kom ihåg var de kom ifrån.

Det var inte hit de först tagit mig, jag var inte i "mitt rum", jag var i isoleringen. Jag hade visserligen aldrig sett en isoleringscell förut, men det var inget tvivel om att det var i en sådan jag var. *Minutbevakningen*, kallades det. Här fanns det inte ens fönster, bara en gummimadrass direkt på golvet bredvid en golvbrunn stor som ett toalock. De trodde att jag tänkte spy. En suddig spegel täckte hela den andra långsidan.

Jag försökte undvika att titta åt det hållet, in i spegeln, för jag förstod att det var där bakom de satt och bevakade mig, som om jag vore en fisk i ett akvarium. Istället glodde jag rakt upp i taket. Jag väntade på att taket skulle ramla in, eller mjukna som filmjölk, dela sig, spricka som ett sår, och att en hand skulle sträckas ner genom hålet för att dra mig därifrån, upp och bort. Men mamma och pappa skulle aldrig komma på tanken att göra något sådant. De var rädda för mig nu, det hade jag sett på sjukhuset, livrädda. Deras dotter var en mördare, hon förtjänade det här, hon borde vara död, varför dog hon inte? *Lever mamma och pappa?* Nu förstod jag varför polisen blev så konstig när jag frågade.

Jag är egentligen en som gråter. På bio. Till reklam med bebisar eller när någon sjunger så fantastiskt bra att alla i Talangjuryn blir alldeles häpna och de ställer sig upp och applåderar och säger att nu!

Nu, börjar ditt nya liv! Jag gråter när någon är snäll fast den inte behöver och jag gråter när jag blir arg och inte klarar av att förklara varför. Olyckliga slut på bio? Jag gråter. Lyckliga slut? Jag gråter. Det är en sådan person jag är. Men nu grät jag inte. Det fanns ingenting att gråta för, ingenting alls att göra. Ett olyckligt slut är bara sorgligt om det finns ett alternativ, om det känns orättvist. Inte om det är oundvikligt. Då är det ingen idé.

Jag trodde inte att jag skulle somna om. Jag trodde att jag skulle få ligga där på min madrass i väntan på evigheten. En akvariefisk uppspolad på land. Men plötsligt kände jag hur svettig jag var. Sjöblöt. I håret, mellan benen. Jag frös. Handflatorna värkte, så mycket frös jag. Jag kunde inte röra mig för frossan. Det fanns ingen filt härinne och skakningarna blev värre och värre. Det kliade i huden. I hårbotten. På handflatorna.

Så tittade jag ändå på spegelväggen. Det var människor överallt, jag visste det. Jag kände hur de rörde sig där bakom, runtomkring mig, hur de tittade på mig utan att jag såg. Runt min glasskål där jag simmade, där jag flöt med buken upp. På religionsundervisningen hade vi pratat om en galen dansk konstnär som hade ställt ut guldfiskar på ett museum. Tio guldfiskar i varsin mixer. Om besökarna ville kunde de trycka på on-knappen och sätta igång mixern. *Dzzzz!* En sekund. Guldfisksmoothie. Var jag kameraövervakad? Ja, det är klart. Behövde de berätta för mig om de tittade på mig? Nej. De behövde inte fråga mig innan de klädde av mig, stack nålar i mig, gav mig medicin jag inte bett om. Jag blundade inte. Människorna var runtomkring mig utan att jag såg dem, de skulle öppna dörren, ibland, ofta, då och då, jag skulle glömma bort dem och komma ihåg dem och ibland skulle någon komma in och ta på mig och deras händer fastna på huden. *Dzzz.*

Hur skulle jag kunna somna om? Hur skulle en liten vit tablett i en plastkopp kunna få mig att släppa taget. En spruta? Aldrig. Jag kunde inte riskera det. Om jag blundade skulle allt komma tillbaka.

Polisen ville att jag skulle berätta från början. Sedan berättade de att Claes var skjuten. Sebastian hade mördat honom först. När jag kom till Sebastian på morgonen då låg Claes Fagerman död i köket.

"Vad tyckte du om Claes, Maja?"

"Vad hade han gjort dig, Maja?"

"Vad tyckte du om det, Maja? Vad tyckte du när Claes gjorde det, Maja?"

"Kan du berätta vad du sa till Sebastian om hans pappa, Maja?"

"Kan vi prata om det du skrev till Sebastian när du gick hem?"

De visste redan, det var därför de frågade.

De sa att Sebastian och jag hade bestämt att hans pappa måste dö. Att de andra måste dö.

"Varför måste de dö, Maja?"

De sa att Sebastian och jag hade bestämt oss för att dö tillsammans, att det skulle bli slutet, men att jag inte vågade. De sa att det var normalt att vara rädd för döden.

"Blev du rädd när du förstod vad det betydde? När du insåg att allt skulle ta slut, Maja?"

Jag visste inte ens vad som var början. Och nu låg jag här, i en cell där man kunde titta på mig, men jag inte kunde se ut. Det var fortfarande inte över.

I början av allt det som skulle kunna kallas för början, brukade Sebastian och jag vara i poolhuset. Det låg i den västra flygeln. Gästrummet i anslutning till poolhuset var aldrig upptaget, men det var alltid renbäddat och svalt i den stora dubbelsängen. Och det fanns högtalare överallt, i taket, i golvhöjd, i varje hörn, ljudet var bäst i poolhuset, musiken ställde sig framför det låga surret från poolaggregatet. Alla ord, melodierna, de mest välbekanta. Hans låtar. Mina. Våra. De tog över, la sig vid sidan om, omslöt oss.

Jag undrade vad de gett mig i sprutan för det kändes som om jag tände av. Mitt huvud surrade, som om jag vred på en radioknapp, lyssnade fem sekunder på varje kanal och sedan bytte igen. Knastret mellan frekvenserna, riktigt ljud när en kanal uppfattades. Vitt brus. Ljud. Vitt brus. Ljud.

Claes föraktade knarkare, det hade han sagt. Det var bara ett av alla skäl till att han hatade Sebastian.

Och medan jag strök den knottriga cellväggen med ena handen (den kändes inte som filmjölk) tänkte jag att det var länge sedan. Det måste ha varit en evighet. Eller alldeles nyss? Jo, jag hade tagit något, kvällen innan, för när allt hände var jag uppe i varv, nervig, hög, rädd. Claes var vidrig, jag hatade honom, han var vidrig mot mig, han var vidrigare mot Sebastian. Någon var tvungen att berätta för Sebastian att det var något fel på hans pappa. *Att han var sjuk i huvudet.* Det var därför jag sa det jag sa till Sebastian. *Det var därför han gjorde det han gjorde.*

När jag satte mig upp på madrassen märkte jag att jag var barfota. Golvet var svalt mot mina fotsulor, mjukt nästan. I inskrivningen hade de bytt ut mina sjukhustofflor och gett mig ett par andra sandalliknande saker utan skosnören. Men nu var också de borta. Det brukade dingla hopknutna gymnastikskor över elledningen vid Vendevägsrondellen uppe vid PLO-villan. Någonstans hade jag hört att i New York, om man såg att det hängde skor över en lyktstolpe, då betydde det att man kunde köpa heroin där. I Djursholm behövde man knappast stå ute på gatan och frysa för att få knark. Mamma och pappa hade färdigrullade joints i en cigarrlåda i biblioteket. De var inlåsta i ett skåp och så gamla och torra att jag tvivlade på att de gick att röka, men för dem var det kittlande nog att veta att de hade det hemma. *Utifall att.* Som om de var den typen av människor. Typen med tillfällen som aktualiserade *utifall att* och *nu kör vi* och *varför inte?* Jag undrar om polisen hittade deras förråd när de gjorde husrannsakan hemma hos oss, eller om mamma hann slänga det. De kanske sa att det var mitt? Jag skulle hellre röka kaninspillning än använda mig av mammas och pappas patetiska gömma.

Jag la mig på golvet, mitt huvud strax ovanför golvbrunnen. Det var länge sedan jag var så här borta. Jag hade slutat med sådant här. Visst hade jag det? Nästan i alla fall. Det var bara en av alla anledningar till att Sebastian var arg på mig jämt, att jag sa nej. Visst sa jag nej? Visst sa jag stopp?

Huvudet snurrade, jag mådde illa.

Sebastian hade haft en kille han ringde. För att "beställa taxi", eller "budpizza", eller "rengöring av poolen". Det berodde lite på. Koderna var aldrig speciellt svåra att begripa. "Två stycken Italian crust med extra ost. Lökringar. Och en flaska Fanta. Vi är fyra personer." Men sedan hittade han Dennis. Och då behövdes inte "pizzakillen" mer.

När det gällde knark var Dennis förvånansvärt uppfinningsrik.

Ska jag berätta det? Vill poliserna veta hur Sebastian fick sitt knark? Ska jag säga att det var drogernas fel? De kommer att tro att det var drogernas fel. Är det bra om det var drogernas fel? Vill Sander att jag ska säga det? Ska jag prata om festerna? Sebastians fester var fantastiska. Han var legendarisk. Andra lät ambitionerna ta slut vid föräldrarnas årgångsviner och bellini på Dom Pérignon, de tyckte det räckte att betala ett gäng tjejer i nian för att servera i bikini på årets herrmiddag, men inte Sebastian. Han hyrde förstärkare, professionella dj:s, båtar, cirkussällskap, tv-kockar, fyrverkerier, en pizzabagare från Neapel, en gång flög han in en Youtuber från New York för att festa med oss. Youtubern var för full för att man skulle fatta vad han sa, men han låg med en av Amandas kompisar från stallet och två veckor efter att han lagt upp klippet The-Party-with-Swedes hade det över två miljoner visningar.

Det fanns inga gränser för Sebastian. Alla älskade hans fester. Alla älskade honom och allt som hade med honom att göra, i början i alla fall. Alla ville vara med honom, men ingen kom honom närmare än jag gjorde. Sebastian ville vara mer med mig än med någon annan. *Han klarar sig inte utan dig, Maja.*

Sebastian och jag lämnade middagarna innan de andra hade ätit klart, lämnade dansgolvet när de andra fortfarande dansade, gick ner i poolhuset, låste från insidan och lät de andra festa utanför. När vi ville att de skulle gå stängde han av strömmen. När musiken stängdes av försvann de, i alla fall de flesta. Vi låg nakna på poolgolvet och lyssnade på det väsande aggregatet, det stängdes aldrig av, det var kopplat till någon särskild strömkälla.

Sebastian valde mig. Det var obegripligt, jag förstod aldrig varför, han borde ha haft någon snyggare, mer annorlunda. Men när han valde mig så blev jag allt det. Jag blev unik. Mamma och pappa visste knappt hur de skulle bete sig, så glada var de. Sebastian! Det hade de aldrig kunnat tro.

89

I början var de faktiskt glada för Sebastian. Ska jag säga det? Vill polisen veta hur mycket alla älskade Sebastian? Hur mycket Sebastian älskade mig? Han älskade mig till och med när jag svek honom, och han valde mig igen för att han älskade mig, mer än någon annan älskade mig. Jag älskade Sebastian.

Men jag hatade hans pappa. Jag hatade hatade hatade Claes Fagerman. Jag ville att han skulle dö.

12.

Jag blev kvar i minutbevakningen över natten. Efter ett tag (en timme? Två?) med munnen bredvid golvbrunnen tog jag mig upp på madrassen igen. Somnade jag? Skrek jag? Hur lång tid tog det innan jag vaknade igen? Jag vet inte, men huvudet kändes annorlunda, väggarna hårdare. Jag kröp ihop. Viskade hans namn. Det smakade så sött först, men sedan, som när vaniljsocker smälter på tungan, fastnade det i gommen och fyllde munnen med bitter galla och jag kräktes, långt från den praktiska golvbrunnen. Någon kom in och spolade bort det. Gav mig ett glas vatten, torkade mig om munnen, gick ut igen.

När jag släpptes ut, när jag blivit stabil nog för att flytta tillbaka till "mitt rum" där det fanns ett fönster och en säng (och där jag också satt isolerad från alla andra), återupptogs också förhören med Permanenten. I början höll alltid Permanenten i mina förhör, hennes kollegor fick sällan ställa mer än sporadiska frågor, de satt i ett hörn och pillade på naglarna och byttes ut då och då.

Permanenten ansågs säkert vara perfekt för att prata med mig. En "ung kvinna". Jag tyckte att hon var sjukt patetisk.

I början av varje förhör var hon pigg. Det var då hon sa mitt namn hela tiden. Hon var käck som en barnprogramledare. Mot slutet av förhören blev hon tröttare och mer och mer irriterad. Då ramlade rösten ner en oktav och hon började prata som en dåligt översatt polisserie.

"Verkligen? Hur skulle du då vilja förklara de här messen?"

"Jag hör dig, Maja, jag hör dig. Men jag har lite svårt att förstå varför du skulle skriva så om du inte menade det. Säger du ofta saker du inte menar?"

91

På vissa sätt påminde hon mig om psykologen mamma hade tvingat mig att gå till när Lina var nyfödd (hon fick för sig att det var ett problem för mig, att få syskon så sent). Psykologen hade läst i ABC för psykologer att han skulle invänta patienten, låta mig prata fritt för att få mig att säga sådant jag egentligen ville hålla för mig själv bara för att undvika att det skulle bli en pinsam tystnad.

Permanenten försökte ofta samma taktik. Precis som med psykologen resulterade det bara i att vi satt tysta i förhörsrummet. Hos psykologen kunde det gå tio minuter utan att någon sa ett ord. Så länge dröjde det aldrig innan Sander protesterade ("min klient kan inte svara på era frågor om ni inte ställer dem", "min klient kan inte förväntas gissa sig till vad ni vill veta"), även om han verkade tycka att det var bakvänt underhållande att jag inte sa något och att poliserna blev sittande med blicken ner i sina plastkoppar kallt kaffe med hinna på. Ibland var Sander också tyst, lutade sig tillbaka i sin obekväma stol, slöt händerna och ögonen och verkade sova eller meditera medan hans timarvode tickade vidare.

Och när jag någon gång svarade på en fråga, exempelvis om festen kvällen innan, grälet med Claes, mina mess, eller vad vi sa när vi pratade i telefon, när vi bestämde oss för att åka tillsammans till skolan, eller vad vi pratade om när vi promenerade, timmarna innan jag åkte hem, då dröjde det inte många minuter innan Permanenten ställde exakt samma fråga igen.

"Jag har just svarat på det", svarade jag.

"Jag vill gärna att du berättar det igen."

Och Sander suckade.

Permanenten blev irriterad, hon blev till och med sur ibland, men hon tappade aldrig kontrollen och började aldrig skrika och gapa. Hon tittade alltid på mig med samma blöta blick: inte arg, inte snäll, inte tom, men blank. Hennes kollegor hade svårare med det där. Men om de höjde rösten skickade Permanenten ut dem, omedelbart, utan att diskutera, och utan att visa att det var en tillsägelse. Hon bad dem att hämta något, vatten, papper, lite chips eller "kanske något varmt att dricka". Så hennes kollegor höll rösten under kontroll och blängde på mig istället, för att få stanna.

Värst av alla var en kille i tjugofemårsåldern. Han kom in mot slutet av första veckan och han hatade mig mer än han hatade alla tjejer som nobbat honom för att det syntes på honom hur dålig han var i sängen. Men han lät inte Permanenten se hur han tittade på mig. För då hade han antagligen blivit skickad på tvångssemester eller åtminstone blivit placerad i en annan enhet, typ den som kollar om folk kör för fort eller inte.

Hur vet jag att han hatade mig? För att han fick mig att tänka på när jag tog med mig Sebastian till en av morfars jakter. Morfars jaktkompisar var sju mätta och nöjda direktörer som halvsov ute i skogen, söp redan till lunch och ljög om att de inte alls hade vådaskjutit utan bara tokbommat, allt för att slippa spåra sårade djur med en hund som gick så snabbt att de fick blodsmak i munnen redan efter tio meter. Jag fick sitta på Sebastians pass istället för att gå i drevet.

Jag hade bjudit med honom, Sebastian jagade med sin pappa ibland och han fick ett ganska bra pass, trots att han kanske var för ung för att sitta själv. Morfar blev glad när vi kom, vuxenhälsade på Sebastian och tittade på honom med smala ögon när han la sitt vapen över axeln. Och Sebastian var tystare än han brukade vara. Så länge vi stod i en ring runt jaktledaren och fick våra instruktioner var han också lugnare än han brukade. När vi gick mot stället där vi skulle stå var det som om han gick ensam, nästan i trans. Och när vi ställde oss för att vänta på att drevet skulle närma sig vår plats blev han ytterligare någon annan jag aldrig sett förut, hans blod liksom bubblade i kroppen på honom, jag satt precis bredvid honom men jag hade kunnat boxa honom på armen, han hade ändå inte märkt att jag var med. Hela Sebastians väsen var riktat ut mot skogen, mot djuren han skulle döda och när en hjort dök upp framför oss, sakta, i slowmotion och vände huvudet mot oss samtidigt som Sebastian reste sig, lutade sig framåt och höjde vapnet, fick jag för mig att han skulle rusa fram och trycka vapenpipan mot halsen på hjorten. Istället sköt han bara. Två snabba skott och hjorten föll på sidan, innan den hunnit få syn på oss. Och när Sebastian gick fram och satte sig på huk bredvid hjorten trodde jag att han skulle ta upp en kniv ur fickan och köra den in i pälsen, bara för att få blod på händerna, bara för att känna hur hjorten dog, tätt inpå. Men han gjorde inte det heller, han bara andades, korta små flämtningar. I pannan lockade sig håret av svett. Han fick beröm efteråt, morfar log mot mig, som om det varit min förtjänst men jag gick och la mig före middagen, sa att jag hade fått ont i magen.

När polisen tittade på mig utan att Permanenten såg kom jag att tänka på hur Sebastian hade varit på den jakten. För det spelade ingen roll att jag var både häktad och inlåst, den här poliskillen skulle behöva döda mig för att få blodet att lugna sig. Jag ville säga till honom att han påminde mig om Sebastian, för att se hur han skulle reagera, men det gjorde jag inte.

Huvudförhandling i mål B 147 66

Åklagaren m.fl. mot Maria Norberg

13.

Jag reser mig upp från min åttio centimeter breda cellsäng och ringer på klockan. En och en halv meter från min säng till dörren. Jag brukade längta efter att bli sjuk när jag var liten. Då fick jag ligga i sängen hela dagen, äta vad jag ville (marmelad på rostat vitt bröd), läsa (Harry Potter), surfa på mobilen, titta på film, lyssna på musik.

Jag vill inte åka till domstolen. Kanske får jag stanna om de tror att jag är sjuk? Stanna kvar i mitt "rum".

I två månader har jag bott på kvinnohäktet. Innan dess var jag sju månader på ungdomshäktet. "Synnerliga skäl" (juridiska för: när-vi-inte-behöver-följa-våra-egna-regler) gjorde att jag fick sitta där, trots att det bara får bo killar där normalt. Inlåsta män måste till varje pris hållas ifrån kvinnor, kanske är det till och med därför man har låst in dem. Men de gjorde ett undantag för mig. Det rabblades upp massor med synnerliga skäl: kvinnohäktet var överbelagt, jag skulle ändå sitta isolerad, det var inte meningen att jag skulle umgås med de andra, det fanns bättre "resurser" på ungdomshäktet "för den här typen av situationer". Och så vidare. Men egentligen ville de framför allt visa för *allmänheten* att de inte behandlade mig med silkesvantar. Det fanns synnerliga skäl att särbehandla mig för att försäkra folk att de inte gav mig några särskilda förmåner.

Jag fick byta häkte efter att en medfånge i rastgården bredvid mig skrikit FITTA-DIN-JÄVLA-FITTA tjugofyra gånger efter varandra (jag räknade). Jag såg aldrig hur han såg ut, men han blev hes mot slutet. Kanske flyttade de på mig för hans skull.

Men för mig är det ingen större skillnad. Rummen ser nästan exakt likadana ut här. Annat klotter inristat på toaväggen, men en exakt likadan stålskiva ovanför ett exakt likadant stålhandfat. Ingen ring på toan (också i stål) och samma furumöbler. Och killar finns det här också, på en annan avdelning, jag ser inte dem heller.

Jag sätter mig på sängen och väntar på att bli utsläppt. Om någon hade berättat för mig, när jag kördes från sjukhuset till häktet och fick ta av mig handfängslet och mina sjukhuskläder och ta på mig ett par gröna, stela byxor, en grön, lika stel tröja, vita trosor och en vit behå, att jag skulle sitta så här i minst nio månader, då hade jag antagligen inte lyssnat och definitivt inte förstått. Jag skulle ändå ha gjort precis det jag gjorde i början: börjat vänta på att få åka härifrån.

Då, när jag fortfarande trodde att jag skulle få åka hem några timmar senare, då satte jag aldrig på mig annat än häktets kläder. Det hårda tyget mot min hud vägrade forma sig efter min kropp. Jag satte på mig dem trots att Sander haft med sig mina egna.

"Mina kläder är min identitet", var en grej Amanda brukade säga med en röst som avslöjade att hon tyckte att det var skitsmart sagt (och att någon annan hade hittat på det). När jag kom hit insåg jag att hon hade rätt. Mina egna kläder ville jag inte ens titta på, det var betydligt mer logiskt att sätta på sig en för liten behå och trosor som torkat i resåren och gick sönder när jag drog på mig dem. Häktets kläder gjorde att jag slapp vara jag. Det var otroligt skönt. *Fördel ett.*

"Mitt rum", då? Hur är det? Filten i min cell luktar damm och oparfymerat tvättmedel, inget sköljmedel. Knappast speciellt behagligt, men det kommer aldrig att hamna i ett reportage om bortslösade skattemedel.

En gång varannan vecka får jag en tandborste, en liten tvål och en minitandkräm i en papperspåse. En gång varannan vecka frågar de mig om jag behöver bindor. Tvåcentimetertjocka, för-korta-på-längden-bindor. Jag nickar och tackar ja-tack, varje gång. Jag förvarar dem i min garderob utan dörrar. Rummet är faktiskt marginellt större än min gamla garderob. Jag kan se på vakterna hur de tänker varje gång de låser dörren om mig. *Stackars lilla rika flicka.* Skadeglädjen när jag bryter ihop och får läggas på minutbevakningen. *Klart att häktet är värre än vattentortyr för en brud som aldrig ens har campat utan dunkudde och senaste generationen mobiltelefon, märkligt att hon inte bryter ihop oftare.*

Uppe i ett av hörnen strax nedanför taket vid min säng finns ett uttag för en tv, men ingen tv. Det finns ett annat igenskruvat eluttag vid sängbordet, men ingen klockradio. För att inte störa utredningen har jag fullständiga restriktioner. När förundersökningen avslutades lättade de på en del av dem, men de flesta är kvar, enligt Sander kommer de att jävlas med mig tills domen faller, det finns inget att göra. *Synnerliga skäl.* Allt med mig aktualiserar *synnerliga skäl.* Hur min armbandsklocka, den de tog från mig på sjukhuset, skulle kunna störa utredningen har jag aldrig fått veta, än mindre hur den fortfarande kan utgöra ett problem. Men det är ingen idé att bråka.

"Välj dina strider", säger Sander och låter som en äktenskapsrådgivare i morgon-tv. Jag måste stå ut tills jag har flyttat dit där jag ska avtjäna mitt straff. *Skyll dig själv din fitta-jävla-fitta. Synnerligenrika-jävla-fitta.* Därför: vill jag veta vad klockan är måste jag ringa och fråga någon av vakterna.

Jag reser mig upp och trycker på ringknappen en gång till, håller den intryckt lite längre den här gången. Tycker de att jag är jobbig kan de ge mig min klocka, eller koppla in den förbannade klockradion, hur riskabelt kan det vara att låta mig få kolla hur långsamt tiden går?

Numera får jag i alla fall läsa tidningarna, det har Sander uppenbarligen bedömt vara värt att kriga för. Han har dessutom gett mig dem jag missade under förundersökningen eftersom han tycker att jag måste veta vad som skrevs ("du har anklagats för mer än det du åtalas för och det skulle inte ens domstolen våga förneka"). Men jag har bara fått papperstidningar. Internet får jag inte använda, så jag kan inte följa vad som sägs om mig på Twitter. Inte läsa om #maja #mördare #djursholmsmassakern. Inte googla, inte gå in på Facebook, inte ta emot anonyma Snapchatmeddelanden, svarta skärmdumpar i min feed: du-ska-dö. *Fördel två.*

Jag trycker på den förbannade ringknappen en tredje gång innan jag lägger mig på sängen och väntar på att de ska komma och öppna. När jag ligger där når jag bordskanten på andra sidan rummet. Det känns som om jag skulle kunna sträcka ut armarna och hålla mig fast i väggarna. Det är inte hemma. Jag slipper vårt vidriga hus. *Fördel tre.*

Vi bor i ett nybygge på en avstyckad tomt, omgivna av riktiga sekelskiftesvillor, i ett hus som låtsas vara något det inte är. Första gången jag såg det tänkte jag att det behövdes 3D-glasögon för att man skulle kunna se hur det såg ut på riktigt. När vi flyttade in fanns det en minimal fontän i hallen. Den stod där och gurglade i ett par veckor innan det kom fyra polska arbetare och plockade bort den och la in nytt golv, inte bara över hålet utan i hela hallen. Pappa säger att den som köpte tomten och byggde huset var "i dj-branschen", han var "den sortens musiker som varken spelar instrument eller skriver egna låtar".

"Musikern" gjorde uppfarten bred nog för att en Hummer skulle kunna köra upp till huset, men glömde att göra vändplanen tillräckligt stor för att kunna vända bilen. "Det var nog därför", brukar pappa säga, "som de sålde huset igen, utan att ha bott där en enda dag. För att få amerikanskt körkort behöver man nämligen inte lära sig att backa."

Det är en av pappas favorithistorier, han har berättat den fler gånger än jag kan hålla reda på och han skrattar själv åt den varje gång. Den är ett bevis på att det finns värre uppkomlingar än han, antar jag. Eller så är han bara avundsjuk på att han aldrig skulle våga köra en Hummer. Min pappa vill gärna vara en fräck snubbe, med kostym och T-shirt, utan strumpor i skorna, en "sorts musiker" eller en it-miljonär. Han vill inte behöva skämmas för att gilla åttiotalsserier från Miami. Men samtidigt är pappa alldeles för orolig för att bli förkyld, det skulle kunna störa hans maratonträning. Han har knähöga strumpor i merinoull med silvertråd för svettavstötning till och med under sina kostymbrallor. En gång i veckan, på fredagar, tar han av sig slipsen redan efter lunch och hänger den på ryggstödet till sin kontorsstol innan han fortsätter jobba. Det är allt. Fräckare kommer pappa aldrig att bli.

Jag har fortfarande besöksförbud. Pappa och mamma får inte hälsa på. Fjärdel fyra.

Fjärde gången jag reser mig upp och ringer på klockan trycker jag in knappen i fem sekunder, räknar för mig själv för att inte fega ur och sluta för fort: enpilsner-tvåpilsner-trepilsner, som mormor räknade när det åskade, mellan blixten och dundret. Någon ringsignal hörs inte inne hos mig, men jag vet att det ringer ute hos vakten. Ganska högt.

Irriterande, säkert. Men jag är inte sjuk och jag kan inte komma på hur jag skulle kunna få någon att tro att jag är det så det är lika bra att sätta igång.

Susse lovade i går kväll att jag skulle få gå till duschen först av alla. Före frukost. "Så fort du vaknar", sa hon. Jag har blivit ganska bra på att avgöra när det inte är natt längre. Klockan borde vara ungefär fem. Det borde gå att övertala vakten att det inte är för tidigt.

Min sida av saken. Min tur. Inte i dag, men på måndag kanske.

Sander har lovat att det inte kommer att hända något avgörande i dag. Åklagaren ska avsluta sin genomgång av den skriftliga bevisningen, det har tagit längre tid än planerat och vi är försenade. Först när det är klart ska Sander börja sin sakframställan. Men även om det hinner bli hans tur ska jag i alla fall inte behöva göra någonting annat än att sitta med och lyssna och jag ska få åka tillbaka till häktet ganska tidigt eftersom även domare (och advokater, antar jag) vill ha fredagsmys med sina ungar. Jag ska också få vara i fred hela helgen har Sander lovat, vila och sova och inte behöva komma till domstolen och inte lyssna på kalla-mig-Lena eller Pannkakan eller någon annan.

Det är egentligen inte i dag jag borde låtsas vara sjuk, utan först efter att Sander har fått göra sin sakframställan. Då blir det dags för mig att avlägga min "redogörelse". Måndag eller tisdag, tisdag eller måndag, beroende på hur långt vi hinner i dag. Jag ska sitta kvar på min vanliga plats, jag behöver inte flytta på mig, har Sander sagt, det finns inget vittnesbås där man sitter och tittar på publiken. Jag behöver inte heller svära på någon bibel, det har han också lovat. Men han ska ställa de frågor vi har gått igenom en miljon gånger och jag ska svara, rakt in i den påslagna mikrofonen. Allt det jag säger ska spelas in och alla som är där för att glo på mig ska kunna höra vad jag säger.

Det brukar alltid ta tid för vakten att komma och öppna, men sällan så här länge. Jag trycker på knappen tre gånger till, korta tryck, trots att jag vet att de blir skitförbannade när man ringer och ringer och ringer. Vakten har kanske somnat? Kanske är klockan inte ens fem, den kanske bara är fyra? Om den inte är mer än strax efter tre, kommer jag

101

inte att få duscha. Antagligen blir de så irriterade att de tvingar mig att vänta till sista stund.

Om jag är sjuk i dag skjuts hela rättegången upp en dag. Min dag skjuts upp. Kanske är det ändå en bra idé att vara sjuk redan nu, trots att ingen kommer att bjuda mig på marmeladmackor? Jag vill inte vara här hela helgen och veta att så fort den tar slut så ska jag behöva prata i rätten. Men jag vet inte hur jag ska kunna låtsas. Det finns ingen chans att de lämnar mig ensam med en febertermometer, det skulle vara livsfarligt. Jag skulle kunna bita sönder den och svälja innehållet för att få slippa. Tjejen i cellen bredvid svalde en blyertspenna för ett par veckor sedan. Henne fick de hämta med ambulans. Det var kaos i korridoren, omöjligt att missa, även för oss som satt inne i våra celler. Jag tvingade Susse att berätta vad som hade hänt. Hon var så chockad att hon gjorde det.

De första veckorna i häktet satt jag på konstant självmordsbevakning. När jag var i min cell kom, då och då, en av vakterna och undrade "hur det var". Efter att en av dem hade gett mig lunch och en annan hämtat min tomma lunchbricka öppnade de bara dörren och glodde på mig i en halv sekund innan de stängde den igen. De vägrade att lämna mig ifred. Dygnet runt höll de på. Knackade inte. Rasslade med låset. Öppnade. Glodde. Stängde.

I början blev jag nervös av att det ibland kändes som om de var där var femte minut, ibland fick jag för mig att det tog flera timmar mellan kontrollerna. Så jag började fråga dem, varje gång de kom, vad klockan var. Bara för att veta. Jag var också rädd att det skulle bli natt utan att jag förstod det. Jag försökte intala mig själv att jag skulle se genom fönstret om det blev mörkt, men eftersom jag i början hade så svårt att minnas när jag sov senast (kanske hade jag sovit flera nätter och glömt det, kanske var det i går jag fortfarande bodde hemma?), krävde jag att få veta vad klockan var och skrev upp det på ett block jag hade fått av en av vakterna tillsammans med en (jättekort) blyertspenna. (Av någon anledning trodde de väl inte att jag skulle svälja den. Eller att den var så liten att det inte var någon större fara om jag gjorde det.)

Tredje eller fjärde dagen fick jag en bunt årsgamla veckotidningar för killar, om ekonomi, krig, bildäck och nakna brudar, gärna i kombination. Efter ytterligare någon dag kom de med en Knasen och tre slitna pocketböcker. Jag bläddrade i dem, framifrån och bakifrån, men lyckades inte läsa något.

Det tog några veckor innan jag slutade bete mig som en livstidsfånge i ett medeltidsfängelse (som inte borstar håret och använder sina blodiga nagelstumpar till att rista antalet dagar i cellväggens cement). Men efter någon månad kunde jag titta på tidningsannonserna om pensionsförsäkringar och mellanöl och hårprodukter och förstå dem. Anteckningsblocket behöll jag. Jag tog med det när de flyttade mig till kvinnohäktet, dels för att påminna mig om att jag kände mig mer normal, dels för att inte glömma att det fanns rutiner för allt. Men framför allt eftersom anteckningarna bevisade att de kom en gång i halvtimmen, varje halvtimme. För att ta livet av sig fanns det alltså gott om tid, närmare bestämt tjugonio minuter. Det lugnade mig även om jag inte visste hur jag skulle göra för att dö. Den rostfria stålskivan ("spegeln") som var fastskruvad ovanför handfatet gick inte att slå sönder. Skära mig i handlederna med den kunde jag alltså inte göra. Filten i sängen (en extra i hyllan) var i ett konstigt luddigt material, mer likt pressat dammsugarludd än tyg och mina lakan var av papper. Inte en chans att de gick att använda för att hänga sig i. Axelremmen på väskan som Sander gett mig hade vakten hakat av och tagit med sig. Möjligen skulle jag hinna få fason på min T-shirt eller mina byxor och tillverka något repliknande, men jag visste inte var jag skulle knyta fast mig. Det fanns inget dörrhandtag på min sida av dörren, inga krokar, vare sig i väggen eller i taket. Jag har aldrig velat ta livet av mig, så jag har aldrig behövt fundera på hur man gör. Häktesvakterna verkade tycka att jag borde vilja dö. Antagligen hade de rätt.

Precis när jag ska trycka på knappen igen kommer vakten, precis lika irriterad som jag trott att han skulle vara. Klockan är halv sex. Jag har sovit längre än jag trodde. Jag får duscha. Med tvålen och schampot som jag har köpt i häktets kioskvagn.

Mamma har försökt skicka mig en hel resväska med skönhets-

103

produkter men den fick inte Sander ge mig. De var väl rädda att mamma skulle smuggla in knark eller uppmuntrande ord i ögonfrans-förlängningskrämen, vad vet jag? Ingen har däremot kommenterat att min mamma tycker att det är viktigt att hennes mordåtalade dotter sköter sina ögonfransar.

Jag fick se listan på saker som de inte lät mig få. Det var ett beslut som jag kunde överklaga. Jag sket i det, valde bort den striden också.

Kloka lilla rika flicka.

14.

När jag kommer tillbaka från duschen klär jag på mig och får min frukostbricka med margarin-och-ost-frallan som smakar plast och vinägerteet jag aldrig dricker. Susse kliver in i mitt rum medan jag står och sminkar mig så gott det går framför stålskivan. Hon sätter sig på min sängkant och tittar och jag kladdar med mascaran jag faktiskt har fått ta emot av mamma. Susse ska ta mig till rättegången.

Susse jobbar sällan tidiga morgnar, sena kvällar eller helger. På fredagseftermiddagarna brukar hon dessutom gå tidigare. Men inte i dag, hon ska köra mig tillbaka efter rättegången också och hon har på sig sina vaktkläder. Ibland kommer hon för att säga hejdå efter att hon har bytt om. Då brukar hon ha brottarlinne och fransiga jeans, lila glitterögonskugga och de hårdplockade ögonbrynen målade i kolsvart. Susse är typen som tar minutlån för att köpa charter till Thailand och ett halvår senare, fortfarande lika solbränd, blir utskälld i Lyxfällan på TV3 för att hon spenderat hela lönen på skor från Zalando. Susse har en unge och "en kille som lyfter skrot" (Susses ord). Dotterns namn (Vilda, eller Engla, något i den stilen) har hon i en flerfärgstatuering på ena skulderbladet men den syns inte när hon har långärmat. Hon har alltid långärmat när hon jobbar.

Susse har ofta med sig grejer till mig, för att jag ska få något att göra. I dag har hon med sig en påse godis och en dvd, något menlöst (det är alltid menlöst), på omslaget står en tjej och putar med rumpan och munnen medan hon håller i fjorton hundkoppel. Jag har fortfarande ingen tv på rummet, men Susse har övertalat kvällsskiftet att jag ska få en ouppkopplad tv ("tv-vagnen") inrullad i mitt rum och hon tycker

105

att jag ska titta på filmen när jag kommer tillbaka från domstolen. "Tänka på annat."

"Om du inte har somnat klockan tio, Maja", säger hon. "Ta en sömntablett då." När jag inte svarar fortsätter hon "... och lova mig att du går ut på rasten både lördag och söndag".

Susse är min dagisfröken. Morgonrutiner och frisk luft (det finns inget dåligt väder, bara dåliga kläder!) är det viktigaste i livet för henne, möjligen med undantag för fria vikter och proteindrink på tetrapack.

Susse tjatar på mig. Om att jag ska boka in undervisning ("läxläsning" kallar hon det, trots att jag inte har några läxor att läsa), att jag ska gå och träna i "gymmet" (ett rum utan fönster med ett rullband, två viktmaskiner och en illaluktande yogamatta som fastnat i hoprullat läge), att jag ska boka tid med prästen, psykologen, läkaren, alla möjliga och omöjliga personer (för att de ska "hjälpa mig", "att bearbeta").

Ibland säger jag ja, mest för att få tyst på henne.

"Ja, mamma", säger jag. Då skrattar Susse, det gillar hon. Hon skulle ha behövt bli gravid som åttaåring för att vara min mamma, men hon gillar att känna sig mognare och bättre än jag. Susse skulle aldrig kalla sig för min fångvaktare. Inte ens fångvårdare har jag hört henne säga, hon vill nämligen varken erkänna att hon vaktar mig eller att hon gillar att ta för stort ansvar för hur jävligt dåligt jag mår.

Jag orkar sällan protestera. Nu nickar jag. Jag vet inte riktigt åt vad. Åt filmen, eller godiset, eller sömntabletten eller rasten. Allt, kanske. Jag är verkligen trött i dag. Trött, men inte sjuk, tyvärr.

"Då bokar jag in dig på rastgården i morgon bitti", bestämmer Susse. Toppen. Jag ska "få" komma upp tidigt och "tillfälle" att njuta av häktets rastgård i totalt februarimorgonmörker. Jag ler mot henne så gott jag kan. Hon reser sig upp för att gå. Hon kramas inte, men jag ser att hon vill göra det. Hon är kanske inte snabblånstypen, trots sina kläder, men hon är definitivt en som kramar mördare och blir kär i fel kille (jag är beredd att satsa pengar på att pappan till hennes unge sitter inne och att hon jobbat som hans vårdare/vaktare/mamma, men att det är slut nu, eftersom hennes barn *alltid måste komma först*) och att hon älskar att omvända hopplösa fall, att det är därför hon är här, i min

106

cell, på min sängkant. Hon fixar tv-vagnen och lördagsgodis till mig eftersom hon tror att jag behöver tas-om-hand och att hon behöver vara min mamma.

Och plötsligt tänker jag på mamma, min riktiga mamma. Jag hinner inte hejda mig och jag minns hennes idiotiska förmaningar, håll alltid om bladen när du går omkring med en sax i handen, stoppa alltid knivarna i diskmaskinen med den vassa spetsen nedåt, se dig för åt båda hållen innan du går över gatan, messa mig när du har kommit fram, lyssna inte på musik när du springer i skogen, gå inte i parker när det börjar bli mörkt, gå aldrig hem ensam på natten, aldrig, aldrig ... *Helvetes jävla skit.*

Jag kommer att tänka på mamma för att jag inte passar mig tillräckligt noga och innan Susse har hunnit gå gråter jag. Tårarna bara rinner och det är för jävligt, för nu måste jag sminka om mig och Susse börjar kramas, herregud, det är klart att hon gör, får hon minsta lilla ursäkt så kan inget avhålla henne från att ta på mig, ställa sig alldeles för nära, *visa att hon bryr sig,* och nu kramar hon mig inte längre utan tar om mina kinder med sina händer och stryker undan tårar med tummarna och så blir det ont om tid ändå, trots att jag duschade så tidigt och trots att jag bara ville klä på mig och åka, inte prata och verkligen, verkligen, verkligen inte kramas.

En gång när vi satt i ett flygplan, mamma och jag, jag var kanske sex eller sju år gammal, då blev det turbulens, jättemycket turbulens och jag höll mamma i handen så hårt jag kunde och jag grät och mamma viskade i mitt öra "det är ingen fara" och hon tröstade mig och var alldeles lugn medan jag trodde att jag skulle dö.

Jag vill inte tänka på mamma.

När Susse äntligen har gått kollar jag på vad hon har tagit med sig *eftersom det är fredag.* Det är en jumbo-påse Gott och blandat.

Sander har förklarat så gott han kan vad som ska hända, men det hjälper inte. Utanför de här väggarna har varken han eller jag någon kontroll. Om jag släpper kontrollen och tänker en av de förbjudna tankarna kan jag inte röra mig längre. Jag blir paralyserad av rädsla, mitt liv är borta för alltid. Får man cancer blir man friskförklarad efter sex år utan symptom, men jag kommer aldrig att bli friskförklarad, aldrig.

Det spelar ingen roll om jag döms till livstids fängelse eller ungdomsvård, Sanders raka rygg och halvt ointresserade blick kommer inte att hjälpa mig. Det kommer att gå åt helvete. Jag skrev till Sebastian att hans pappa inte var värd att leva, jag gjorde det för att Sebastian skulle förstå att jag brydde mig, för att berätta att jag fattade hur sjuk i huvudet hans pappa var. Jag skrev att jag ville att han skulle dö, för jag trodde att om Sebastian kunde släppa sin pappa skulle han må bättre. Då skulle han vilja leva.

Jag försöker tänka att bara rättegången är över så kommer jag att slippa svara på fler frågor. Men jag vet att det bara är önsketänkande. Jag kommer aldrig att slippa frågorna och de kommer aldrig, aldrig att vara intresserade av svaren för de har redan bestämt att de vet vem jag är.

Jag avskyr Gott och blandat. Jag slänger påsen i min väggfasta papperskorg med lock och börjar gråta igen.

15.

När vi kommer fram till domstolen har jag lugnat ner mig. Ferdinand vill ge mig ögondroppar för mina röda ögon, Pannkakan blir tokig. Han tycker det är "utmärkt" att det syns att jag har gråtit (han vill inte att jag ska sminka mig överhuvudtaget, för när jag är osminkad ser jag yngre ut) och Ferdinand försöker ge mig flaskan ändå och jag tror att de ska börja slåss när Sander helt sonika tar dropparna och ger mig dem. Jag hinner till och med dra några tag med Ferdinands vattenfasta, kolsvarta mascara innan det är dags. Jag får vänta i advokatrummet medan Sander och de andra går in. När det blir min tur står en kvinna och en man, med ryggen mot varandra och talar in i varsin mobiltelefon utanför den andra hörsalen. När jag går förbi tittar kvinnan upp och vi ser varandra i ögonen en halv sekund innan det drar över henne, igenkännandet (*det är hon!*), då vänder jag bort blicken. Bakom min rygg höjs telefonrösten upphetsat, hon talar spanska.

Mamma och pappa sitter på sina platser, och rätten och advokaterna. Alla är där. Mamma ser plufsig ut, som om hon supit halva natten och somnat utan att sminka av sig innan. Men min mamma super aldrig. Hon *dricker vin*. Och hon och pappa går på fest med andra fyrtiofemåringar, temafester (typ James Bond eller Hollywood), så att kvinnorna får klä ut sig till sig själva på åttiotalet, i kortkorta paljettklänningar som de köpte på senaste New York-resan, dansa disco och fågeldansen. Då dricker de drinkar och under middagarna håller de tal och skrattar åt saker de gjorde när de var tonåringar och gick i samma klass. Männen håller andra fruar än sina egna om midjan och kallar varandra bror.

Jag tror att mamma och pappa har grälat. Förut grälade de om sådant

som att pappa inte fällde ner toalettringen efter sig. Inte när andra hör-
de, när de hade middag och kvinnorna skulle förenas i den sedvanliga
våra-korkade-män-diskussionen, då skämtade mamma bara om att "det
är inte jag som brukar ha ont i huvudet, hihi …". Och pappa fick svara
att "höhö, jag har inte ont i huvudet nu, hur känner ni er, kära vänner, är
det inte dags för er att åka hem snart?"

De visade gärna upp *sexiga problem*, att mamma ville ligga, att hon
ville knulla så gärna att pappa måste värja sig. Men när mammas och
pappas middagar var över, surdegsbrödet och de franska ostarna upp-
ätna, olivoljan med de rökiga undertonerna bortplockad ("vi har fått
den av goda vänner, de har hus strax utanför Florens, de gör den på
egna oliver") och "loppisporslinet" (egentligen köpt på Harrods) stod
i diskmaskinen, då tog alltid sexlusten slut och banaliteterna vid.

*Du dricker för mycket, du jobbar för mycket, varför lät du Jossan klänga
på dig hela kvällen, fäll ner den förbannade toalettringen efter dig, hur
svårt kan det vara?*

Jag undrar vad de grälade om i morse? Jag undrar om Lina var med,
om de lämnade henne på dagis på väg hit och jag försöker le mot dem.
De försöker le tillbaka.

Antagligen har toalettringen blivit nedprioriterad och inte lär de ha
blivit bjudna på någon temafest på sistone heller. Det är sådant man
får på köpet av att ha en dotter åtalad för massmord. Man slipper kli-
chéerna och blir unik på riktigt.

Snart ska Sander berätta om offren. Ett i taget. Sedan kommer han
att gå igenom exakt var jag befann mig, vid precis vilken tidpunkt och
han kommer att tala med sin låga röst, alldeles lagom långsamt. När
han vill att domarna ska lyssna kommer de att lyssna, när han vill att
de ska bli förvirrade kommer de att bli det. Och hela tiden kommer
jag att sitta bredvid honom och alla kommer att kunna titta på mig.

Alla vill titta, men ingen vill lyssna. De inväntar det de redan tror
sig veta. Man brukar säga att barn tror på det de vill tro på, men san-
ningen är att barn inte går att lura. Vuxna däremot, de vill själva väl-
ja den historia som passar dem bäst. Folk är inte intresserade av vad

110

andra säger, eller vad andra tycker, har gått igenom, kommit till för slutsatser. Folk är bara intresserade av det de tror att de redan vet.

Jag hade aldrig tänkt på det förrän polisförhören började. Men då blev det uppenbart. Och Permanenten var värst av dem alla. Råkade jag säga det hon väntade på att jag skulle säga, då spärrade hon upp ögonen, de blev bokstavligen större, hon var inte ens speciellt diskret. Och hon studsade runt i stolen, kissnödigt. Hon begrep inte att det bara syntes ännu tydligare hur upphetsad hon blev.

Sander är raka motsatsen till Permanenten. Jag fattar aldrig vad han vill att jag ska säga. I början sa han "du har inget ansvar för utredningen". Ansvar för utredningen? Vad menade han med det? Att jag skulle hålla käften? Ljuga? Inte hjälpa poliserna?

Sander sa att jag skulle berätta allt för honom innan jag berättade det för poliserna. Om det betydde att jag skulle säga precis hur det var, bara rakt upp och ner, för att han sedan kunde förklara för mig vad jag absolut inte fick säga till polisen, det förklarade han aldrig. Han bad mig aldrig att ljuga eller hålla tyst eller inte berätta just det eller det. Men samtidigt sa han: *svara bara på frågorna de ställer ...* Det var obegripligt. Vad skulle jag annars svara på?

Var det något annat Sander var ute efter? Ingen aning. Jag begrep inte ens om han var "ute" efter något.

På det sättet var det lättare att prata med poliserna. Jag visste att de hade en plan: de ville sätta dit mig. Ju snabbare jag kunde lista ut exakt vad planen krävde att jag sa, desto snabbare skulle jag bli av med dem. Och i början ville jag bara bli av med dem. Jag ville inte behöva prata med dem. Jag ville bara vara i min säng, i mitt rum, där det var tyst.

Men efter två veckor med Permanenten som förhörsledare skickade de in en mörkblond snubbe i trettiofemårsåldern för att knäcka mig. Han hade uppkavlade skjortärmar, satt med benen isär och frågade med sammetslen röst hur jag mådde. *Hur mår du egentligen, Maja?*

Jag förstod att han varit jättepopulär bland tjejerna på sin gymnasieskola i Jönköping eller Enköping eller Linköping eller någon annan jävla köping. Jag förstod att planen var att jag också skulle bli förälskad i honom och vilja berätta allt. Men jag blev inte kär. Jag tyckte att han

111

var löjlig. Det märkliga var bara att trots det och trots att jag fattade exakt hur de trodde att jag skulle reagera, så ville jag ändå berätta för honom. När köpingkillen sa att han förstod att jag hatade Claes Fagerman, när han sa att han förstod att jag bara försökte hjälpa Sebastian, att jag ville *vara en fin flickvän*. När han sa att han också hade blivit *så jävla förbannad* om han hade varit i min situation, då var det som att trycka på en knapp: jag började gråta lättare än vid slutet av en dålig film.

Det var liksom inprogrammerat i mig, att låta honom ta hand om mig. Jag ville säga att *ja! jag sa åt min kille att döda sin pappa och vi bestämde att vi skulle hämnas och göra slut på allt* för jag ville att han skulle tycka synd om mig (*ja! jag mår jättedåligt!*) och sedan ville jag att han skulle säga hur synd han tyckte om mig och sedan kunde han gå därifrån och polserna skulle ha fått vad de ville och lämna mig ifred.

Sander hjälpte mig, jag har förstått det nu. I början tyckte jag att han var konstig, när han plötsligt krävde paus, mitt i ett förhör. Det var inte så att han avbröt mig, eller ens poliserna, men han ville liksom påminna mig om vem jag var, lite då och då, se till att jag inte glömde bort det.

"Ja ..." Domaren spottar in orden i mikrofonen. "Då har det blivit dags att återuppta förhandlingarna i ..." han rabblar vidare.

När ordflödet verkar sina en smula ber Sander om lov att få säga några ord om tidsplanen. Domaren nickar irriterat och Sander förklarar att med hänsyn till mitt "hälsotillstånd" är det "utomordentligt viktigt" att vi avslutar dagens förhandlingar allra senast klockan tre. Det är något Sander "måste uträtta" och, jodå, han lyckas få in min ålder igen, den "exceptionellt långa och svåra häktningstid" jag har "fått utstå" och domaren nickar igen, fortfarande lika irriterat, det är uppenbart att han inte gillar att bli påmind om det här och när Sander är klar återupptar domaren rabblandet om vad dagen ska "omfatta".

Förut tyckte jag att det var konstigt att Sander hela tiden diskuterade tidsplanen. Att han inte ville bli av med rättegången fortast möjligt utan envisades med att lämna in ansökningar om att han inte kunde den och den dagen i den andra veckan och inte den och den i tredje.

112

Rättegången har blivit uppskjuten en gång, för att domaren krävde att det skulle gå att köra den i ett streck. Och jag har förstått att det skulle ha varit bra för mig om rättegången blivit uppdelad på olika veckor, fyra dagar en vecka, tre dagar nästa, två och en halv den tredje, och så vidare, för ju hackigare rättegången är desto större chans att domarna glömmer vad vi pratade om senast vi sågs. Och det är bra för mig om det är svårt för dem att hålla allt i huvudet. Allt de tycker är rörigt eller ologiskt talar för min sak. Om fallet inte verkar glasklart för rätten så har inte fula-Lena gjort sitt jobb ordentligt. Även om Sander inte hoppas på att "vinna", kan han hålla tummarna för att åklagaren förlorar.

Sanders planer på en pyttipanna-förhandling sket sig. Vi ska träffas varje dag, hela dagarna, ända tills det är slut. Men Sander fortsätter ändå att prata tidsplan, så fort han får chansen.

Sedan blir det åklagarens tur. Hon har bara ett par protokoll att gå igenom. Men chefsdomaren ställer många frågor. Det är därför det tar längre tid än planerat. Ingen låtsas om att de blir irriterade.

När åklagaren äntligen är klar får offrens advokater ordet. De börjar gå igenom de papper som ska visa varför jag ska betala skadestånd. Jag har *åsamkat irreparabel skada*. Och klockan tio i tolv kräver Sander plötsligt, mitt emellan två advokater, att vi tar paus för lunch. Det är visserligen tidigare än vi brukar, men Sander verkar tycka att det är absolut livsnödvändigt.

Sander förhalar, inser jag plötsligt. Han vill inte behöva börja prata i dag, han vill skjuta på det.

Domaren föreslår att vi håller på till klockan ett istället, innan vi bryter, för att kanske hinna bli klara med skadeståndsdelen. Då ser Sander ännu mer irriterad ut. Hela hans väsen utstrålar upprördhet över att de inte förstår att jag är för ung för att behöva utstå en sådan påfrestning på mitt blodsocker.

Efter att de diskuterat fram och tillbaka i säkert en kvart går domaren till slut med på att bryta för lunch. Vi ska vara tillbaka klockan ett.

Jag tror inte att det kommer att vara lika jobbigt när Sander pratar. När han pratar verkar han aldrig det minsta nervös och han behöver inte fundera på vad han ska säga.

Redan under inledningsanförandet pratade han om vad jag visste och inte visste, vad jag gjorde men framför allt vad jag inte gjorde. Sander föredrar att prata om vad jag inte gjorde.

Innan Sebastian och jag åkte till skolan, till exempel. När jag kom tillbaka till Sebastians hus efter att ha sovit hemma gick jag in i huset och stannade där i elva minuter innan vi kom ut igen. Det fanns övervakningskamera vid uppfarten, men ingen i huset. Ingen kan veta säkert vad som hände när jag stod i hallen och väntade på Sebastian.

Väntade? Var det vad jag gjorde? Hur är det möjligt? Åklagaren har sagt att jag gjorde en massa annat än bara väntade i elva gånger sextio sekunder. Sander säger att jag inte gjorde någonting. Det är lång tid. En evighet, skulle man kunna säga. Tyckte jag inte att det tog lång tid? Satt jag bara i hallen med händerna i knät? Tittade jag inte ens på min mobil? Kollade FB eller Insta? Snapchat? Lämnade jag inte en endaste emoji eller like-tumme efter mig som kiselstenarna, eller brödbitarna som Hans och Greta släppte efter sig när deras pappa lurade ut dem i skogen för att de skulle gå vilse och svälta ihjäl? Finns det inte något slags bevis på att jag inte gjorde det åklagaren påstår?

Nej, det gör inte det, tyvärr. Det var inget Insta-moment.

16.

När vi har ätit lunch och offrens advokater har tagit sig igenom sina *sålunda* och *huruvida* och *skäligen* och *rimligen* och *oavsiktligen* och *uppsåtligen*, är det exakt femtio minuter kvar innan det är dags för det utlovade fredagsmyset. Sander är mer uppretad än jag någonsin sett honom.

"Det är fullkomligt oacceptabelt", säger han med sin allra syrligaste röst. "Vi kan omöjligen inleda vår sakframställan nu."

En kort stund tror jag att domaren i mitten tänker protestera. Men sedan gör han inte det. Han säger bara okej och avslutar. Åklagaren protesterar inte heller. Så vi samlar ihop våra pärmar och våra pennor och våra papper och väskor och går därifrån, tidigare än planerat eftersom vi är försenade.

Nu börjar väntan på måndagen. Men min skjuts från häktet har inte kommit ännu. Vi blir sittande i vårt rum, Sander och jag, Ferdinand och Pannkakan. Alla vill hem, men varken Ferdinand eller Pannkakan vågar be om att få gå därifrån. Sander vankar fram och tillbaka i rummet ett par längder innan han vänder sig mot Ferdinand.

"Jag vill att du kollar upp hur det går med förhandlingarna mellan Dennis Oryemas dödsbo och Fagermans advokater."

Ferdinand nickar.

I klassrummet sköt Sebastian Dennis först. I tidningarna gjorde man en grej av att den svarta killen dog först. Men Sebastian var inte rasist, färgen var inte grejen med Dennis. Och även om ett par journalister försökte få det till att det här var en tragedi med rasistiska förtecken, att djursholmare inte klarar av dem som inte ser ut exakt som de själva så är det inte några föräldrar som har problem med att det går ungar från andra förorter i skolan. På sätt och vis är det till och med tvärtom. Lagom svarta killar och duktiga Samir passar lika bra på Djursholms allmänna gymnasiums Instagramkonto som ett färgglatt fotografi från en marknad i Marrakech passar i min mammas politiskt-illamående-korrekta flöde. Sådana elever är ett bevis (med eller utan filter) på skolans spännande program, på den toleranta och fördomsfria och mångfacetterade utbildningen.

Men Dennis var något annat. Han var ingen caffelattefärgad snygging från Söder, ingen produkt av ett kärleksförhållande mellan en fnissig blondin och en utbytesstudent från Västafrika. Han var inte döpt efter någon soulsångare och han var inte lagom ljus för att passa in i mallen för spännande. Dennis smackade när han åt, ställde konstiga frågor med för hög röst, skrattade åt fel saker. Om Dennis gick uppför en trappa blev han så andfådd att han inte kunde göra annat i flera minuter än att lägga sina platta handflator mot låren, luta sig snett framåt, dra upp axlarna och pipandas. Han hade kanske astma, men först och främst hade han usel kondis och livnärde sig på transfetter med ketchup. Dennis, tillsammans med minst tre polare från verkstadslinjen, kom alltid först till matsalen och gick alltid sist därifrån. Och verkstadslinjen var inget skolan skröt om, den utbildningen var förlagd till ett annex en bit ifrån byggnaden vi andra hade våra lektioner i. Den enda anledningen till att vi överhuvudtaget visste vad en av verkstadskillarna hette var att han alltid hade droger att sälja.

Sander har en bekymmersrynka i pannan. Den är så djup att den syns från sidan. Nu vänder han sig mot Pannkakan.

"Vi kommer också att behöva träffas en stund på söndag eftermiddag och diskutera hur vi ska göra rätten uppmärksam på de andra aspekterna av Oryemas liv."

Åklagaren har gjort en stor affär av hur synd det var om Dennis. Hur han flydde ensam hela vägen från Afrika, bodde i familjehem och hotades av utvisning och allt det där. Jag tror att Sanders rynkade panna beror på att han inte har klart för sig hur han ska få domarna att förstå att vi tycker synd om Dennis (för vi är goda människor), att vi känner sympati för den döda, feta knarkhandlaren, men ändå påminna dem

115

om vem han faktiskt var (nämligen Sebastians feta knarkhandlare) utan att det verkar som om vi är fördomsfulla.

Men egentligen har alla fördomar om Dennis. Varenda politiskt korrekt journalist, varenda nämndeman, alla jurister oavsett vem de företräder, vad de tänker om Dennis är så uppenbart att de kunde ha haft en svastika tatuerad i pannan. Dennis var ingen "kompis" och han var inte "cool" (inte ens Christer skulle kalla honom det). Dennis hade "koncentrationssvårigheter" (lärarspråk för att förklara varför hans lärare var tvungna att hämta honom vid bussen på morgnarna för att han överhuvudtaget skulle ta sig till sina lektioner). Dennis svenska var ett skämt, ibland ett ganska roligt skämt. Han pratade aldrig med tjejer utan att flacka med blicken och han kunde inte dansa, bara Friskis & Svettis-sparka med benen. Dennis var inte ens charmigt musikalisk, antagligen hade han inte kunnat vara mer tondöv om han så vore döv på riktigt.

Dennis trodde att det var modernt med hårvax och sitt kladdiga hår klappade han lika kärleksfullt som han kliade sig i skrevet. Tjejerna Dennis hängde med (i Täby centrum eller på Centralen) hade löshår, lösnaglar, lösögonfransar och löst fett runt midjan som jäste över linningen på jeansen. Jeansen slet de i, hela tiden och förgäves, för att dölja sprickan bak. De hade obegripliga tatueringar i svanken och på skulderbladen och de luktade huvudvärksparfym, tuggade tuggummi med öppen mun och trodde att pommes frites var en grönsak. Antagligen bakade de in korv och snickers i frityrsmet och bjöd på när det var fest och de inte beställt tillräckligt stora kebabpizzor med bearnaisesås. Dennis "systrar" (jodå, de kallade varandra "systrar") och "bröder" sa "hej mannen" och "yo mannen" när de träffades. De formade pekfingret och tummen till en pistol och pekade på varandra av skäl som ingen begrep och skrattade våldsamt högt åt skämt utan poäng. Ingen inbillar sig att Dennis skulle ha blivit en välformulerad, lagom liberal politiker när han blev stor.

Det finns inte teknisk, eller annan bevisning, som binder mig till Dennis död. Jag dödade inte Dennis. Det kommer Sander att påpeka såklart. Han kommer också att göra sitt bästa för att få alla att förstå att jag inte hade någon anledning att vilja döda Dennis.

117

Med undantag för den sista kvällen gav Dennis mig aldrig vare sig kokain, hasch eller något annat. Sebastian gav mig det jag ville ha. Jag kände inte Dennis, ville inte lära känna honom, Dennis ville inte lära känna mig. Om han pratade med Sebastian när jag var med stod han och drog i sina kläder och försökte låta bli att titta på mina bröst. Men han pratade aldrig med mig, han pratade inte med "någon annans brud", han ansåg att "brudar" krävde respekt endast i de fall då de var ihop med "en snubbe" man var tvungen att respektera. Sista kvällen, när Claes slängde ut honom, då grät han runda vaxtårar, och snorade genomskinligt snor som han inte torkade bort utan bara lät rinna. Han grät för att han skulle bli av med knarket han tagit med sig för att sälja och det var inte hans knark, naturligtvis. Hade inte Sebastian hunnit döda honom några timmar senare hade Dennis leverantör säkert mördat honom istället.

Att påstå att jag ville att Sebastian skulle döda Dennis är absurt. Att påstå att jag behövde övertala Sebastian att döda Dennis är ännu mer absurt.

När polisen öppnade Dennis skåp efter skotten hittade de en oladdad pistol. Jag vet att Sander vill göra ett stort nummer av den där pistolen också. Han kan inte veta varför Dennis hade den, men han kommer att försöka använda den för att få alla att förstå att Dennis levde ett farligt liv. Nästan lika farligt som Sebastians eller betydligt farligare, beroende på hur man ser det.

Journalisterna påstår att vi behandlade Dennis som vårt husdjur. Men de låtsas inte om att det knappast var vi som var värst. Exempel: om någon hade satt på Dennis en Ralph Lauren-skjorta hade det tagit mindre än tjugo minuter för skolledningen att kräva att hans skåp skulle öppnas och gås igenom så att man kunde hitta resten av stöldgodset. Dessutom: Dennis tjänade massvis med pengar tack vare Sebastian. För varje vecka blev Dennis jeans dyrare och dyrare och bland valkarna runt halsen gömde sig fler och fler tjocka guldkedjor. Men det var ingen som orkade titta tillräckligt noga på Dennis för att lägga märke till det. Lärarna och de vuxna på stället där han bodde kanske trodde att hans smycken var oäkta, de kanske inte fattade hur dyra hans fula sneakers var. Men jag tror att de framför allt sket i hur han fick sina pengar, bara det inte var grejer han snott av de andra eleverna. För det var bara en fråga om några månader innan Dennis skulle vara tvungen att "avvika" från hemmet där han bodde för att undvika utvisning, när hans påhittade födelsedatum gjorde att han blev arton år. Och då skulle de slippa honom och alla problem han drog med sig. Var lärarna upprörda över att Dennis skulle utvisas? Bara på låtsas. Egentligen tyckte de att det var skönt.

Ingen trodde att han skulle bli vuxen och ordna upp sin tillvaro. Dennis visste inte vad det betydde, han kunde inte ens stava till tillvaro och hans mobiltelefon med anonymt kontantkort hade inget rättstavningsprogram som kunde hjälpa honom med den saken.

Och åklagaren och alla hennes journalistpolare kan skrika sig hesa om att ingen borde behöva gå igenom det Dennis gick igenom, det var ändå ingen som tyckte tillräckligt synd om honom för att göra något åt det. Alla behandlade honom som en dödsdömd redan medan han levde. Sebastian gav honom åtminstone betalt.

Jag dödade inte Dennis, jag dömde honom inte ens mer än vad alla andra redan gjort. Allt det tror jag att Sander vill säga till domstolen, men han vet inte hur han ska göra det.

För någon dag sedan läste åklagar-Lena upp mess jag skrev till Amanda om Dennis. "Han är galen, men han dör väl snart", stod det i ett av dem. Ett annat, längre, som jag skrev till Sebastian innehöll raden "han måste bort ur ditt liv".

"Vi måste bemöta de där messen på ett tydligt sätt", säger Sander nu. "Jag vill också göra det utan att beröra de andra meddelandena. De har inte med varandra att göra. Det är vår huvudlinje. Håll dem isär."

Sander vänder sig fortfarande inte till mig, bara till Ferdinand och Pannkakan. Jag antar att de brukar ha en genomgång av vad-har-hänt-och-vad-måste-göras varje dag efter avslutad förhandling, men att de normalt sett väntar tills jag har åkt till häktet. Ferdinand och Pannkakan verkar tycka att Sander tjatar.

"Vi borde inte ha några större problem med att bemöta messen om Dennis. Det är fullt begripligt att Maja inte vill att Sebastian ska umgås med honom", säger Sander. Ferdinand nickar oengagerat.

"Ingen kan klandra Maja för att hon vill att Dennis ska försvinna ur Sebastians liv." Pannkakan skakar på huvudet, lika halvhjärtat. De har hört det här tusen gånger förut. De har behövt lyssna på när Sander pratar med sig själv fler gånger än de kan hålla reda på.

Jag tror att Sander har rätt. Men ingen skulle erkänna att om bara Dennis dött hade jag aldrig ens blivit häktad. Ingen skulle heller erkänna att de hellre dödat Dennis själv än låtit honom bli kompis med deras barn, för de är rädda att verka rasistiska. Men jag tror inte att Dennis kände sig som ett husdjur. Han sket i hur vi behandlade honom, han ville bara tjäna så mycket pengar som möjligt innan han skulle bli tvungen att dra.

"Jag kommer att behöva inleda med tidsaxeln och i synnerhet vår inställning till händelserna under natten." Sander pratar fortfarande med sig själv, Ferdinand och Pannkakan fortsätter att låtsas lyssna. "Men när jag går igenom offren börjar jag med Dennis och Christer. Det är mins problematiskt."

Mordet på Christer åker med det generella påståendet att jag hjälpte Sebastian att göra det han gjorde, tror man på det är jag medskyldig även till Christers död, tror man inte på det ska jag inte dömas.

Christers död var en "slump", kanske? Eller så förtjänade alla vuxna som försökte säga åt Sebastian hur han skulle leva sitt liv att dö? Sander har sagt till mig att han inte vill spekulera i vad Sebastian ville och inte ville. Åklagaren vet inte heller varför Sebastian dödade Christer. Han kanske bara befann sig på fel plats vid fel tidpunkt? Sebastian brydde sig kanske inte om vilka som dog, ju fler desto bättre kanske? Det de hittade i mitt skåp tyder på att han hade velat döda ännu fler. Eller, förlåt. Det bevisar enligt åklagaren att jag och Sebastian ville döda halva skolan.

Tidigare under veckan, när åklagaren pratade om Samir, grät jag. Jag ville inte gråta, för jag vet att det är vad Pannkakan vill att jag ska göra, men jag kunde inte hjälpa det. Jag ville säga något så att de slutade lyssna på åklagaren men eftersom jag bara får prata när det blir min tur att prata, grät jag istället.

Jag grät inte när åklagaren sa att även om inte Sebastian sa det till mig, även om jag inte såg Claes Fagermans döda kropp när jag var hemma hos honom, måste jag ha hunnit förstå att Claes var död under de där elva minuterna då jag var inne hos Sebastian, särskilt med hänsyn till vad jag skrivit för mess till Sebastian under natten och morgonen. När hon sa att Sebastian och jag planerade det och resten också tillsammans och att vi ville döda och vi ville dö, tillsammans, tittade jag bara rakt fram utan att reagera. Jag lyssnade när hon påstod att även om jag inte förstod att Sebastian menade allvar, även om jag var dum nog att inte fatta att det låg vapen och sprängmedel i väskorna, borde jag ha förstått och protesterat och eftersom jag inte protesterade är jag skyldig till medhjälp. Och morden jag begick, dem begick jag, det visar den *tekniska bevisningen*, sa åklagaren, hon sa *teknisk bevisning* gång på gång, hon älskar de orden, hennes röst blev så upphetsad av dem att den nästan sprack. Men jag höll mig lugn.

Och när hon pratade om Amanda la Ferdinand sin hand på min axel. Den var smal och tunn och nuddade mig knappt och jag bet mig i min egen hand för att inte skrika rakt ut.

Ingen tycker att det är en katastrof att jag dödade Sebastian. Jag borde ha gjort det tidigare, tycker de. Men att jag dödade Amanda går inte att bortförklara.

"Det var självförsvar", kommer Sander att säga om skotten jag avlossade.

"Vårdslöshet." "Vållande." "Nödvärn."

Han kommer att använda en massa ord för att förklara att det var ett misstag. Jag bör inte lastas för det, jag agerade för att avvärja en större fara.

Men djupt inom mig vet jag. Jag försökte inte försvara mig på något medvetet genomtänkt vis. Jag tänkte inte "hjälp", jag tänkte inte "jag måste döda Sebastian, annars dödar han mig". Den skräck jag kände går inte att förklara, det var något som hände med min kropp medan själen förberedde sig på att dö.

Jag har gråtit flera gånger under veckan. Men inte för att Pannkakan vill att jag ska göra det. Jag inbillar mig inte att det hjälper.

När vi äntligen får besked om att min bil från häktet är här erbjuder sig Pannkakan att följa med mig och säkerhetsvakten dit. När vi går från hissen till bilen i garaget väntar journalisterna på oss. Jag är trött, de tar foton med sina jättekameror, det där knatterljudet, maskingevär med ljuddämpare. Susse möter upp och ställer sig framför mig, lägger armen om mig, jag vänder ansiktet in mot hennes hals, hon är faktiskt längre än jag är, närmast groteskt lång är hon, så det kanske ser gulligt ut. Mammigt.

Pannkakan älskar säkert att de tar bilder på mig när jag blir mammad. Det får mig att se yngre och flickigare och ledsnare ut. Kanske har han till och med tipsat pressen om vilken väg vi skulle ta, var de kunde stå för att ta sina foton.

"Maja", ropar en journalist. "Hur tycker du att det gick i dag?"

Jag svarar inte och låter Susse baxa in mig i baksätet. Sätter mig så långt bort från kamerorna jag kan. Rutorna är mörka. Men jag ser att Pannkakan går fram till journalisten. Det är underligt att han följde med till bilen. Det brukar räcka med säkerhetsvakten. Han och jag hade inga pågående superspännande samtal att avsluta. Och han borde väl fortsätta debriefingen med Sander och prata om läget och, ja, *hur det gått?* Vad gör Pannkakan här? Antagligen vill han försäkra sig om att jag sköter mig. Och varför skulle han bekymra sig om hur jag sköter mig om han inte redan visste att det fanns journalister i det fuktiga garaget?

Pannkakan tjatar om att "de" är intresserade av mig. Mitt jag. Det är viktigt att jag "får" en "personlighet", att jag "blir en människa". Hela mitt försvar vilar enligt Pannkakan på det. Vem jag "är". Visst.

Så snart vi fick tillgång till förundersökningen inledde Sander en miljon olika egna undersökningar för att dubbelkolla slutsatserna som den tekniska analysen och utredningen har kommit fram till. Men Pannkakan verkar mest koncentrera sig på att få "dem" att förstå mig. Vilka "de" är verkar mer osäkert för jag tror inte att han menar domarna. I alla fall inte bara.

Susse klappar mig på armen. Jag låter henne ta min hand. Nu ser ingen mig längre. Dörren till förarsätet står visserligen på glänt, men fotograferna verkar inte ha märkt det. Jag hör hur Pannkakan pratar med journalisterna. Låg, men tydlig, röst.

"Vi kan inte prata nu, det får ni förstå. Det har varit en lång dag."
Han låter trött, mycket tröttare än han gjorde i hissen ner till garaget.
"Maja är ledsen. Det här är jobbigt för henne. Hon är så ung ..." Nu
sa han det igen. Jag undrar om journalisterna börjar tycka att det är
tjatigt. "... det tillhör inte vanligheterna att en flicka i hennes ålder be-
höver sitta inspärrad så länge. Hon har haft en exceptionellt lång och
påfrestande häktningstid."

Jag försöker somna i bilen. Jag är trött. Det är riktigt uppfattat av
den empatiska Pannkakan. Men han har fel om det andra. Häktet är
inte överdrivet jobbigt. Inte för att det är något trevligt ställe, för det
är det inte. Inte för att maten är god, för det är den inte, men för allt
jag slipper.

Varje dag på häktet är en klippa-klistra-version av dagen innan, i
synnerhet sedan de slutade förhöra mig hela tiden. Det är sjukt skönt.
Inga överraskningar. Inga nya människor. All mat smakar exakt lika-
dant oavsett om det är köttbullar, torsk eller äggröra. Jag äter frukost,
lunch och middag. En timma i rasten, en timma i gymmet (jag låtsas
bara träna). Undervisning. Tio minuter i duschen. Jag ligger på min
säng, jag ligger på mitt golv, jag går på min toalett, jag lyssnar på dem
som går förbi, jag försöker läsa, jag lyssnar på musik, jag sover mer än
jag någonsin gjort i hela mitt liv. De enda besök jag får är när Sander
kommer. Men i helgen får jag vara i fred. Ingen ska prata med mig,
överraska mig, tvinga mig att tänka.

Vi hann inte börja med sakframställan i dag, men när helgen är över
är det dags för min sida av historien, om Sebastian och mig, och kärle-
ken och hatet och om hur jag svek honom.

Sebastian och jag

17.

Vi blev ihop sommaren före morden, Sebastian och jag. Stockholm hade fastnat i en så överjävlig hetta att efter tre veckor pratade folk inte ens om vädret längre. De klagade på trasig luftkonditionering, is som smakade gammal socka och kornig glass på 7-Eleven, men inte på värmen, den hade blivit ett tillstånd. Ingen kunde föreställa sig att det någonsin skulle bli annat väder än detta.

Jag sommarjobbade min sista natt i receptionen på ett hotell vid Stureplan när Sebastian dök upp. Från tio på kvällen till sju på morgonen i tre veckor hade jag svarat i telefon, bokat gäster, avbokat gäster, ringt in extrapersonal till frukosten och städningen, lyssnat på fulla finländare ("where are the nice girls?"), om de inte ville att jag skulle komma upp med sprit på rummet åt dem ("be a nice girl, will you, hehe"). Det fanns en larmknapp under disken, jag behövde aldrig använda den. Ibland spydde någon ner sig, oftast på rummet, men det slapp jag också ta hand om. En gång karvade en gubbe sig i handlederna. Han skickade en tweet om det till polisen i god tid innan han satte igång.

På väg till jobbet träffade jag trötta turister på väg till och från billiga restauranger, glosögda föräldrar med barn i bortvända vagnar, eller slöa tyskar med sandaler och skrynkliga kartor. Det var inget stressigt arbete, det var inte svårt, det var hyfsat välbetalt och det gav "erfarenhet" (pappas ord). Pappa var "för" att jag skulle jobba extra, det låg liksom ett väldoftande moln Kamprad och Ung Entreprenör över hela grejen, tyckte han. Mamma ville att jag skulle ta taxi hem varje morgon, men pappa kunde inte dra av det så hon tjatade inte.

Sebastian hade varit ute på en av klubbarna i närheten och kom in för att låna toaletten. Jag jobbade ensam, min kollega hade gått hem tidigare, det var något med sonens födelsedag.

Vi fick inte låna ut toaletten till några andra än våra gäster, men jag skulle aldrig ha sagt nej till Sebastian. Hur han visste att jag jobbade där just då, det fick jag aldrig veta, jag visste inte ens att han fortfarande hade koll på vem jag var. Det var länge sedan vi gått på samma dagis. Sebastian var ett år äldre än jag, om han inte hade blivit tvungen att gå om sista året skulle han redan ha tagit studenten. Men nu skulle vi snart börja i samma klass, jag visste det, alla visste att Sebastian skulle gå om, och nu klev han in i receptionen på precis det hotell där jag jobbade.

"Maja", sa han, med sin självklara röst, han verkade inte alls förvånad över att se mig och mitt hjärta hoppade över ett slag, precis som när vi gick på dagis. Sedan stannade han kvar tills det blev dags för mig att gå hem. Vi promenerade, staden var tom och svalare än morgonen innan; vi gick bredvid varandra genom Humlegården, uppför Engelbrektsgatan till Östra station. Där tog vi tåget till Ösby. Han satte sig bredvid mig i vagnen, när vi kommit till universitet la han sig ner i mitt knä och somnade utan att kommentera det vidare. När tåget saktade in vid vår station strök jag honom över pannan för att väcka honom och han tittade på mig när han vaknade. Så lyfte han handen och drog tummen över min underläpp. Inget mer.

Redan samma eftermiddag åkte jag på semester med mamma, pappa och Lina. Mamma hade bestämt att vi skulle åka bil genom Europa, men först flög vi till Genève där vi hyrde bilen vi använde för att transportera oss mellan olika boutiquehotell som mamma valt på en sajt med "hemliga" och "unika" erbjudanden.

Pappa körde. Pappa kör alltid när både han och mamma är i bilen (utom när de har varit på fest). Mil efter mil, vi bytte radiostation när den började knastra. Vi lyssnade på samma musik i land efter land, kommentatorerna lät allesammans likadana, samma glättiga skratt och positiva sje-ljud ("shlabablasha Rihanna, shushushu Ariana Grande!"). Programledarna pratade olika språk förstås, och i Italien spelade de fler italienska låtar, i Frankrike fler franska, men på det stora hela lät det likadant överallt och jag var dessutom i ett sorts chocktillstånd. Sebastian hade exploderat i mitt huvud. Jag var på fel ställe, med fel människor, satt bredvid Lina och hennes spypåse i baksätet och letade. Jag sket i att mamma och pappa skulle klaga på mina roamingavgifter, jag kollade överallt, galensurfade, men hittade ingenting om var han var, vågade inte fråga någon han kände eller adda honom någonstans där han inte redan addat mig. Så jag satt i bilen och blev alltmer desperat och panikslagen för chansen hade glidit mig ur händerna, Sebastian hade legat i mitt knä, han hade tittat på mig och sedan hade jag åkt ifrån det. Hur dum får man bli?

Vi hade hunnit nio dagar in i vår semester och till Villefranche-sur-Mer utanför Nice när han ringde. Mobilen surrade i min svettiga hand, han hade dolt nummer och hämtade mig med vespa. Pappa såg förvånad ut, mamma verkade närmast chockad. Sebastian mötte oss allesammans i lobbyn på vårt hotell och han bjöd in mamma och pappa "och Lina såklart" (hur visste han vad hon hette?) till middag "på båten" senare under kvällen. Hans pappas "båt" låg förtöjd utanför hamnen i Nice och jag kunde se hur mamma började steppa på stället för att hon inte begrep hur hon skulle hinna köpa ny klänning och pappa jäste till dubbel storlek eftersom Sebastians pappa var betydligt mer än en "potentiell kund", Claes Fagerman var potentiellt ett nytt liv.

Sebastian låtsades inte märka något. Han tittade bara på mig.

Amanda hade berättat för Sebastian var vi var och Sebastian hade bestämt sig för att åka ner samma morgon. Allt var overkligt på gränsen till det surrealistiska. Jag åkte med honom därifrån, bakpå hans vespa, la armarna om hans midja och det var smala vägar längs med kusten och det var brant och varmt och jag låg med honom två gånger i hans ovala dubbelsäng på båten (under ett vitt lakan) innan mamma, pappa och Lina kom för att äta middag med oss och Sebastians pappa uppe på däck, rakt under en miljard stjärnor.

Båten var nästan sextio meter lång. Däcket var sidenmjukt och sirapsfärgat, allt var mässingbeslag och silverdetaljer, guld och vit marmor. När förrätten kom in hade solen redan gått ner. Vi satt högst upp på båten, den var upplyst nedtill längs med vattenlinjen och runt ovandäcket där matbordet stod, den sammetssvarta natten kröp ända

129

in på skinnet och vi hade fler servitörer än jag kunde hålla reda på och mamma och pappa tittade på mig oftare än de brukade. Lina ville sitta i mitt knä.

"Jag hade gett upp hoppet om att få se Sebastian härnere", sa Sebastians pappa till mina föräldrar och log brett. "Jag antar att det är Majas förtjänst att han bestämde sig för att förära oss med ett besök."

Jag kunde knappt sluta titta på Claes Fagerman den där första kvällen. Han var en fantastisk berättare, en magisk underhållare och han var till och med mer självlysande än i tidningen. Mamma fnittrade, förtjust som en undulat. Hon hade köpt en ny klänning och hade något i håret; det såg ut som en lagerkrans i falskt bladguld, men det var naturligtvis äkta, annars skulle hon aldrig våga ha på sig något som såg så billigt ut.

Sebastian la armen om mig och Claes Fagerman berättade historier om folk jag aldrig hört talas om, min pappa skrattade allt hetsigare. Sebastians pappa var annars bra på att få folk att slappna av, han blev aldrig rädd för de där sprickorna som uppstår när folk som inte känner varandra blir sammanfösta för att umgås, han blev inte stressad av tystnader eller harklingar eller ointressanta samtalsämnen. Han bara log och pratade på och hans skämt fick folk att skratta lättat. Den första kvällen såg jag inte igenom det där, jag anade inte vem han var egentligen. Mamma blev så pass berusad att hon åt upp sin dessert och Lina somnade på soffan, någon i personalen la en tunn filt över henne trots att luften var len och ljummen.

En gång sa Claes till mig: "Jag är rik, förstår du", och han sa det inte för att skryta, utan för att förklara varifrån han kom. Han var rik på ett vis som gjorde det till hans nationalitet. Han levde i ett eget land. Det hade inte med geografi att göra. För de riktigt rika svenskarna är mer lika de riktigt rika japanerna eller italienarna eller araberna än de påminner om någon annan svensk. Och pappa beundrade det eftersom Claes Fagerman hade skaffat sig den där nationaliteten på egen hand, inga ärvda pengar eller privilegier, eller åtminstone inte på något gods--Sörmland-skogar-i-Norrland-varv-i-Göteborg-och-medlem-i-kungens-jaktlag-vis.

Pappa avskydde "fideikommissidioterna" och deras "meningslösa hobbyinvesteringar". Han kunde komma hem från jobbet och berätta om deras projekt. "Vill du ha riskkapital för att utveckla en app som berättar vad en liter mjölk kostar så finns det tjogtals med tjugoåringar med nedgånget gods, uråldrig titel och nystartat investmentbolag som tror att vanligt folk behöver en app för att ta reda på det, eftersom pappas pojkar aldrig behövt lära sig att priset står på hyllan." Fideikommissidioterna var dessutom inte "rika på riktigt" och just den saken var det enda de åstadkommit på egen hand: att inte bli rika på riktigt.

"Det är bedrövligt", brukade mamma svara. (Pappas ord, hon använder dem när hon pratar med honom.) "Bedrövligt."

Och mamma kunde i sin tur berätta att en kollega eller kompis till henne hade slutat jobba. "Hennes man ska väl köpa inredningsbutik till henne", sa hon, för precis lika illa som pappa tyckte om folk med ärvda pengar, avskydde mamma kvinnorna i hennes egen ålder som gjorde det hon drömde om: gav upp.

Mamma är bolagsjurist på ett börsnoterat företag och tjänar ungefär hälften så mycket som pappa. Hon gick ner i tid när Lina föddes, för att "inte bryta ihop", men sluta jobba vill hon inte. Hon låtsas att det går bra och att hon fortfarande har för mycket att göra. Ingen går på det, allra minst pappa.

"De borde spela bort pengarna på Lotto istället", brukade pappa fortsätta. "Större chans till utdelning." (Han fortsätter jämt prata om sitt även om mamma pratar om något annat, deras bästa diskussioner ser alltid ut så.)

Men Claes Fagerman fick både mamma och pappa att bli stjärnögda pojkbandgroupies. I månader efter att Sebastian och jag blivit tillsammans pratade pappa om Claes Fagerman varje gång han fick mig på tu man hand. Han berättade om hur Claes Fagerman hade förvandlat den krisdrabbade koncern han hade ärvt till "en av Sveriges tre största förmögenheter". Det lyckades han med eftersom han "inte nöjde sig med att skövla skog och vaska efter guld i någon norrländsk bäck" utan började investera i högteknologiska branscher (typ kabel och mikrochips, jag orkade aldrig riktigt sätta mig in i det). Pappa såg så mycket upp till Claes att han inte ens lyckades vara avundsjuk.

"Det enda som inte är världsunikt med Claes Fagerman", sa pappa till mig en gång "är att han gifte sig med en före detta trea i Fröken

Sverige. Fagerman är en av de största Sverige någonsin haft. Han kommer att gå till historien."

Och den där första kvällen på båten, då tyckte jag också om Claes. Han fick mig att känna att han tyckte att jag var speciell. När han skämtade kände jag mig rolig, bara genom att jag skrattade på rätt ställe.

När han pratade om Sebastians bror Lukas, vad han gjorde på Harvard och hur duktig han var, tyckte jag att det var gulligt att han var stolt. När han sa att det "alltid varit uppenbart" att Lukas "skulle gå långt" kände jag mig invigd i något privat, familjehemligheter, saker Claes bara berättade för några få. Jag trodde att en pappa som skryter om sin äldsta son, naturligtvis är stolt över den yngsta också. Jag såg inte att hans pappakärlek var villkorad, att man måste prestera för att inte bli föraktad av Claes Fagerman.

Sebastian och jag ursäktade oss vid midnatt.

"Vi tänkte ta ett kvällsdopp."

"En promenad på stranden."

Mamma tog mig om kinderna med båda händerna som om hon trodde att jag var oskuld och det här var min bröllopsnatt och pappa tittade på mig med något som faktiskt liknade stolthet.

"Min lilla flicka", sa väl mamma.

"Uppför dig ordentligt", sa kanske pappa. Och så flinade han mot Sebastian och sa "gör inget jag skulle göra", eftersom min pappa alltid envisas med att säga sådana saker.

"Om jag bara kunde begripa vad du ser hos honom", sa Claes Fagerman. "Han brås på sin mamma, ska du veta" och vi skrattade, allesammans, jag också eftersom det var innan jag förstod att Claes aldrig skojade när han sa elaka saker till Sebastian.

Utöver den där kommentaren så pratade vi inte om Fröken Sverigetrean, Sebastians mamma. Inte den kvällen och knappt någon gång senare. Hon hade inte ersatts med en yngre version av sig själv, hon var bara borta. Eller åtminstone utflyttad, inte närvarande, inte viktig. Hade hon lämnat Claes eller hade han slängt ut henne? Jag tror inte att jag någonsin fick veta det. Och vid sidan om Claes Fagerman var hon så oviktig att jag inte tänkte på henne, inte ens på att hon inte var där.

Innan jag blev ihop med Sebastian hade jag haft fyra pojkvänner. Den första var Nils. Vi var tolv år, nästan tretton och blev tillsammans i mörkret på en fest som hans tvillingsyster bjudit mig på. Stereon spelade Christina Aguilera och han kysste mig snabbt och hårt och vi ramlade ner i en soffa och hånglade tills jag hade svullna läppar och genomblöta trosor. Han tog mig på brösten, det var det skönaste jag någonsin varit med om men vi låg aldrig med varandra, det var inte ens tal om det. Tre veckor senare tog det slut och det dröjde ytterligare två månader innan jag fattade det eftersom det blev sommarlov och i nio veckor tittade jag på hans fotografi och skrev vykort ("jag är på landet hos mormor och morfar, det regnar och jag har sett The Evil Dead"). Jag fick inga kort av honom. När skolan började igen hälsade han inte på mig och det var allt.

Min andra riktiga pojkvän fick jag drygt ett halvår senare och han var ett år äldre än jag (drygt fjorton och ett halvt!) och skrev på tidtabellen på busshållplatsen vid skolan att han tyckte att jag var söt. Det tog någonstans mellan sex och åtta minuter för det skvallret att nå mig och jag var inte dummare än att jag förstod att det var det största som hittills hade hänt mig. Nästan femtonåriga Anton hade tjocka läppar och blont lockigt hår. Vi var tillsammans i sju veckor, så länge att vi praktiskt taget betraktades som gifta. Men en fredagskväll på en skolfest i Fribergaskolan söp han sig full på en häxblandning han hade hällt i en gammal schampoflaska och deklarerade att "du är för ung, Maja" och att "vi måste gå skilda vägar" (jorå, hans ord). Jag skämdes på något bakvänt vis, men blev egentligen inte ledsen. Ingenting med det förhållandet engagerade mig, varken Anton, hans kyssar som blötte ner nederdelen av mitt ansikte eller den här vara-ihop-grejen.

Efter det hade jag en period då jag bara blev kär i betydligt äldre killar. De hade inte en aning om vem jag var, antingen för att vi aldrig hade träffats på riktigt eller för att de enda gånger vi träffades var när jag såg nacken på dem sex rader längre fram på bussen. Jag kommer inte ihåg vad en enda av dem hette. Och när jag var drygt femton träffade jag Markus.

Markus var sexton, rökte hasch, spelade bas, skrev poesi och hans mamma hade blivit fotad av Richard Avedon. Han gick på Östra Real och alla, precis alla, visste vem han var och när jag och Amanda klev in genom dörren till en lägenhet i två etage på en gata vid Karlaplan spelade Markus och hans band oigenkännliga coverlåtar på övervåningen. Festen var igång sedan några timmar tillbaka och vi fick varsin bit kladdig chokladkaka och en gräddig dryck som smakade vanilj av en kille med toppärr och lila nagellack. Jag dansade mig svettig i ett vardagsrum tomt på möbler utan att tänka en enda gång på hur fånigt det ser ut när folk kastar upp händerna i luften och skakar på huvudet. Sedan gick strömmen, brandkåren kom och förklarade att eltillförseln till hela Östermalm låg nere, "det finns en anledning till att det krävs tillstånd för att organisera konserter". Efter brandkåren klev två uniformerade poliser in genom dörren och så dags hade jag förstått att jag var hög för första gången i mitt liv. Amanda och jag låste in oss i ett av badrummen och försökte låta bli att skratta ihjäl oss. Om det var kakan eller vaniljdrycken eller både och som gjort oss höga hade vi ingen aning om. Vi satt där till polisen gått igen och Markus knackade på dörren. Han var naken och bar på en kandelaber med fem tända stearinljus. Han tappade upp ett bad och när han frågade klädde jag av mig och badade med honom medan Amanda somnade på en handduk på kakelgolvet.

Markus hade lång lugg som gjorde att han slapp se någon i ögonen och en eftermiddag senare samma vecka tog han min oskuld ovanpå sin pappas räfflade överkast. Det var inte dåligt, det gjorde inte ont och jag var otroligt lättad över att han inte märkte att jag aldrig gjort det förut. När jag ringde honom (jag ringde till hans hemtelefon eftersom han aldrig svarade på sin mobil och eftersom jag trodde på honom när hana sa att han "valde bort mobiltelefoner") låtsades han att han inte var där. Jag hörde på hans mammas röst hur irriterad hon blev, men jag fortsatte att ringa, både till mobilen och till den fasta, det räckte inte att jag förstod att han inte gillade mig, jag kunde ändå inte låta bli. Markus och jag låg med varandra fyra gånger till på olika fester (det brukade börja med att vi badade i badkar tillsammans, han gjorde det på alla fester) och jag försökte låtsas att när han sa att han älskade mina bröst så betydde det att han älskade mig. Sista gången vi låg med varandra var på en annan bäddad säng (vi låg aldrig under

131

några lakan), klockan var inte mer än strax före tio på kvällen och han vände sig om medan jag torkade mig på magen med min egen T-shirt och förklarade att han var ihop med Terese som kallades för Tessie. Vi kunde därför inte "fortsätta så här".

Två och en halv timme senare samma kväll träffade jag tjejen med hundnamnet när hon och Markus kom ut från badrummet. Cocker-spanieln Tessie var iförd badrock, Markus var naken igen. Och först då blev jag ledsen, men inte så att det märktes, jag åkte bara därifrån.

Nästa kille gjorde jag slut med. Han hette Oliver och sa att han äls-kade mig (inte bara mina bröst) redan efter fyra dagar. När jag svarade att jag tyckte om honom, att han var "fin" men att vi inte var "rätt för varandra" (jag hade blivit proffs, fullärd i kärlek, visste exakt vad man skulle säga), då började han ringa mig varje dag även när han inte var full och sms:a mig varje kväll för att "säga god natt".

Vi låg med varandra i ett par månader efter att det hade tagit slut men sedan kom Sebastian till min hotellreception och ingenting av det jag tidigare hade varit med om hade något gemensamt med Sebastian. Allt var nytt. Det var inte så enkelt som att jag fick en ny-start. Sebastian var min början.

Jag kan inte minnas att jag frågade mina föräldrar om det var okej att jag reste med Sebastian istället för att åka vidare genom Europa med dem, men det måste jag väl ha gjort för de hade med sig en nyköpt väska till middagen, antagligen den dyraste varianten mamma hade kunnat hitta, med all min packning i.

Den första morgonen vaknade jag före Sebastian. Jag har alltid svårt att sova på nya ställen och Sebastian sov djupt, jag ville inte väcka honom. När jag kom upp på däck satt Claes där och åt frukost, med en svensk papperstidning dubbelvikt i ena handen.

"Kom och sätt dig", uppmanade han mig. "Vad vill du äta till fru-kost?" undrade han, utan att höja blicken från tidningen.

När jag druckit ur mitt kaffe och pillat på min croissant (en logisk frukost på en båt i Medelhavet) la Claes ner tidningen och tittade vän-ligt på mig. Jag minns inte riktigt vad han frågade, om han ens ställde några frågor, men vi pratade och jag kände nervositeten släppa. Han stannade tills Sebastian kom och satte sig bredvid mig, med oborstat hår, kalsonger och en kritvit T-shirt. Då reste Claes sig upp, tog tidningen med sig och gick därifrån. De sa inte god morgon till varandra.

Det var sju:on dagar kvar tills skolan skulle börja och Sebastian och jag skulle bli klasskamrater. Vi stannade på Claes båt i femton dagar och lika många nätter. Redan morgonen därpå åkte vi ner mot italienska kusten, vi var på väg mot Capri och det var azurblått hav och svala vindar och identiskt varma kvällar varje kväll utan undantag, ibland stannade vi till, mitt på havet och sänkte ner en mindre motorbåt från däck, från den kunde vi dyka, eller snorkla, eller åka vattenskidor. En gång blev vi hämtade med helikopter (den landade på däck) och körda till en formel 1-tävling där vi fick stå precis bredvid målfållan och le mot varandra i motordånet. Jag lärde mig aldrig vad alla på båten hette, trots att jag försökte. Sandro (kapten) lät mig ställa tusen frågor om ställena vi åkte förbi och kocken Luigi lärde sig att jag ville ha citron pressé och grekisk yoghurt, melon och croissanter till frukost, kyckling- eller fetasallad till lunch, och att jag drack mitt kaffe svart. I båtens spa-avdelning, på samma våning som biosalongen och i direkt anslutning till gymmet, spelade de silverfärgad plinge-plongmusik och en kvinna (Zoe) fixade mina naglar på både fötterna och händerna, masserade mig med en olja som luktade tandkräm och vaniljstång. Hon tassade omkring barfota och jag såg henne aldrig någon annanstans än i just spa-avdelningen.

Jag älskade den där båten, jag älskade alla som jobbade där, de verkade alltid glada när vi sågs och det fascinerade mig att jag så snabbt vande mig vid allt, hur naturligt det kändes att bo där och bara låta dagarna gå. På kvällarna åt vi med Claes. Det verkade vara viktigt att vi var med även om han aldrig brukade äta mer än varmrätten med oss, han ställde frågor till mig, tre till fem stycken, sedan drog han sig tillbaka men den där knappa timmen då han satt med oss lät jag hans uppmärksamhet värma oss. Han lyssnade på oss när vi pratade, nickade, någon kväll var han på extra gott humör och då talade han med oss om saker han ansåg vara viktiga.

En kväll, det måste ha varit den femte eller sjätte, tog Sebastians pappa in oss till en restaurang. Han skulle äta middag med en affärsbekant och han ville att vi skulle följa med. Vi frågade inte varför, men jag antog att vi skulle hjälpa till att göra det mer avslappnat och informellt.

Restaurangen låg på en klippavsats uppe i en bergsby inte långt från Bonifacio. Vi skulle promenera sista biten, alla färger hade försvunnit i mörkret, det stod en skåpbil parkerad vid hamnen och en presenning fladdrade från en container, höjdes och sänktes i vinden. Det var fortfarande varmt, trots att solen gått ner och just här luktade det sopor. Affärsbekantingen, en italienare, pratade engelska genom näsan med en brytning så tjock att den kunde ha använts som pålägg. Han hade supit sig full redan på båten.

"Hjälp mig", sa han till Sebastian och räckte ut en hand med korta fingrar mot honom. Sebastian släppte min hand och tog gubben under armen. När vi kom in i den lilla byn fick jag svårt att gå på kullerstenarna med mina skor och hade ingenting emot att vi gick långsamt. Gubben svor och svettades, lutade sig ogenerat mot Sebastian och tog en kort paus var tjugonde meter för att hämta andan. När vi äntligen stod framför restaurangen placerade gubben en blöt kyss på Sebastians kind, märkligt nära hans mun. Sebastian ryckte till och hans pappa drog upp dörren till restaurangen. Claes Fagerman vände sig mot italienaren och visade med handen att han skulle gå först.

"Jag hade aldrig kommit upp hit om det inte vore för din skull, Sebastian", sa italienaren och släppte äntligen taget om Sebastians arm.

"Det är trevligt att höra att han kan vara till nytta", sa Claes. "En nyhet för oss alla."

Jag förstod inte varför han var arg, men det var han. Skitförbannad. Allt det jag lärt mig att förknippa med Claes Fagerman var utbytt. Sedan vi klivit av båten hade han inte initierat en enda diskussion, om jag sa något hörde han det inte, han tittade bort, vände sig bort, gick i förväg, svarade knappt på tilltal. Jag hade fått en knut på tarmarna och Sebastian tittade på ingenting, allra minst på mig. Italienaren verkade däremot helt obekymrad.

Vi fick ett fönsterbord. Restaurangen låg så tätt intill klippavsatsen att det verkade som om den svävade fritt över havet. Nere vid hamnen

syntes ljusen från båtarna och långt bort vid infarten till bukten där
båten låg för ankar andades en fyr. Sebastians pappa beställde åt oss
alla utan att fråga vad vi ville ha. Italienaren skrattade, högt så att gäs-
terna i andra änden av lokalen vände sig om, och vi lyssnade förfärat
medan han ändrade Claes beställning, det skulle vara en annan förrätt,
och absolut inte den varmrätten, det var något med korsikanerna och
bläckfisk, som alla visste, precis alla visste det, och Sebastians pappa sa
ingenting, han nickade nästan omärkligt åt servitören och när vinlistan
kom in lät han italienaren ta den och beställa det han ville. Men Claes
drack inte av vinet och han smakade inte ens på sin förrätt.

Medan vi väntade på huvudrätten var jag tvungen att gå på toalet-
ten. När jag kom tillbaka hade italienaren satt sig på min plats. Han
vinkade åt mig att sätta mig på hans gamla istället. Sebastian protes-
terade inte. Vid något tillfälle försökte Sebastian resa sig upp, kanske
för att gå bort till mig.

"Sätt dig ner för i helvete", sa Claes till Sebastian på svenska. "Tror
du att du skulle kunna lyckas med det konststycket? Att sitta ner och
hålla käften?"

Sebastian satte sig. Han tittade inte på mig. Men han log, meka-
niskt brett, utan att säga något.

När italienaren inte försökte få Sebastian att sjunga "svenska visor"
pratade han affärer. Han hade ett företag att sälja, så mycket förstod
jag. Och medan han blev allt mer upplivad blev vi andra allt tystare.
Jag undrade om italienaren kanske skulle supa sig från det uppslupp-
na och gå in i det oregerliga när Sebastians pappa ringde ett samtal,
pratade en kort stund och lämnade över telefonen till honom. När han
lagt på lyfte Claes sitt glas och lät italienaren nudda det med sitt. Lätt-
naden jag kände var så påtaglig att den nära på gjorde mig illamående.

Vi åt oss igenom fyra rätter, ost, två desserter och kaffe med en
silverbricka chokladpraliner, minimaränger och marmeladgodis innan
det var dags att ta sig hem igen. På något vis hade Sebastians pappa
lyckats få upp en rullstol till restaurangen och där somnade italiena-
ren medan en av männen från Fagermans båt rullade honom tillbaka
till hamnen. Precis innan de fått upp rullstolen på däck vaknade han,
hävde sig upp och deklarerade att han tänkte gå en promenad ("I am

making a walk!"). Sebastian och jag gick och la oss. Vid fyratiden vaknade jag av röster från fördäck. När jag satte mig upp i sängen drog Sebastian ner mig igen.

"Ligg kvar", sa han bara. "Vi har inte med det där att göra."

Vi var ensamma till frukost.

"Din far har åkt", meddelade en av de vitklädda personerna som jag ännu inte visste vad han hette. Sebastian nickade bara. Han såg inte överraskad ut. "Han sa att ni kan ta hans rum. Vi är strax klara med städningen."

När italienaren kom upp på däck låg vi och solade. Hans ansikte var blåslaget och hans högerarm i mitella. Den verkade vara gipsad. Han stod tre meter bort, närmade sig inte.

"Herregud", fick jag ur mig. Jag ställde mig upp. "Vad har hänt?"

Italienaren skakade bara på huvudet.

"Gå inte på stranden sent på natten", sa han och log ett snett leende. "Är din far här?" undrade han sedan, han hade vänt sig mot Sebastian.

Sebastian drog ner mig på solstolen igen.

"Nej", sa han och fortsatte blunda.

"Skulle du kunna …" fortsatte italienaren.

"Nej", sa Sebastian.

Italienaren åkte och vi flyttade in i Sebastians pappas svit. Nu hade vi två badrum istället för bara ett. Och utsikt även framåt, ut över havet, samma utsikt som kaptenen, antog jag. Taket gick att öppna över badkaret i det ena badrummet och vi åt middag där, ensamma.

"Slog din pappa den där italienaren?" undrade jag senare samma kväll när vi låg i utomhuspoolen på däck. "För att han flirtade med dig?"

Sebastian blev inte arg.

"Nej", sa han bara. "Det är klart att han inte gjorde."

Jag skrattade lättat, försökte låtsas att det varit ett skämt. Men Sebastian skrattade inte. Han la upp bägge armarna och lutade sig mot poolkanten, blundade upp mot den svarta himlen.

"Jag frågade pappa en gång. När mamma försvann. Vad han hade gjort med henne, varför hon … hur han hade … för att hon skulle flytta …"

Han blev tyst.

"Vad svarade han?"

"Pappa sa … Vår familj behöver inte ta ut soporna. Vi har folk som gör det åt oss."

Jag ville fråga vad han menade. Vad betydde det? Hade Sebastians mamma blivit utslängd och italienaren slagen av någon som jobbade för Claes? Men jag kom av mig. Sebastian grät. Han hulkade inte, han snorade inte, men han grät. Och jag visste inte vad jag skulle säga. Jag la händerna om hans ansikte och kysste honom. Hårdare och hårdare, jag kysste honom länge, längre än jag någonsin gjort tidigare och han kysste mig tillbaka tills jag inte ville någonting annat än att han skulle tränga in i mig. Och när han gjorde det kom jag nästan genast, jag kom alltid snabbare än han, fler gånger än han, intensivare än han.

Nio dagar senare flög vi hem från Neapel. Det var bara vi på planet, jag hade hört Sebastian prata med sin pappa på telefon kvällen innan. Claes tyckte det var onödigt att vi tog koncernens plan, att vi kunde åka reguljärt, men det stod ändå där och väntade på oss när vi kom till flygplatsen. Bilen körde oss hela vägen fram till rampen. Vi behövde inte gå genom någon kontroll.

Båten fortsatte vidare utan oss. Den seglade året runt med full besättning. En vecka senare räknade de med att lämna Medelhavet. Jag tror inte att det slog mig, overkligheten i det hela, den där världen av vykortsblått och solglitter och plingeplongmanikyr, förrän vi svängde av vid Inverness och allt såg likadant ut som när jag lämnat det mindre än en månad tidigare. Exakt likadant, trots att allt var förändrat.

Vi landade på Bromma flygplats. Där stod en annan bil och väntade ute på flygfältet. En i besättningen lyfte in våra väskor i bilen. Sebastian verkade trött och jag tror inte att jag hade räknat med att det skulle fortsätta vara vi när skolan började. Av någon anledning hade jag svårt att tro att han ville ha mig i sin vardag, i den mån han hade en vardag. Det kändes bara naturligt att det här var en sommargrej. En parentes för honom, mitt livs bästa veckor. Bilen släppte av mig hemma och jag visste inte hur jag skulle säga hej då, hur jag skulle tacka för allt, men Sebastian följde med mig in och skakade hand med pappa (pappa fick det där uttrycket som vuxna får när de ska låtsas som om de inte bryr sig men håller på att skita på sig av upphetsning). Sedan kysste han mig på kinden och sa, vi ses i morgon och sedan var han borta.

Morgonen därpå var första skoldagen. Sebastian skickade ett mess klockan halvåtta (inte ett enda på hela kvällen och natten) och bad mig möta honom vid vägkorsningen nedanför mitt hus. Han hämtade upp mig där och jag trodde att han gjorde det för att kunna göra slut med mig innan skolan började. När vi hunnit halvvägs började jag gråta, kanske för att jag ville få det gjort, när han gjorde slut skulle jag bli tvungen att börja gråta, det var lika bra att göra det redan nu. När han såg att jag grät körde han bilen åt sidan, stannade motorn, drog tillbaka mitt säte och satte sig grensle över mig. Han stack händerna under min tröja och smekte mig på ryggen och kysste mig, och kysste mig djupare, tog i mig, drog mig närmare, jag kände hur hård han var och jag blev förvånad över hur otroligt lättad jag blev, hur rädd jag varit för att han inte skulle vilja vara med mig längre.

Vi gick hand i hand från parkeringen till skolan och det kändes precis som en film om high school där den populäraste killen plötsligt dyker upp med den fula bruden med glasögon och konstig frisyr, efter att hon har genomgått en make-over och blivit skitsnygg. Inte för att jag hade varit en tönt innan, och inte för att Sebastian var någon ständigt leende fotbollskille med snedbena, men hela vår entré kändes pastellfärgad på något vis.

Amanda visste redan att vi var ihop förstås. Hon mötte oss vid röken, kramade om mig och krokade sedan händerna om Sebastians hals. Hon hängde där som en julgransprydnad en stund innan Sebastian krängde sig ur hennes ögla och vi gick in i skolan.

Sebastian hade något han behövde göra före första lektionen och vi skildes åt vid skåpen. När han sa hej då kysste han mig på kinden igen, och det kändes ännu mer som den där filmen. Amanda himlade med ögonen, precis som hennes rollfigur skulle göra (hon hade inga cheerleaderkläder, annars var allt perfekt). Hon var så nöjd att hon höll på att gå sönder för att hon plötsligt fått en så central plats i Sebastians liv. Att Sebastian skulle bli en del av vårt liv nu. De han umgåtts med året innan hade försvunnit iväg, till universitetet, på praktik på pappas företag eller för att plugga språk i USA. Nu var det vår tur. Och Amanda var överlycklig. Men det sa hon naturligtvis inte, utan klämde ur sig något om att Sebastian och jag borde "skaffa ett rum", och jag lutade huvudet bakåt och skrattade, precis lagom högt, helt enligt manus.

Det finns flera foton av mig och Sebastian från Medelhavsresan. Jag ser lycklig ut, oproblematiskt glad, en person som skrik-skrattar om hennes kille skvätter vatten på henne innan hon har doppat sig. Jag ler och mina ögon är självlysande. Jag ser lycklig ut även om jag så här efteråt har svårt att minnas att jag kände mig lycklig. Kanske är turen lik oturen på det viset att det tar ett tag innan insikten sjunker in. Först känner man ingenting. Känslan kommer senare, kanske inte förrän skälet till den har försvunnit.

Det är först nu, efteråt, som jag inser att Sebastian aldrig såg lycklig ut. Inte ens på de allra första fotografierna.

18.

Men för oss andra var de första veckorna i skolan underbara. Och den första dagen var bäst av alla. Att Fagermans yngste son skulle börja i vår klass var inte bara det häftigaste som hänt Amanda, alla i klassen hade undrat och pratat och hoppats redan terminen innan, när det började ryktas om att han skulle gå om sista året. Nu var det verklighet och mitt i händelsernas centrum stod jag.

När första lektionen skulle börja var Sebastian fortfarande någon annanstans. Amanda och jag gick dit själva, satte oss på våra vanliga platser. Christer frågade inte vad vi hade gjort på sommarlovet, självklart inte, det stod väl i läroplanen eller skolans reglemente att man inte fick ställa sådana frågor, absolut inte låta ungarna skriva uppsats om "mitt sommarlov", eftersom det skulle kunna få dem som inte hade haft råd att åka bort på semestern att *känna sig utanför*. Enligt hem-och-skola-föräldrar är känna-sig-utanför ("annorlunda") det värsta som kan hända en människa, det och läskautomater i skolans cafeteria. Och hem och skola älskar meningslösheter, bara det får dem att framstå som omtänksamma. Som om det skulle hjälpa att lärarna inte ställde just den frågan. Vi hade full koll på exakt var de andra hade varit, eller åtminstone vad de inte hade gjort.

Christer gjorde vad han kunde för att hitta ett annat samtalsämne. Han kommenterade inte Amandas åttiotalssolbränna, eller Alices charterflätor ("Guuud, mamma tvingade mig, alltså, jag ska ta ut dem ikväll, alltså guuud …") eller Jakobs brutna arm (han hade brutit den när han åkte vattenskidor, det visste alla, antagligen även Christer). Och han kommenterade verkligen inte att Sofia såg ut att ha gått ner tjugo kilo sedan skolavslutningen två månader tidigare (även om just

143

den chockade b..cken tog ett par sekunder för honom att få kontroll över). Istället pr..ade han om precis vad som helst utom det.

Christer und..de om vi hade "läst någon bra bok". Samir var den enda av killar..a som svarade. Han satt med extra rak rygg och rabblade upp tre ti..ar, Christer försökte se ut som om han visste precis vilka de var m..n han ställde inga följdfrågor så jag antar att han inte hade en aning.

"Har du ba..a läst tre böcker i sommar?" undrade jag.

Och Sami..og, med bara ena mungipan. Det brukade han göra när jag sa sådana..där saker till honom, och så stack han in handen i sitt tjocka hår. I..land när han funderade på något brukade han sno en lock runt pe..fingret. Runt runt runt, tills det såg ut som om han skulle få blodstoc..ing. Jag log tillbaka. Ända sedan första ring hade Samir och jag håll..r på så här. Vi grälade, diskuterade, argumenterade. Vi låtsades aldri..om ifall vi tyckte att den andra hade rätt eller sa något roligt. Och..det kändes skönt att det inte skulle ändras bara för att vi haft somm..rlov.

"Verkli..en inte", sa han. "Jag tänkte bara nämna de tre bästa. Så att det blir o..entligt med tid över för din …" han tvekade, jag fyllde i åt honom.

"Jag h.. inte läst några hästböcker, inga serier om mens."

"Men..du älskade den där om tonåringarna som är döende i cancer och blir..ära i varandra?"

Ama..da ryckte till som om hon hade fått en stöt.

"Ja!"..sa hon lyckligt. "Den är sjukt sorglig, jag har aldrig gråtit mer i hela r..tt liv."

Sam..r tittade på mig. Vi tänkte samma sak. Amanda hade inte läst någon..bok, hon hade bara sett filmen. Men vi sa ingenting. Och så klev S..bastian in i klassrummet. Reagerade vi på att han kom försent första..skoldagen? Kanske. Bara några veckor senare skulle vi reagera om h..n dök upp i tid.

"U..säkta", hasplade han ur sig.

C..rister nickade svagt.

S..bastian satte sig bredvid mig, Amanda flyttade till en annan bänk uta..att han ens behövde fråga. Och medan hon gick de två stegen till närmaste lediga plats himlade hon med ögonen och låtsasspelade på en fiol.

Lika tydligt som om det varit en färgad gas som smög sig längs med bänkarna kunde jag känna hur en efter en i klassrummet förstod. Från den första raden, där jag satt på ena sidan och Samir på den andra, till den sista raden där Mela satt med sin piercade näsa och sitt svarta nagellack. Alla begrep att vi var ihop och den där stämningen som omgav Sebastian, blandningen mellan beundran och nyfikenhet (och spelad jag-bryr-mig-väl-inte-om-honom) spred sig, men det var första gången det handlade om mig, eller åtminstone delvis om mig.

En gång läste jag om en skådis som hade flyttat varje år under hela sin uppväxt. Hon sa att varje gång hon började i en ny klass fanns det exakt samma uppsättning typer: den populära (ganska otrevliga), den populäras bästis (ännu otrevligare), plugghästen, den sämsta på gympan och den utan kompisar. Det fanns liksom ett givet antal roller att spela i varje klass och det enda som återstod för henne när hon flyttade till en ny skola var att ta reda på vilken av rollerna som var ledig, vilken hon skulle spela under det följande året.

Jag hade alltid spelat samma roll: duktig i skolan, inte mest poppis men nästan, inte mobbad, ingen mobbare, i de ballastes gäng, men inte ihop med den ballaste. Det hade aldrig föresvävat mig att jag skulle kunna få en ny roll, men det hade jag fått. Och den fick till och med Sofias totala Biggest-loser-make-over att blekna i jämförelse.

Sebastian tog min hand under bänken och jag kände hur jag blev varm i ansiktet.

Christer hade ställt en ny fråga, men jag hade missat vad den handlade om. Han tittade på mig, väntade på ett svar. Jag vände mig mot Samir. Kanske kunde han hjälpa mig, med en ironisk kommentar som fick mig att fatta precis vad det handlade om och vad jag borde säga. Men han tittade inte på mig. Hans vänsterarm låg i en krok över bänken på det där sättet han gjorde när han skulle skriva och han stirrade ner på sitt anteckningsblock. Ingen annan än Samir antecknade första dagen i skolan. Han hade knutit handen kring pennan, en tjock svart, med riktiga bläckpatroner. Knogen var vit. Men han skrev inget. Jag var tvungen att vända mig till Christer.

"Förlåt", sa jag. "Jag hörde inte …"

Christer skrattade. Han var väl lättad över att ha koll på sommarens viktigaste händelse antagligen, lättad över att han inte behövde fråga för att få veta.

"Sebastian …", sa han istället. "Har du läst något bra i sommar?"

Det var inte bara Samir som skrattade, men jag hörde bara honom. Han lät inte som om han tyckte att det var speciellt roligt.

19.

Nej, Samir tyckte inte att det var kul att Sebastian börjat i vår klass. Sebastian och Samir gick inte ihop, det blev uppenbart redan när Christer bad att vi skulle presentera oss för Sebastian eftersom han var ny i klassen. Sebastian såg ut som om han inte redan visste vad Samir hette. Kanske var det en hämnd för Samirs högljudda skratt, men det var också möjligt att han faktiskt inte hade en aning. Men när Samir låtsades att han inte visste vem Sebastian var blev det bara fånigt. Exakt alla i skolan visste vem Sebastian var.

Samir var den enda som surade, vi andra var desto lyckligare. Till och med lärarna verkade glada över att ha Sebastian där. Om någon frågat Christer, de där allra första skoldagarna, skulle han säkert ha sagt något i stil med att Sebastian *förtjänade en ny chans*. Under de första två veckorna fick Sebastian komma försent, dyka upp när han kände för det, gå mitt i lektionen, utan att lärarna kommenterade det. När han inte hade sina grejer med sig (alltid) sa de bara *du kan titta med Maja* eller så fick han låna lärarens dator.

Christer skulle aldrig ha erkänt att han redan visste att Sebastian aldrig skulle ta studenten. *Alla förtjänar en ny chans*. Samir däremot, han gav inte ens Sebastian en första chans.

Det tog exakt nio dagar innan Sebastian organiserade terminens första party. Claes var bortrest, och Sebastians bror Lukas hade åkt tillbaka till Boston. Amanda och jag var där först av alla. Jag tror att jag hade sagt att vi kunde hjälpa till, men redan på uppfarten stod det klart att det inte var den typen av fest. Sebastian behövde aldrig "hjälp" med sina fester.

"Ta det inte personligt! Alltså. Folk får äta precis vad de vill. Men jag kan faktiskt inte förmå mig."

Amanda hade inte börjat på sin halloumiburgare, hon höll den bara mellan pekfinget och tummen och granskade den från ena sidan till den andra, noggrant, för att försöka hitta sidan med minst kalorier. Mitt kött tittade hon på som om det var en nedtrampad, antibiotika-stinn sugga i en för trång, cementerad spilta. Jag torkade bort lite dressing från mungipan, nickade och svalde.

Solen höll på att gå ner, de flesta hade redan ätit, det låg inte mer än tre hamburgare på hällen, den inhyrda grillmästaren tryckte halvhjärtat på köttklumparna och flott droppade ner på stenkolsbädden. Små, ilskna eldsflammor spottade upp och dog undan. En servitör iförd amerikanska-flaggan-kalsonger gick barfota nerför den mjuka gräsmattan med en bricka med tidningspappersmönstrade strutar fyllda med pommes frites. Sebastian hade försvunnit in i huset tillsammans med ett halvdussin av de killar som alltid följde efter honom om de fick.

Amanda och jag satte oss på den stenlagda altanen och tittade ner mot sjön.

"Var är Sebbe?" undrade hon. Bara hon kallade Sebastian det.

Jag ryckte på axlarna.

"Har Labbe kommit?"

Jag ryckte på axlarna igen. Samtidigt som Sebastian började i vår klass hade Labbe slutat. Han hade sluppit gå om, men blev tvungen att byta skola. Labbe var den enda av oss som kände Sebastian sedan tidigare, antagligen var det därför Amanda hade fått för sig att han skulle bli hennes nya pojkvän. Men Sebastian hade inte några bästa kompisar, han hade en bisvärm. Och, sedan någon vecka tillbaka, gathunden Dennis i hasorna.

Amanda suckade och la sin halvätna burgare ifrån sig. Jag var redan klar med min och arbetade mig igenom mina frites. Jag räckte fram struten mot Amanda. Hon skakade på huvudet utan att ens titta på den.

Det mörka vattnet nedanför oss glimmade i blyertsgrått. Lyktorna vid badhuset lyste upp bryggan. Ett par mörka silhuetter syntes på fördäck till en av de två båtar som Claes Fagerman hade förtöjd där. Det låg ett par och hånglade i sittkorgen som hängde från en av trädgårdens fyra träd. Ett halvdussin tjejer satt vid den ena uteplatsen, ett stenbord med mosaikyta och udda stolar i gjutjärn. De rökte, drack vitt vin och turades om att visa varandra sina mobilskärmar. Sebastian kom upp vid min sida, tog min hand, drog upp mig från marken och la armen om mig.

"Fy fan, vilken tråkig fest", klagade han.

Sedan sprang han, slängde av sig kläderna på vägen, ut på bryggan och ner i vattnet. Jag sprang efter, klädde snabbt av mig, allt utom trosorna och hoppade efter honom. Vi simmade snabbt, vattnet var inte så varmt längre, men när han gled upp bredvid mig hade han stånd, jag särade på benen och la dem runt hans höfter och med alla gäster kvar på land trängde han in i mig. Jag behövde inte ens ta av mig, lät honom bara dra mina trosor åt sidan under vattnet. Jag vet inte om det gick för honom men när han slutade gick vi upp. Sebastian var så kall att hans läppar hade blivit blålila. Han hackade tänder, Amanda hade hämtat badrockar åt oss, räckte dem mot oss när vi klev uppför stegen. Sebastian tog mig i handen och vi sprang upp till bastun.

"Den här festen är död."

Jag drog badrocken tätare om mig, trots att det var för varmt för att ha den på och satte mig på platsen närmast dörren. Samir och Dennis satt högst upp. Dennis ryckte till när Sebastian pratade, som om det var hans fel att festen inte levde upp till Sebastians förväntningar.

När Sebastian såg Samir skrattade han till, han blev förvånad. Det var han inte ensam om att bli. Jag hade aldrig trott att han skulle dyka upp här. Och att se honom tillsammans med Dennis var också konstigt. De kände väl inte varandra?

Sebastian blev stående en stund, han släppte ner sin badrock på golvet, stod naken kvar och hällde vatten på bastuaggregatet, lät ångan stiga upp mot taket innan han satte sig, men bara några minuter senare gick han ut, fortfarande naken.

"Skittrist. Den här festen suger." Dennis följde efter. Han gick numera alltid ett halvt steg efter Sebastian med blicken på hans ryggtavla, jag förstod mig inte på honom. Dennis snurrade ovanför, framför, tätt intill Sebastian, i obegripliga cirklar, utan förklaring. Han var mer lik en fladdermus än en gathund.

Jag och Samir blev ensamma kvar.

"Kom du hit med Labbe?" frågade jag. Labbe och Samir hade blivit kompisar när Samir började i vår klass i första ring. De umgicks fortfarande, trots att Labbe bytt skola.

Samir nickade, tittade på mig en stund innan han bytte plats och satte sig precis ovanför mig. Han var sig inte lik, lite svullen i ansiktet kanske och definitivt irriterad, skitirriterad. Jag hade aldrig gillat att basta, men nu kunde jag inte gärna gå härifrån, Samir skulle tro att han gjorde mig generad.

"Jag trodde inte att du och Sebastian ...", började jag, men han avbröt mig.

"Labbe undrade om jag ville komma."

Sedan var han tyst. Men han behövde inte säga något mer, jag förstod precis. Folk som blev tillfrågade om de ville komma hem till Sebastian brukade omedelbart glömma all skit de tidigare sagt om honom och tacka ja. De som fick chansen, tog den. För att kunna säga att de varit där om någon frågade vad de gjort i helgen. För att berätta, helt apropå, när de pratade om något annat, att *när jag var på fest hos Sebastian Fagerman, ja, precis! Claes Fagermans son alltså.*

Jag undrade varför jag trott att Samir inte var sådan. *Men varför var han så irriterad?*

För alla utom Labbe var det här första gången vi i vår årskurs fick komma på en av Sebastians fester. Bara ett par av dem han umgåtts med förut hade kommit ikväll, de flesta hade redan lämnat gymnasiet bakom sig.

Samir lutade sig ner mot mig. Han satt för nära redan innan och nu tryckte hans ben mot min arm. Jag kände att han luktade svett. En märklig lukt. Den hörde inte ihop med Samir Plugghäst med strukna jeans och dubbelknutar på gympaskorna, längst-fram-i-klassen-Samir.

"Jag tänkte att jag skulle komma hit och se vad det är folk snackar om. Och din pojkvän knarkskallen har i alla fall ett rätt. För det här är för jävla trist." Samir skakade på huvudet och lutade sig ännu närmare. "Om man inte gillar att snorta med husnegern, förstås."

150

Först blev jag nog bara chockad. Jag hade aldrig hört Samir prata så här förut, inte med mig, inte med någon annan. Jag reste mig för att gå därifrån. Jag ville ha kul, jag tänkte inte låta honom sitta där och döma mig. Men Samir var framme vid dörren på en sekund och ställde sig i vägen.

"Drar han linorna direkt från din nakna mage?" Bastun kändes trång. "Får Dennis vara med och leka? En bonus för att han låter Sebastian prova på det allra senaste?"

"Är du klar snart?"

Försökte han vara rolig? Det verkade inte så. Nu sänkte han rösten. "Du vet att vi från verkligheten, vi undviker Dennis eftersom han är galen. Han skulle sälja crack på BB om han bara blev insläppt."

Mitt hjärta slog för fort. Jag visste inte om Samir märkte att jag var hög, om det var därför han var arg, men jag ville härifrån.

"Fattar du inte? Sebastian är en nobody, Maja. Ingen alls. Ta bort det här ..." han viftade med ena handen runt i bastun, med lillfingret spretande, som om träväggarna med kondens var spegelsalen i Versaille "och han är lika intressant som en tomburk."

Äntligen tog Samir ett steg bort från mig. Snabbt, det fick handduken han hade runt midjan att lossna och han drog åt den igen, hårt.

Och det var då jag såg det. Samir var full. Jag hade aldrig sett honom full förut. Men någon gång skulle väl vara den första, även för klassens duktigaste elev. Jag blev så lättad att jag nästan började skratta. *Han vet inte vad han säger.* Jag fick upp dörren, fulla killar var inget att bry sig om. Det var ingen idé att diskutera. Men så ångrade jag mig och vände mig mot honom.

"Jag fattar", sa jag. "Du gillar inte Dennis, ingen gör det. Men vem har köpt ut till dig? Om du har förfestat med Labbe skulle jag satsa en slant på att du kan tacka Dennis för fyllan. Du gillar inte Sebastian. Fine. Du känner inte honom, men fine. Att komma hit och festa och sitta i hans bastu och torka sig på hans handduk, det går bra. Då duger han."

Sedan gick jag. Det gick inte att andas därinne, så varmt var det. Jag torkade av näsan mot morgonrocksärmen när jag kom ut.

Musiken dånade från poolhuset. Tre tjejer från min parallellklass kom springande från stranden, förbi mig på väg till bastun som jag just lämnat. Festen verkade ha fördubblats i storlek på den korta tid jag varit borta. Sebastian bjöd alltid in folk han inte kände, oftast tjejer. Han träffade dem på stan, i någon kö kanske, förbarmade sig över dem och deras skavsårsplåster och lät dem vara med och festa någon gång innan han tröttnade på deras tubklänningar och H&M-glasögon och bjöd hem några nya brudar. Men han verkade aldrig vara orolig för att det skulle spåra ur. Antagligen för att det var omöjligt att våldgästa Fagermans fester. Inte för att bevakningen störde, eller att de någonsin la sig i vad vi gjorde, men de fanns där, precis på lagom avstånd.

Amanda ropade från dansgolvet. Hon hade bikini på sig och hade släppt ut håret. Det såg inte ut som om hon badat. Tre meter bort stod Labbe med öppen skjorta och stirrade på henne.

"Kom", mumlade hon och andades mot min hals.

Det här hade vi gjort förut. Amanda älskade publik och jag ingick i hennes favoritnummer.

Musiken dånade. Jag hade fortfarande morgonrock på mig men Amanda krånglade den av mig och la sin handflata mot min rygg, böjde huvudet bakåt och vi dansade så nära varandra att våra midjor nuddade varandra. Vi var barfota. Hon hade fortfarande sin överdel på sig. Mina trosor var fortfarande lite fuktiga efter badet, men jag blundade, försökte få ner pulsen. Musiken, jag skulle koncentrera mig på musiken. Vad Samir tyckte var inte viktigt. Han var bara full, han visste inte vad han sa.

Sebastian stod vid stereon. När han tittat en stund kom han upp bredvid oss, la en arm om Amanda, den andra om min midja. Jag älskade Sebastians händer. När han tog i mig, nästan för hårt, kände jag mig fruktansvärt snygg. Jag drog upp hans hand, längre upp på ryggen och han släppte taget om Amanda, knuffade bort henne mot Labbe som skrattade och fångade upp henne. Sebastian ville bara ta på mig, inte henne.

Han svettades, hans panna glänste och ögonen var fästa på något långt borta. Jag tittade på Amanda. Labbe stod framför henne och lyfte händerna upp och ner i en sorts måla-en-vägg-gest. Han dansade

150

aldrig på riktigt. Bara ironiskt. Något han gjorde för att vara snäll mot oss som tyckte om det. För att visa att han inte dömde oss, trots att han inte riktigt förstod vad det skulle vara bra för.

Jag tog upp morgonrocken från golvet och Sebastian la den över mina axlar, jag kunde inte hitta skärpet och gick ut ur poolhuset, genom vardagsrummet och köket, förbi Dennis, Sebastian hade sagt åt honom att vara i köket med sina grejer. Dennis tittade frågande på mig när jag gick förbi, men jag skakade på huvudet och fortsatte upp på andra våningen till Sebastians rum. Säkerhetspersonalen fick aldrig vara inomhus om de inte blev ditkallade. Inte heller fanns det några övervakningskameror härinne, det hade Sebastians pappa bestämt. Anledningen var uppenbar. Claes ville inte ha det som hände i hans hus på film. Sådant kunde kopieras, distribueras, bli utpressningsmaterial. När jag kom in i Sebastians rum satte jag på mig ett linne och ett par av Sebastians boxershorts. Sedan gick jag till badrummet. Kvällen hade nyss börjat och jag ville torka håret. Min puls var fortfarande för snabb, men jag var ingen knarkskalle (vad var det för femtiotalsord?), jag hade bara dragit igång lite för snabbt, jag var inte van, jag skulle dricka något, bara dricka resten av kvällen, inget annat, men först måste pulsen lugna sig. Hårtorken surrade och jag blundade mot den varma luften. Jag hade ingen brådska ner igen. Jag höll ögonen stängda och andades, in genom näsan, ut genom munnen. När håret var torrt hörde jag dem. Killar, flera stycken, kanske en tjej. Musiken stängdes av.

När jag kom ner i köket höll två säkerhetsvakter i Samirs överarmar. Dennis stod vid väggen och blödde från näsan. Bakom honom hade en oljemålning av en vinflaska halkat på sniskan. Dennis såg mer förvånad än arg ut.

"Släpp mig." Samir stod onaturligt stilla, som man gör när man spelar nykter. Han pratade inte speciellt högt, ändå hördes han.

En av vakterna tittade på Sebastian. Han nickade.

"Det är dags för dig att åka hem", sa säkerhetsvakten till Samir.

"Jag skulle inte stanna om ni så betalade mig."

Sebastian vände sig om mot mig. Han stannade i dörröppningen. Med ryggen mot Samir sa han:

153

"Se till att den där andra inte blöder ner hela köket, tack. Han ska också hem nu."

Och bakom Sebastians rygg tittade Samir mig rakt i ögonen. Han rörde läpparna, han försökte säga något mer. Till bara mig. Han mimade något. Det såg ut som "kom". Han ville att jag skulle följa med honom. Eller mumlade han på ett annat språk? Arabiska? Eller persiska? Jag kunde inte ens komma ihåg vilket språk det var Samir talade. Jag brydde mig inte.

Visst, jag hade fattat att Samir gillade mig, jag gillade honom också. Men nu, här hemma hos Sebastian hade han plötsligt förvandlats till en onykter variant på moralens väktare. Han såg det som sin Uppgift att Leda Mig Bort Från Den Breda Vägen. En riddare med höjd lans.

Pinsam. Jag tyckte att han var pinsam. Jag ville att han skulle gå, jag ville att han skulle ta sin överlägsna jag-tar-minsann-livet-på-allvar-min och packa sig därifrån. Jag hade inte bett om hans beskydd, jag behövde det inte, jag var ingen hjälplös prinsessa ihop med fel prins.

En kille från mattelinjen ryckte Sebastian i armen.

"Men", sa han, "hur ska jag ..."

"Oroa dig inte", sa Sebastian. "Vi har så det räcker."

Sebastian tog mig i handen. Vi gick in mot poolhuset. Musiken satte igång igen. Inget allvarligt hade hänt. Dennis var utkastad. Samir hade åkt hem. Sebastian strök undan mitt hår från halsen. Jag drog in doften av honom, kall och frisk, jag älskade hur Sebastian luktade. Jag älskade hur han fick mig att må. Jag hade roligt med honom. Vi hade alltid roligt. Man ska inte behöva skämmas för att man kan ha kul. Sebastian viskade.

"Ser du? Inget kalas utan kras. Och nu börjar det här partyt äntligen få upp farten."

20.

Helgen efter Sebastians fest gick ganska snabbt. Vi åkte in till stan på lördagen, Sebastian och jag, Labbe och Amanda. På söndagen var jag med mamma och pappa och Lina på restaurang med morfar. Mamma var sur för att jag var "trött" och pappa var sur för att vi var på restaurang med morfar. Jag tänkte inte mer på Samir, i alla fall inte mycket. På måndagsmorgonen släppte Sebastian av mig utanför skolan. Han hade "saker att göra". Jag visste inte vad det betydde, men jag brydde mig inte. Det här var innan sådana saker gjorde mig orolig. Efter lunch hade jag två håltimmar. Amanda var sjuk och Sebastian svarade inte i telefonen.

I skolans bibliotek var det sällan fullt, inte sedan de hade internet-spärrat datorerna. Men jag var inte ensam, allra längst bort satt Evy, hon gick i min parallellklass och hade smal näsa, blommiga kjolar och strumpor i alla skor inklusive ballerinas. Evy hade vunnit skolans skrivartävling (organiserad av Rotary) förra året, trots att hon då bara gick i tvåan. Novellen handlade om hennes utvecklingsstörda brorsa och alla trodde att den var sann, antagligen var det därför hon vann. När det kom ut att hon inte ens hade en bror, bara en helt normal syrra, blev folk besvikna, ganska många blev till och med arga, de tyckte att hon hade "fuskat". Ingen påpekade det uppenbara: att det bara gjorde novellen ännu bättre.

I soffgruppen några meter bort från min plats satt två tjejer som just börjat på gymnasiet. De bläddrade i varsitt blankt magasin och delade på en påse smågodis. De pratade precis tillräckligt högt för att jag skulle kunna höra att de avslutade minst ett ord i varje mening med -isch eller -iss. Det var grejen just nu, alla ettorna pratade så där.

155

Amanda och jag hade också hållit på med våra egna ord och uttryck när vi var yngre. Men det här slog allt i dumhet. Det fick Pippi Långstrumps rövarspråk att verka mer raffinerat än latin.

"Men bubbisch … Lyssna rå! Jag blir gaaalen på honom, vill han va ihop eller vill han inte, jag blir så irriss!"

Den andra nickade utan att ta paus i tidningsbläddrandet.

"Helt psykisch."

På engelskan för några dagar sedan hade vi pratat om Bechdeltestet, med hjälp av det skulle man kunna kolla om filmer var feministiska eller inte. Man ställde tre kontrollfrågor: Fanns det minst två namngivna kvinnor i filmen? Fick de prata med varandra (utan att det var någon kille med) och pratade de om något annat än killar?

Läraren drog upp en massa filmer som nästan alla hade sett och vi fick gissa om de uppfyllde kraven, det gjorde de inte (vilket vi snällt låtsades att vi inte hade förstått, varför skulle han annars ha frågat?), och visst, jag tyckte också att det var sjukt att det var på det viset och jag förstod varför det är viktigt att kvinnor på film ska kunna åstadkomma annat än killsnack, men: i verkligheten pratar tjejer om killar jämt. Till och med mamma och hennes kompisar tjatar om sina män (och hur hopplösa de är) så fort de får chansen. Brudarna i debattklubben, med dräkt och medlemskap i Unga ekonomer, teatergruppen med sina pjäser på franska och sina tågluffarplaner, bubbischarna här bredvid, alla hade en sak gemensamt: de pratade om killar. Sina killar, andras killar, killar de ville ha, killar de ville göra sig av med. Bara killar hela tiden. Möjligen, hade jag velat påpeka, ska man inte klaga på hur man blir skildrad på film så länge som skildringarna är rätt väl överensstämmande med verkligheten.

Samir knuffade upp dörren så hårt att den slog i ett ställ med broschyrer om KTH, juristprogrammet i Uppsala och matte på komvux. Samirs ben var liksom för långa för resten av kroppen, det gjorde att han alltid såg ut att vara på språng. Vid informationsdisken tvärstannade han och slet ur mobilhörlurarna ur öronen. Han rörde sig ryckigt, med ett ständigt överskott på energi, alltid en replik snabbare, en tanke innan alla andra hade börjat fundera. Det var nog lätt att tro att han var stressad. Jag hade aldrig trott att han var det. Men nu såg han nervös ut.

Jag hann inte tänka på att låtsas som om jag inte sett honom förrän han upptäckte mig, och då var det försent. Han nästan sprang fram till mig.

"Får jag sätta mig en stund?"

Jag försökte titta åt ett annat håll.

"Du … Bubbisch." En av tjejerna viskade till den andra, men det var fortfarande mer än tillräckligt högt för att både jag och Samir skulle höra. "Har du tampissar med dig?" Hon skrattade generat. "Jag har glömt min necessär hemma."

Jag hade tamponger i väskan, jag kunde gå och sätta mig med dem, säga "varsågodisch" och bara ignorera Samir. Han skulle knappast våga hoppa in i i en konversation om kvinnliga kroppsvätskor. Det skulle definitivt stressa honom. Uppfyllde förresten mensprat Bechdeltestet? Förmodligen. Men var mens fortfarande feministiskt om man kallade det för mensiss?

"Maja?" Samir stod kvar framför mig och försökte fånga min blick.

"Jag jobbar inte här, du får fråga personalen."

Han såg förvirrad ut.

"Vadå? Vad ska jag fråga dem om?"

"Det är inte jag som bestämmer vem som får sitta var. Men om du sätter dig ner går jag härifrån."

Han blev tyst. Så slog han ut med armarna och harklade sig.

"Det går fort. Jag vill bara be om ursäkt." Han släppte ner armarna igen. "Jag ville säga förlåt för i fredags. Det var dumt. Jag vet inte varför jag sa allt det där, jag var väl full."

Bubischarna i soffgruppen hade tystnat. De låtsades djupstudera en av artiklarna i tidningen som den ena hade lagt i knäet.

"Va? Var du full?" sa jag. Samir uppfattade ironin och böjde huvudet framåt. Tjejerna var knäpptysta nu, de ville inte missa en stavelse av det här.

"Jag borde inte ha kommit till festen och jag borde verkligen inte ha gett mig på dig. Det är Sebastian jag inte gillar. Jag skulle inte ha …"

"Minns du ens vad du sa till mig?"

Han nickade.

"Tyvärr."

Luggen föll ner i pannan på honom. Han såg ut som om han väntade sig att jag skulle ge honom smisk på rumpan. Visste han hur snygg han var? Det är klart han gjorde. Det var något i hans sätt ibland, på gränsen till inövat, han var väl medveten om hur han såg ut. Så här såg han ut när han ville bli förlåten, jag var inte den första som fått se hans skamsna look. Men samtidigt hade han faktiskt verkat ledsen på festen, på riktigt ledsen, inte bara fylleförbannad.

Det var en ny sida av Samir. Han verkade alltid så oberörd, nästan ointresserad av Amanda och mig och våra liv utanför skolan. Han hängde med Labbe, men i övrigt kom han sällan på några fester, han frågade aldrig någon vad de gjort under helgen, jag hade alltid trott att han tyckte att vi var ganska löjliga. Och plötsligt insåg jag att jag hade tyckt att det var tråkigt att han aldrig velat prata med mig, med bara mig, om saker som inte handlade om skolarbetet. Men nu, när han äntligen gjorde det, var det för att prata om Sebastian.

Killsnack, tänkte jag. *Alltid killsnack. Alla pratar om killar med tjejer, även killar.* Det dök upp i huvudet utan att jag kunde stoppa det och jag log, inte med flit, leendet bara kom. *Jag vill att han ska prata om mig. Med mig. Om annat än Sebastian.* Samir log tillbaka. Inte det vanliga ret-leendet, ett annat, mer lättat.

Högtalarna släppte ifrån sig en signal som fick bubbischarna att samla ihop sina stora handväskor och blanka tidningar och rusa till lektionen. Samir drog till sig en stol och satte sig mittemot mig. Han plutade med läpparna i något som antagligen skulle vara en selfie-min.

"Sebastian är din bubbisch", pep han. "Jag hajar." Och så bytte han personlighet igen, la upp armen på ryggstödet, hasade ner på stolen, särade på benen och sa, på spelad förortssvenska: "Duden e din shono. Och du e mannens guzz, inga problem bruden, jidder chalas, vi respekterar det."

Jag skrattade. Han var fruktansvärt dålig på att leka gangster. Men snygg, vad spelade det för roll att han visste om det? Och så kom det tillbaka igen, ret-leendet. Gud, vad jag hade saknat det.

21.

Det gick några veckor. Sex, sju kanske? I mitten av oktober bestämde vi oss för att åka ut till Labbes lantställe en helg. "Gården", kallade Labbe det, men egentligen var det ett gammalt slott. Labbes pappas familj hade ägt stället sedan typ Gustav III var kung. Labbes mammas familj hade ett liknande ställe bara några mil därifrån, men där hade jag aldrig varit. Samir följde också med.

Jag minns inte vad jag tänkte om det, att det var kul, kanske? Jag tror inte att det gjorde mig orolig, eller att jag tyckte att det var dumt. Visst, det var spänt mellan Samir och Sebastian, men inget vi behövde bry oss om.

Amanda och jag låg i varsin vilstol under varsin filt med varsin telefon. En citronfjäril for förbi, fladdrade som ett löv i vinden ner över den kortklippta gräsmattan bort mot sjön. Den borde väl ha varit död redan, men det var en ovanligt varm höst.

"Om du fick önska dig något", sa Amanda "vad som helst i hela världen, vad skulle du mest av allt vilja ha?"

Bakom oss stod dörren in till köket på glänt. Labbes mamma Margareta lyssnade på opera, lagade mat och ville inte ha hjälp, men då och då kom hon ut och ställde sig inte långt ifrån oss, med händerna i sidorna och log ett halvt leende. Hon tyckte om att ha oss där. Vi tyckte ännu mer om att vara hos henne. Amanda öppnade ögonen och kisade mot mig.

"Jag vet inte", svarade jag. Jag var inte på humör att svara på hennes frågor. Och det man önskar sig när man inget behöver är aldrig värt att berätta för andra.

159

"Men", protesterade Amanda. "Kom igen. Någonting vill du väl?"

Amanda älskade att ställa frågor som skulle kunna ingå i konversationsspel med färdigtryckta lappar, "ämnen" som fick deltagarna att "öppna upp". Hon älskade att ställa följdfrågor på andras svar nästan lika mycket som hon älskade att själv svara på frågorna hon hittat på.

"Kom igen, Maja." Amanda ställde sig upp, höjde ena handen mot himlen och la den andra mot hjärtat. "Jag börjar." Hon harklade sig. "Jag önskar mig fred på jorden och mat till alla barn."

Hon låtsades rätta till en skönhetsdrottningkrona på huvudet och jag skrattade.

"Men, allvarligt." Hon satte sig vid sidan om mig. "Nästa termin tar vi studenten. Sedan börjar det. Jag åker till London för min praktik, hajar du? Sex veckor ska jag vara där, pappa säger att jag kommer att få jobba halva rätterna. Det är klart att jag kommer att få kopiera papper och fixa fika och sådana grejer, man måste vara beredd på det, men, jag undrar ändå vad jag kommer att känna, tror du att jag kommer att tycka att det är ett riktigt jobb? Att det jag gör betyder något? Visst är det så att det är meningen att man ska vilja göra skillnad? Skillnad på riktigt. Visst ska man vilja göra något för världen och andra människor och bra grejer?"

Jag svarade inte.

"För det är klart att jag vill göra det, liksom. Det vill väl alla?" Hon skrattade nervöst. "Men om jag ska vara ärlig, mest av allt skulle jag vilja veta vad jag vill. Eller vad det betyder att göra något. Ha en plan, liksom. Förstår du vad jag menar?"

Jag nickade. Det här var en normal Amanda-diskussion. Amanda berättade alltid självklarheter och frågade om jag fattade. Och så blev hon osäker och sentimental och fick tårar i ögonen.

"Fattar du vad jag menar?"

Det skulle ha kunnat vara ett tecken på att hon tyckte att jag var rätt korkad, att jag hade svårt att begripa, men egentligen ville hon att jag skulle försäkra henne om att hon inte var lika dum som hon kände sig.

"Jag fattar", sa jag. Och log.

Labbes mamma kom ut i trädgården igen.

"Fred på jorden vet jag inte om jag kan lova, men mat till alla barnen

160

är det om tio minuter. Kan du hämta pojkarna, älskling?" Labbes
mamma drog av sig en ugnshandske och strök med handryggen över
Amandas kind. Amanda och Labbe hade varit tillsammans i mindre
än en månad, ändå hade Labbes mamma och Amanda redan utveck-
lat ett fullfjädrat svärmor-svärdotter-förhållande. Jag hade varit ihop
med Sebastian mer än dubbelt så länge och även om jag kanske inte
hatade hans pappa ännu, så berodde det nog mest på att jag träffade
honom så sällan.

Tre dagar tidigare hade Claes visserligen varit hemma. Han hade
fått ett samtal från skolan och dök upp redan vid femtiden för att pra-
ta med Sebastian. Mig hade han skickat hem, men jag förstod vad
det handlade om. Sebastian hade praktiskt taget slutat att gå till sina
lektioner. Han åkte till skolan med mig nästan varje dag och ibland
hängde han med Dennis på skolgården ett par timmar, men för det
mesta åkte han bara hem igen. Och även om Claes aldrig var hemma
på dagarna, måste han ändå ha vetat.

Vi åt i sommarköket, det låg i direkt anslutning till trädgården. Marga-
reta hade dukat med kantstött porslin med blommönster, olika motiv
på varje tallrik. Duralexglasen var suddiga av många års diskmaskins-
tvätt. Labbe ställde sig bredvid Amanda. Hon stod vid sin plats och
höll i ryggen på en klarblå pinnstol (ja, hon hade redan en egen plats).
När han pussade henne på kinden skrattade hon lågt, det hördes hur
sexig hon tyckte att hon var. Labbe verkade hålla med henne och böj-
de ryggen i en konstig vinkel för att kunna lägga hakan på hennes ena
axel. De såg kära och inte riktigt kloka ut.

Labbe hade dessutom skaffat sig en smal San Fransisco-mustasch,
ironiskt såklart, för att visa att han var så säker på att han inte var bög
att det inte gjorde något att han liknade en. Amanda nöp tag i några av
Labbes hårstrån på överläppen, precis vid amorbågen, vände sig mot
hans mamma och undrade.

"Tror du att han tänker behålla den här länge, Mags?"

"Ja, du …", svarade Margareta och tittade på sin son. Hon såg inte
speciellt imponerad ut. "Jag ska nog avhålla mig från att säga vad jag
tycker."

Jag fångade Samirs blick, han tittade på mig och nästan omärkligt strök han med pekfingret och tummen över sin överläpp, drog ner mungiporna och vidgade näsborrarna i en jag-är-minsann-patron-på-det-här-slottet-min. Jag var tvungen att titta ner i bordet för att inte börja skratta.

På ena långsidan satt Samir och Labbe och Amanda. Samir hade Labbes mamma till bordet, på andra sidan satt Sebastian och jag. Mitt emot Margareta, på den andra kortändan, skulle Labbes pappa Georg sitta. Han kom in i rummet precis när vi satt oss, iförd träskor, jeans, en T-shirt med hål på axeln och ett par läsglasögon uppskjutna i pannan. Innan han gick till sin plats sträckte han fram en hopvikt tidning till Samir.

"Har du sett vad Tirole skriver i dagens FT?" undrade han. Samir började läsa. Men Labbes mamma drog försiktigt tidningen ifrån honom och la den på en av sidobänkarna.

"Inte läsa vid bordet."

Sebastian satte sig ner på sin plats innan Labbes mamma hunnit dra ut sin stol och sträckte sitt vinglas mot Labbes pappa.

"Jag är arton", försökte han.

"Mineralvatten", konstaterade Margareta istället. Nästan omärkligt sneglade hon och hennes man på varandra. Det här hade de diskuterat innan. "Även om man är arton kan man dricka mineralvatten."

Kunde det vara Claes som hade bett dem att inte servera Sebastian? Han visste att Sebastian drack. Ett par gånger hade jag fått köra hem Sebastians bil, trots att jag inte hade körkort ännu. En gång stod Claes på uppfarten när jag parkerade. Sebastian hade inte berättat vad hans pappa sagt åt honom, och när jag frågade sa han "fråga om något jag faktiskt har lust att prata om, okej?" och jag släppte det. Kanske visste inte Claes att jag körde fast jag inte fick. Eller kanske hade han faktiskt förstått och tagit det på allvar.

Amanda och jag hjälpte Margareta att ställa fram maten på bordet. Först var det potatis- och purjolökssoppa. Knaperstekt vildsvinsbacon låg i en separat skål och brödet var fortfarande varmt.

"Jag trodde du var vegetarian", sa Sebastian när Amanda strödde en generös sked bacon över sin tallrik.

"Det är inte samma sak med viltkött", sa hon, hennes kinder blev bara lite rosa. Amanda hade glömt vegetariangrejen i exakt samma sekund som hon tungkysst Labbe första gången. Förra veckan hade hon följt med honom och Sebastian på älgjakt. Jag kunde inte följa med, mamma hade tvingat mig att vara med på morfars födelsedags-middag, men Amanda hade stått på pass, grovhånglat i jakttorn, knullat i sovsäck och fått sina Hunterstövlar blöta för första gången sedan hon köpt dem.

"Jag ska ta jägarexamen", sa hon och skickade vidare skålen till Samir. Han gav den till Margareta utan att ta något till sig själv.

"Klart du ska", mumlade Samir, bara lite för högt. Och jag log ner i min servett. Jag kände Sebastians blick.

"Jägarexamen är en utmärkt idé", sa Labbes pappa syrligt. "Natu-ren är inte på något vis en onyttig plats att vistas på."

Amanda blev alltid den perfekta hustrun i varje förhållande. En gång (när vi precis börjat tvåan) var hon ihop med en basist i ett Stock-holmsband som påstod att de hade kontrakt med Sony. Då hade hon till och med varit den perfekta rockgroupien.

"Vad ska vi prata om, då?" undrade Labbes pappa när vi var halv-vägs ner i våra soppskålar.

"Vi kan prata om nollräntan", sa Samir.

"Ja", mumlade Sebastian. "Kan vi inte snälla, rara prata om nollrän-tan?"

"Det var ett skämt", sa Samir. Hans röst var iskall. "Har du hört ta-las om såna?"

"Jättekul", sa Labbe. "Absolut skitroligt. Nollränta, hahaha. Men den här grejen du och pappa håller på med, alla böcker och tidningar och ämnen och situationer och strömningar … gör ni det bara för att få mig att känna mig korkad, eller finns det någon annan plan med det hela som jag inte fattar eftersom jag är för korkad?"

"Oroa dig inte", sa Samir igen. "Jag ska genast sluta skämta."

"Seså", sa Margareta och klappade Samir på handen. "Nu ska vi inte vara sådana. Eller hur, Lars Gabriel?" Labbes föräldrar kallade aldrig Labbe för Labbe. Men jag hade aldrig hört Margareta kalla honom för båda namnen förut, det lät som hämtat från en journalfilm. Antagligen var det ett sätt att säga till honom på skarpen. Men Labbe fortsatte äta, obekymrat. Georg försökte hjälpa till.

"Ingen tycker att du är korkad, Lars. Du har gjort bra ifrån dig sedan du flyttade till Sigtuna." Han stoppade en bit bröd i munnen. "Vi är tacksamma, Sammie. Du har varit en otrolig hjälp."

"Alla två proven." Labbe sträckte upp två fingrar i luften. "Två. Och 'bra' betyder att jag klarade mig. Jag fick ett C och ett B-. Sammie skällde ut mig. Sammie tycker att allt utom A är samma sak som F."

"Jag förstår inte varför du ska nöja dig med något annat än A", sa Samir. "Jag håller med din pappa. Du är inte korkad."

Det var något med den repliken. Kanske betonade han ordet "du". Men alla hörde det Samir menade, det han insinuerade, det han inte sa: *Till skillnad från Sebastian är du inte korkad.*

"Jag vet vad vi kan prata om istället för nollräntan ...", började Amanda, men det var försent.

"Vad betalar de dig?" Sebastian tittade bara på Samir, inte åt något annat håll. "Tjänar du bra?"

Georg och Margareta var mästare på att låtsas som ingenting. Labbe var inte helt fullärd ännu, men när Georg visade porträttsamlingen uppe i "stora huset", och berättade om landsförrädarna, äktenskapsbryterskorna och hur många oäktingar som placerats på byn, brukade Labbe skämta om att "hålla god min" var deras familjevapen. Och nu fick de visa upp det: nollställda ansikten, fullkomligt oberörda miner, inte ens en krökt överläpp åt Sebastians håll. Men Samir skakade osäkert på huvudet, hans blick tennis-gick mellan Georg och Margareta, fram och tillbaka, fram och tillbaka, utan att få kontakt. Och Sebastian gav sig inte. Han pratade långsammare och högre, som om Samir hade svårt att förstå.

"Hur. Mycket. Får. Du. Betalt? Vad tjänar du på att läsa läxor med Labbe?"

"Sebastian", sa Margareta, lågt men fortfarande obekymrat. "Ät din soppa."

Georg vinklade upp brödkorgen mot Labbe. Han skakade på huvudet.

"Ursäkta mig." Sebastian lyfte händerna i en jag-ger-mig-gest och

164

släppte ur sig ett skratt. "Fel fråga, så klart. Ingenting. Jag sa ingenting." Han sänkte rösten precis tillräckligt för att de andra skulle kunna låtsas att de inget hörde. "Jag ska inte lägga mig i vem ni sätter upp på lönelistan."

Jag minns inte vad vi pratade om efter det. Men något ämne lyckades säkert Margareta hitta på medan Georg åt upp sin soppa. Byta samtalsämne var en annan familjespecialitet. Och vi andra gjorde så gott vi kunde för att följa med i svängarna. När Margareta pratat och ätit klart reste sig Georg upp och dukade bort tallrikarna, alla utom Sebastian försökte göra detsamma, men vi blev tillbakajasade av Georg. Inte förrän varmrättsgrytan stod på bordet la Margareta återigen sin hand över Samirs. Sedan rättade hon in sig framför tallriken och lyfte besticken.

"Berätta för oss. Hur är det med dina föräldrar, Samir?"

Jag hade fått samma fråga en timme tidigare. Amanda hade fått den redan innan vi tagit oss från parkeringen in i västra flygeln där vi skulle sova. Margareta frågade alltid hur allas föräldrar mådde, oavsett om hon kände dem eller inte. Sebastian hade fått berätta hur Lukas hade det i USA.

Margareta hade koll. Att hon skulle ha träffat Samirs föräldrar annat än på ett föräldramöte var ytterst osannolikt. Men hon var ändå intresserad.

"De mår ganska bra", sa Samir.

"Var jobbar din mamma nu?"

"Huddinge sjukhus."

"Nämen!" Margareta och Georg tittade på varandra över bordet. "Då har det löst sig med hennes legitimation? Åh, så roligt att höra."

"Nej." Samir torkade sig om munnen. Han svalde, pratade snabbt, sänkte rösten. "Hon jobbar som undersköterska medan hon ... väntar. Men hon trivs i sjukhusmiljön."

Georg skakade på huvudet.

"Det är obegripligt att vi inte bättre kan ta vara på de resurser vi har i det här landet. Obegripligt."

"Underligt, ändå. Jag hade kunnat svära på", Sebastian hade inte rört maten "jag hade kunnat svära på att du har sagt att din morsa var advokat. Labbe?" Han vände sig mot Labbe. "Berättade inte du för mig att när Samir började i Allmänna sa han till alla som orkade lyssna att hans morsa var advokat?"

Sebastian trog på orden, gjorde dem längre än de var. När Labbe inte svarade vände han sig till Samir igen.

"Men hon kanske har dubbla examen. Jävligt imponerande, Sammie."

Sebastian var inte full. Jag trodde inte att han hade tagit något annat heller. Men i hans mun svällde Samirs smeknamn, det som ingen annan än Labbe och hans föräldrar använde. *Sammie*. Sebastian fick det att låta som ett slavnamn.

"Min pappa är advokat. Mamma är läkare."

"Aha!" Sebastian nickade roat. "Visst. Så är det, naturligtvis. Och din pappa advokaten, vad gör han här i Sverige?" Samir svarade inte. "Kör taxi, va?" Han vände sig mot Labbe igen. "Visst sa du att du trodde att Samirs farsa körde hem oss från Stureplan för någon månad sedan?" Labbe svarade fortfarande inte och Samir hade blivit vit i ansiktet. "Men förklara för mig då, kära Sam, förklara hur det kommer sig att alla invandrare som kommer hit och börjar jobba som tunnelbaneförare och städare, förlåt", han fnös. "Som kör taxi och blir undersköterskor ... Hur kommer det sig att alla är läkare och civilingenjörer och kärnfysiker i sina hemländer? Precis varenda en. Din mamma 'läkaren'", Sebastians fingrar gjorde citattecken i luften, "är i gott sällskap. Det finns nämligen inte en enda ynka städare som faktiskt var städare i sitt hemland också. Inte om man får tro vad folk säger. Satt någon endaste en i kassan på Ica i Syrien eller gick i parken hemma i Iran och plockade tompavor? No way. Bara läkare och ingenjörer och advokater och ... "

"Det räcker nu, Sebastian." Georg talade lågt. Gränsen för hans kapacitet att låtsas som ingenting var nådd.

Men Sebastian lyssnade inte. Han viftade med armen mot oss och han gjorde en min jag aldrig sett honom göra förut.

"Har ni aldrig undrat över det här?" Ingen svarade. Han vände sig åter mot Samir. "Vad gör ni med folk utan minst sex års universitetsexamen? Skjuter ni dem på fläcken för att de inte ska ta era jobb?"

Claes Fagerman, tänkte jag. Han ser ut som sin pappa.

Margareta fick tag i Samirs arm när han reste sig upp. Hon skakade på huvudet åt honom. Sedan vände hon sig mot Sebastian istället.

"Sebastian", började hon. Margareta var chef på Utrikesdepartementet, över någon avdelning jag glömt vad den heter, och nu hördes det tydligt att hon var van vid möten och förhandlingar, tillfällen då hon måste vara artig trots att hon var skitförbannad. Mysiga-mammarösten var spårlöst borta. Låtsas-som-ingenting-fasen var klart överspelad.

"Nu ska du lyssna noga", hon pratade långsamt. "Det finns saker som är svåra att förstå. Bland annat är det svårt att tro att många av de flyktingar som lyckas ta sig hela vägen in i Europa, hela vägen upp till Sverige, det är svårt att förstå att det är människor som …"

Hon drog ljudlöst efter andan. Jag tror att hon hade tänkt säga *som du och jag*, men ändrade sig.

"Det är, inte alltid, men ofta, personer med ordnade liv, god ekonomi, och ja, hög utbildning. Varför är det så?" Hon väntade inte på svar. "För att de som lyckas ta sig hit har haft råd att betala vad det kostar att frakta hela familjen till ett bättre liv. Det krävs pengar för att kunna göra det. Inte mycket pengar i din värld, Sebastian, men du borde ändå kunna förstå det. Du har fått intrycket att alla som kommer hit är högutbildade. Det är fel. Lika fel som att påstå att alla de högutbildade som kommer hit skulle ljuga om sin bakgrund. För många av de nya svenskarna är akademiker. De allra fattigaste och mest utslagna i de krigshärjade länder vi talar om nu lyckas sällan ta sig hit. Det är djupt oroande, men inte en anledning för dig att bete dig på det här viset och slänga ur dig saker du uppenbarligen inte vet något om."

"Visst", sa Sebastian. Han lät inte ens arg. Han verkade inte lägga märke till föraktet i Margaretas röst. "Det är toppen för Sverige att de kommer hit. Och de där som försökte starta tältläger i Humlegården, de verkar verkligen tillhöra den absoluta eliten. Intelligentian i sina hemländer."

Margareta harklade sig.

"Jag har känt dig i hela ditt liv, Sebastian. Jag vägrar att tro att du är så här simpel."

167

När hon drog efter andan passade Labbes pappa på att överta ordet. Han hade lyft den hopvikta servetten från knät.

"Sebastian och jag ska gå en liten promenad", sa han, i vanlig samtalston. Efter att ha torkat sig om munnen reste han sig. "Kommer du?"

Ingenting i Georgs röst avslöjade annat än möjligen en smula trötthet, som han skulle ha låtit om han blivit tvungen att avbryta middagen för att ta ett viktigt jobbsamtal. Men när han ställde sig bakom Sebastians plats och väntade på att han skulle följa med såg jag hur hans käkmuskler arbetade.

"Vad fan är det här?" Sebastian skrattade. Men det obekymrade var borta. Nu var han arg. "Ska jag gå härifrån? Men den där tallriksslickaren Samir ska sitta här och ljuga oss rakt upp i ansiktet?"

"Gör inte det här värre än det redan är." Georg tog tag i Sebastians överarm. Med ett fast grepp drog han upp honom ur stolen och föste ut honom ur rummet.

Det tog några minuter för Georg att komma tillbaka. Jag vet inte vad vi gjorde under tiden. Labbe stirrade stint ner i bordsskivan. Amanda hade tårar i ögonen. Margareta talade mumlande med Samir. Jag lyssnade inte. Hade mina knän inte skakat för mycket hade jag rest mig och gått därifrån.

"Sebastian bestämde sig för att det var bäst att åka hem", förklarade Georg innan han satte sig på sin plats igen. Han vände sig mot mig.

"Jag bedömde att det är bättre att du stannar här, Maja."

Jag nickade.

"Sebastian var inte i skick att umgås med någon, allra minst med dig", fortsatte han medan han skrapade upp det sista på tallriken. "Det var hans pappa och jag överens om."

Jag nickade igen. Jag var för chockad för att göra något annat.

"Hur kommer han hem?" Margareta ställde sig upp, gick bort för att plocka undan även Georgs tallrik.

"Jag bad John att köra honom."

Labbe och jag hade gått i samma klass från mellanstadiet till nu i år när han bytte skola. Jag hade hört Margaretas uttråkade, entoniga grevinneröst prata med rektorn, skolvaktmästaren, otaliga lärare och andra föräldrar. Jag hade fantiserat om hur hon läxade upp statsministern med den där rösten. Under alla år hade mamma, pappa och jag kunnat iaktta hur Margareta bara krävde att nu-gör-vi-så-här (oavsett om det handlade om att SL:s busstidtabell inte passade skolans tider, eller att den nationella läroplanen inte omfattade det som Margareta tyckte var viktigt, eller att vädret inte var bra nog för en brännbollsturnering). Och varje gång Margareta ställde krav lät hon som om hon bara bad om en liten-liten-pytte-tjänst. Hon skulle kunna ringa till kungen, harkla sig och säga du-förstår-jag-har-en-liten-tjänst-att-be-dig-om. Och kungen skulle aldrig komma på tanken att säga nej. Ingen sa nej till Margareta, ingen imponerade på henne.

Jag vill att Margareta pratar med Claes, tänkte jag. *Hon skulle kunna få honom att lyssna.* Jag ville ta tag i hennes hand och säga det. *Prata med honom.* Men jag sa ingenting. Jag bara satt där och skämdes. Det var första gången jag skämdes över att vara Sebastians flickvän.

"Så du fick tag i hans far, det var för väl", muttrade Margareta. "Vad hade vår käre Claes att säga då?"

Vår käre Claes. Margareta gillade honom inte.

Georg ryckte på axlarna. Sådär till hälften, en axelryckning som inte betyder jag-bryr-mig-inte utan snarare vad-vill-du-att-jag-ska-säga eller du-vet-svaret-redan och det-finns-inget-vi-kan-göra-åt-det. *Georg tyckte också att Claes var en fjant.*

"Vi pratar om det senare, Mags."

Och jag sa fortfarande ingenting. Tittade inte på någon, allra minst på Samir.

"Vill någon ha italienska maränger?" Margareta ställde ifrån sig disken. "Med hemgjord glass?"

Alla ville ha glass. Jag tvingade mig själv att äta. Tryckte in efterrätten i munnen, försökte svälja bort oron. *Blev Sebastian svartsjuk? Kände han sig hotad? Varför gjorde han så här?* Jag svalde glassen så fort att det värkte i pannan. Svalde lite till.

Det tog några minuter. Jag tror att Amanda sa du-ska-inte-bry-dig-om-vad-han-säger till Samir, och sedan lyckades de andra prata om en resa till Danmark som Labbes föräldrar gjort när de var unga, till

169

en rockfestival, det hade regnat och de hade inte fått upp tältet för att gyttjan var för djup. Och sedan pratade de om en person i samma elevhem som Labbe. Han gick i sömnen.

"Minst tre gånger i veckan går han hela vägen till matsalen och där kryper han upp och lägger sig raklång på honnörsbordet och fortsätter sova där."

De skrattade flera gånger och för varje gång de skrattade lät de lite naturligare, lite mer avslappnade. De tog om av glassen. Sedan tackade vi för maten och alla hjälptes åt att städa undan i köket. Ingen pratade om Sebastian. *Min pojkvän.*

De låtsades som ingenting. Men vad skulle jag göra?

Två timmar senare tittade vi på film i vardagsrummet när Georg kom in för att framföra Sebastians ursäkt. Jag har glömt vilken film det var, vi brydde oss inte ens om att stänga av ljudet medan Georg redogjorde för samtalet.

Sebastian hade "kommit hem ordentligt", Georg hade pratat med honom i telefon och Sebastian "ville" att Georg skulle "framföra en ursäkt". Ursäkten var något generellt och allmänt hållen, och trots att det var Georg som framförde den lät den krystad, något man hittar på när man glömt bort en oviktig födelsedag.

Samir låg en halvmeter bort från mig. Han hade lagt armen bakom huvudet. Jag anade det mörka, lockiga håret under T-shirtärmen. Undersidan av hans överarm var så blek att den skimrade i ljuset från tv:n. Han tittade på Georg medan ursäkten rabblades upp, mumlade det-är-ingen-fara-absolut-ingen-fara-helt-okej-absolut-tack-visst och när det var klart och Georg gick ut vände Samir blicken mot tv:n igen, men det såg inte ut som om han tittade på skärmen, bara rakt ut i luften.

När han reste sig upp och hasplade ur sig att han skulle ta en promenad, då väntade jag exakt fyra minuter innan jag också reste mig.

"Jag går och lägger mig", sa jag.

"God natt", sa Amanda.

"Sov gott", sa Labbe.

Sedan stängde jag av min telefon och la in den i rummet där jag skulle sova.

170

Samir satt nere vid sjön. Han kramade sina knän. Det var kyligt och kolsvart ute. Jag såg honom bara som en skugga, upplyst av ljuset från huset. Månen stirrade på oss från andra sidan sjön.

"Jag behöver inte bli tröstad", sa han när jag satte mig ner bredvid honom.

"Jag vet."

På nära håll såg jag hur orolig han var.

Han kliade sig på armen, det kunde knappast vara ett myggbett.

"Du behöver inte säga åt mig att jag är dum i huvudet."

"Varför skulle jag göra det?"

"Det var för fan min första dag i skolan. Jag var jävligt stressad. Jag fattar att ni inte var det, för ni känner varandra, alla känner varandra i sjutton generationer tillbaka men för mig var det en sjuk dag, ni var skitunderliga, femtonåringar som frågar varandra vad deras föräldrar 'sysslar med', hur sjukt är inte det?"

"Ganska sjukt", medgav jag.

Jag har aldrig frågat dig vad dina föräldrar gör.

Vi var långt från motorvägen, för att komma fram till huset hade vi kört mer än tjugo minuter på grusväg, ändå hördes det ett svagt susande som måste ha varit trafik, för det hörde inte ihop med de andra ljuden, det passade inte med trädljuden, skogsljuden, djurljuden.

"Vad är din mamma?"

"Vad menar du?"

"Jag antar att hon varken är advokat, som du sa till Labbe, eller läkare, som du har sagt till Georg och Margareta, så vad är hon?"

Samir slet åt sig en grästuva från marken där han satt. En bit jord följde med och sprätte upp på mitt ben.

"Jag har aldrig sagt att mamma var advokat. Labbe minns fel. Och mamma brukar säga att hon gärna hade velat läsa till läkare. Att hon var bra i skolan, men att hon var tvungen att sluta. Och nu är det kört. Hon kan knappt ta sig igenom tio minuters svenska nyheter, hon kan knappast räkna med att komma in på läkarlinjen här. Dessutom måste hon jobba. Och hon gillar att vara undersköterska."

"Är din pappa advokat?"

Det tog en stund innan Samir skakade på huvudet.

"Jag får betal- också. Tvåhundra spänn i timmen betalar de mig, men …" Han kom av sig. "Jag antar att jag ska vara tacksam."

"Tacksam för vad då?"

"För att Georg och Margareta inte kastade ut mig utan nöjde sig med att hiva ut in rassepojkvän."

"Sebastian är inte rasist."

Samir fnös.

"Sluta upp med att försvara honom. Var inte en av alla dem som bugar för Sebastian, Maja. Som låter honom göra vad han vill och säga vad han vill."

Nu var det min tur att bli arg.

"Sebastian vet varför folk fjäskar. Tror du inte att han fattar det? Men lärarna fjäskar inte för honom, då skulle han inte ha behövt gå om. Och kunde han säga och göra vad som helst ikväll? Jag trodde han blev utkastad."

"Det är annorlunda med Georg och Margareta."

"På vilket sätt då?"

"Det vet du. Men om Labbe inte behövt mig för att kunna ta studenten hade de kastat ut mig istället."

"Det hade de inte alls."

"Tror du verkligen på det själv?"

"Det är klart att de inte skulle. Du har inte fattat någonting, Samir. Jag tror att de fattade att din mamma inte är läkare och att din pappa inte är advokat. De är inte dumma i huvudet, nämligen. Förmodligen tycker de synd om dig för att du tror att du behöver ljuga om något så larvigt. Jag tycker synd om dig för att du tror att du behöver det. Du är den du är, oavsett vad dina föräldrar gör. Vi skiter väl i din historia. Om din mamma aldrig har gått i skolan och din pappa kör taxi och du ändå har blivit så bra, då är det bara ett bevis på att du kämpar mer än vi andra. Folk gillar dig ännu mer för att du är den du är trots att du kommer från …"

Samir avbröt mig så snabbt att jag såg spottet stänka ur munnen.

"Du fattar verkligen ingenting. Ni är så inihelvete dumma i huvudet. Ni tror att ni vet vad ni pratar om. Ni har så jävla fel."

"Skrik inte."

Han sänkte inte rösten.

"Jag skriker inte. Men du har fel när du tror att det inte behövs en historia. Det räcker med att kolla på Idol, eller The X Factor eller fucking Mästerbagaren eller vad det heter, för att fatta att bakgrundshistorien är halva grejen. Ni vill bli förvånade när tjockisen sjunger skitbra, ni vill kunna bli uppfyllda av han-fixade-det-trots-allt och ni vill veta att det bara är otur att inte mina föräldrar också bor i Djursholm och jobbar som läkare och advokater, att det är en orättvisa som ni inte har något ansvar för men som ni kan säga är fel och om-vi-bara-kunde-ta-bättre-hand-om-våra-invandrare, om de bara blev lite svenskare, lärde sig det nya språket snabbare, pluggade lite mer, då är den amerikanska drömmen inom precis lagom räckhåll. Ni älskar den amerikanska drömmen. Ni älskar Zlatan. Jävlar, vad ni älskar Zlatan. Det blir liksom bara ännu bättre när Zlatan säger att han aldrig har läst en bok och att tjejer inte kan spela fotboll, för sådana är invandrarna, kvinnofientliga och obildade, men ni gillar dem ändå för att ni är toleranta och accepterande och Zlatan har ett så himla härligt, charmigt leende. Ni tror att allt handlar om integration och olyckliga omständigheter och att alla kan lyckas om de bara kämpar och ..."

"Vilka är 'ni'?" Jag började gråta. Jag kunde inte hjälpa det. Och Samir ryckte till, som om jag hade slagit honom.

"Vadå?" undrade han. "Vad är det?"

"Du pratar om 'ni', hela tiden. Och berättar en massa saker om dem. Du säger att 'ni' tycker si och så och 'ni' känner si och så och då undrar jag, vilka är 'ni'?"

Samir bet sig i underläppen. Jag fortsatte.

"Samir. Alla fattar att det är tuffare för dig. Bara idioter tror att om man lär sig svenska ordentligt slipper man alla fördomar. Georg och Margareta är inga idioter. Du behöver inte vara rädd för att ..."

"Ni", sa han och nu tog han min hand. "Maja. Du vet vad jag tycker om dig. Labbe är en schyst kille, Margareta och Georg är trevliga."

Han satt så nära mig nu att jag kunde känna hur snabbt han andades. "Du är ... Du vet precis vad jag menar, vilka ni är. Det är du, det är du och alla dina ..." Han gjorde en gest med den andra handen, svepte runt gårdsplanen, skogen, sjön, upp mot huset, bägge flyglarna, gäststugan, jägarbostaden där John bodde, sjöstugan. "Du vet vilka ni är, men det andra fattar du inte. Jag är inte rädd för er. Det handlar inte om att vara rädd. Du fattar ingenting."

Förklara för mig, då.

Han vände sig mot mig. Hans hand nuddade mitt höftben. Hans mun var tätt, tätt intill min.

Och jag trodde att han skulle kyssa mig. Men han rörde sig inte.

Istället satt vi bara där. Han andades, jag andades. Jag vågade inte titta på honom. När jag reste mig satt han kvar. Jag gick tillbaka till huset utan att vända mig om, in i mitt rum och stängde dörren. När jag lagt mig i sängen plockade jag upp telefonen och satte på den. Sebastian hade skickat ett mess. Men bara ett.

"Tänker du knulla med honom hoppas jag att du skyddar dig."

22.

Hur Sebastian och jag "tog oss" från den där helgen hos Labbe till-
baka till det vi hade innan? Det gjorde vi inte. Men vi fortsatte. Ja, jag
tror att jag inbillade mig att jag inte behövde tänka så, i före och efter.
Nej, jag tror inte att Sebastian sa förlåt. Ja, jag sa jag-skulle-aldrig-hur-
kan-du-tro-det-om-mig (för jag var tvungen att säga något om messet
han hade skickat) och ja, jag åkte direkt från Labbe hem till Sebastian
och vi låg med varandra medan jag försäkrade honom om och om igen
att jag-skulle-aldrig och det-är-bara-dig-jag-älskar.

Make-up sex, det ska vara "bästa sexet", men det är det inte, det är
sex när man är ledsen och arg och det var jag, men inte så ledsen och
arg att det inte blev lättare att låtsas som ingenting efter ett tag. Och
snart var jag arg och ledsen för annat än helgen hos Labbe och det var
värre eftersom Sebastian inte hade sagt eller gjort något speciellt utan
det var bara jag som ville att allt vara annorlunda och ibland försökte
jag låtsas att det var det.

Dagarna gick. November gick. Det blev första advent. Allt var värt
att fira, tyckte Sebastian och jag gjorde vad jag kunde för att hålla med.

Det var mycket folk på Montage, kanske till och med fler än det bru-
kade vara. Vi kom tidigare än vi brukade också, ändå hade vi fått knuf-
fas i ett par minuter innan dörrvakten såg att det var vi och drog in oss.
De släppte alltid in Sebastian så fort han dök upp. Alltid, alltid, alltid.
De brukade låta oss andra gå förbi kön också, även om vi kom dit utan
Sebastian, men det gick aldrig lika snabbt.

Dennis stod kvar utanför dörren med uppdragna axlar. Han skul-
le aldrig bli insläppt på Montage utan Sebastian och Sebastian ville

175

sällan ha med sig honom in. Då och då gick han en sväng runt kvarteret, med dunjackan uppdragen till hakan, huvan över huvudet och med händerna dinglande framför kroppen som om han inte klarade av deras vikt. Men Dennis klagade inte, tack vare Sebastian hade han fler kunder än någonsin och de betalade betydligt mer än de sumpråttor han kunde ragga upp på Sergels torg.

Inne i lokalen var det julpyntat, med kulörta lampor och tjocka glittergirlanger, silverkulor och swarowskiprismor i en gran mitt på dansgolvet. Amanda och Labbe hade knappt hunnit innanför dörren innan de började grovhångla i en soffa i vip-delen. Labbe halvlåg på rygg, Amanda satt bredvid, med ena benet över honom. Deras tungor, två blinda nakenråttor, syntes från sidan varje gång de kysstes.

Trettio minuter efter att vi kommit in var Sebastian så hög att det började bli svårt för personalen att ignorera. Vid en av dörrarna hade två av säkerhetsvakterna bildat par. De spanade på honom. Antagligen väntade de på att han skulle somna eller svimma. Först då skulle de kunna skicka hem honom.

Om vakterna försökte göra något innan Sebastian tuppade av brukade det gå åt helvete. Förra veckan hade en av dem tagit honom i armen när han försökte dra ner brallorna på en kille som trängt sig före honom i baren. På ett ganska artigt vis, ett vi-tror-kanske-att-det-är-dags-för-dig-att-åka-hem-grepp. Vill-du-att-vi-ringer-efter-en-taxi? Men Sebastian blev ändå galen. Och då fick han stanna. Ägaren kom, lyckades få in honom i ett av de enskilda rummen, bad mig att sitta där med honom och det gjorde jag tills han somnade och Labbe hjälpte mig att släpa honom till bilen.

Men släppte in honom gjorde de alltid. Alltid, alltid, alltid. Sist i kön, först insläppt. Något annat var lika otänkbart som att låta en av prinsessorna stå och stampa fötterna varma mot asfalten.

Jag visste inte vad Dennis hade komponerat ihop åt honom i kväll, det var nästan alltid nya grejer, men vad det än var skulle det knappast göra honom sömnig. Nu arbetade han sig runt i lokalerna som om han letade efter någon. Runt runt. Om och om igen. Då och då kom han förbi mig, han krävde att vi skulle sätta oss ner i soffan där Labbe och Amanda satt, men efter mindre än tio sekunder hade han fått nog och ville gå till baren istället. Vi stod i baren i några minuter. Han glömde bort drinken han beställt innan bartendern hunnit blanda klart den och beställde en likadan av en annan bartender. Sedan lämnade han bägge glasen på disken och drog mig i handen till dansgolvet där han lämnade mig för att han "måste gå på toa". Några minuter senare såg jag honom vandra runt igen, sträcka på halsen, vrida på huvudet. Gå. Runt runt. Om och om igen.

"Ska vi dra? Vart ska vi åka? Det händer inget. Ska vi dra? Jag ska bara på toa, sedan drar vi."

Jag försökte dansa. Jag försökte bli full. Jag försökte till och med prata med Amanda, vilket var ett skämt, för hon ville inte prata, hon kunde inte prata. Det är svårt att prata när man får tonsillerna masserade, jag fattar det, det är faktiskt ganska krångligt att prata även om man bara har en tunga i örat, det är svårt att koncentrera sig, jag har förståelse för det. Men jag hade velat prata med henne. Skrikprata, över musiken, luta mig tätt intill och inte ens behöva säga något, bara skratta åt någons fula brallor eller märkliga hår. Istället försökte jag hålla jämna steg med Sebastian. Lyssna på hans frågor. De krävde inga svar.

"Ska vi dra nu? Har du varit på toa?"

"Varför då? Fan, vad trist du är. Vi kom just. Vill du ha något att dricka?"

Jag var trött på Sebastian. På Amanda och Labbe, på dem allesammans, på hela den här grejen. Jag var trött på att vara ung och ha kul, vara lite galen, stå och skrika på fyllan i kylan utanför en festlokal eller inne i ett vip-rum. Jag var trött på alltsammans, men jag spelade med så gott jag kunde. Kväll efter kväll efter kväll. Runt runt runt. Jag vaknade på lördags- och söndagsmorgnarna och hittade en blå biljett i fickan, hopknycklad, tillsammans med plasten till ett ciggpaket och påhittade frågor om herregud-hur-kom-jag-hem-egentligen? Jag gnuggade bort de suddiga stämplarna på handryggen, klippte av festivalarmbanden med nagelsax. Och jag sa det igen, det där som alla sa att gud-vad-full-jag-var och jag-minns-ingenting och fy-fan-vad-jävla-kul-vi-hade.

Men jag hade aldrig kul längre. Jag glömde inte hur jag kom hem.

Jag kom alltid hem på samma sätt. Jag såg till att Sebastian kom hem.
Där sov jag, medan han var halvt medvetslös eller spelade tv-spel eller
bara letade efter "något att göra".

Jag ville inte längre, men jag visste inte vad jag ville istället. Göra
slut? Vad skulle jag göra om det tog slut med Sebastian? Skulle jag
fortsätta hänga med resten av gänget utan att vara ihop med Sebas-
tian? Jag hade ingen plan. Jag ville inte ha någon plan. Jag ville bara att
det skulle vara roligt igen.

Sebastian skulle bli galen om jag lämnade honom. Han var redan
galen. Jag kunde inte göra slut med honom nu. Jag skulle göra det
snart, när det var lite lugnare, det skulle lösa sig, men jag kunde inte
säga något, inte nu. Vi tittade på honom, jag och säkerhetsvakterna,
från varsitt håll, men vi sa ingenting, den där gränsen vi visste att han
skulle överskrida, den gick alltid att flytta en liten bit till. Vi sa inget
för vi låtsades att det säkert skulle lösa sig. Vi visste att det skulle gå
åt helvete. Vakterna bildade par, jag var ensam. Ingen av oss gjorde
något. Jag var bara en statist. Vi var alla statister. Det blev man vid
sidan av Sebastian. En statist utan repliker. Sa jag något klipptes det
bort från handlingen. Det var lätt att ignorera, det jag sa behövde man
inte svara på.

"Ska vi inte åka hem?"

"Det här jävla stället, den här jävla stan. Fy fan, vad tråkigt det är,
vilken håla det är. Fy fan. Vi drar till Barcelona. Det finns en skit-
schyst tapasbar vid den där kyrkan, eller vänta, det är i Palma, va?
Jag ska bara på toa. Beställ något att dricka åt mig. Jag kommer, jag
ska bara kolla en grej. Jag måste ha en drink. Jag ska bara på toa. Fan,
vi drar härifrån, fy fan vad jävla tråkigt det är. Kan du säga åt den där
jävla dj:n att han måste spela något bra. Vi åker till NYC. Jag ska bara
på toa, kolla en grej, var fan är Dennis, han måste ... gå ut och hämta
honom, säg åt honom att jag måste snacka med honom, fy fan vad jävla
tråkigt det är."

Jag sa det till Amanda. *Jag vet inte om jag är kär längre.* Vi pratade
om det. Hon sa: *Det blir säkert bättre snart.* Men hon och Labbe drog
sig undan. Ända sedan helgen ute hos Labbes föräldrar hade de varit
konstiga. För dem var det definitivt ett före och ett efter. Jag visste att

178

de hängde med Samir utan att ringa oss, jag visste att de tyckte att Sebastian var jobbig. Men om de ville gå hit, ut, åka någonstans, då dög vi fortfarande. Slippa stå i kö. *Vi är med honom.*

Jag tänkte på nätterna. När jag låg bredvid Sebastian och han svettades i nacken, ryckte till i sömnen, vände sig mot mig, drog mig intill sig.

Det finns ord som kan kännas i hela kroppen. Ord kan väcka en känsla som hör ihop med en annan del än hjärnan än man tror. Bra ord känns varma. Min mammas viskande "shhh …", när jag var liten och hade svårt att somna ("min lilla tjej, shhh … sov nu älskling …"). Eller pappas tonfall när han ropade "Maja!" och det hördes att han ville att alla skulle veta att jag var hans flicka, att vi hörde ihop han och jag; och mormors röst när hon läste saga ("det var en gång …"). Sebastians "jag älskar dig", precis innan han somnade, i slutet av en utandning.

Jag vet inte. Det var inte bara dåligt. Det var inte alltid bara dåligt.

Hans pappa måste göra något, sa Amanda till mig men inte till någon annan. *Sebastian behöver hjälp.*

Amanda trodde att det hade med drogerna att göra, att om Sebastian bara tog det lite lugnare, då skulle jag vara lika kär som innan. *Amanda har rätt*, tänkte jag då. *Det är klart att Amanda har rätt. Det är klart att jag är kär i Sebastian.*

Gör inget. Säg inget. Prata med honom. Hjälp honom.

Men jag kunde inte säga något. Ingen sa något. Vad skulle de säga? Jag ville härifrån. Jag ville bort. Jag ville inte längre.

Sebastian skulle bli galen. Han var galen. Sebastian var galen. Han mådde dåligt. Jag måste göra något. Han behövde hjälp.

Jag älskade honom. Det är klart att jag älskade honom.

23.

Amanda sov i stolen bredvid min. Hennes luciaglitter hade ramlat ner på axeln och nylonstrumporna hade ett stort hål vid knät. På aulans scen stod en kvinna i skyhöga klackar, pyttesmå örhängen och en gigantisk herrklocka. Hennes blanka, kolsvarta frisyr såg ut att behöva ett eget säte på flyget. Hon var amerikanska och "chefredaktör för västvärldens mest lästa finanstidning" (Christers presentation).

"Ni läser internationell ekonomi, stämmer det?"

Vi susade medgivande, trots att många härinne inte alls gick på det internationella ekonomprogrammet. De andra eleverna från sista året var också här. Och massvis med föräldrar (mest pappor), de skippade väl sina barns luciaframträdanden.

Föräldrarna var tillsagda att inte ställa frågor och inte ta upp några sittplatser, så de stod längs med väggarna. Var tionde meter stod en bredaxlad snubbe med mörk kostym och öronsnäcka, det var amerikanskans säkerhetsvakter.

"Och ni som inte läser ekonomi måste stå ut med det här ändå."

Vi skrattade medgörligt medan hon log, bredare än infartsporten på en bilfärja.

Till och med Sebastian var här. Klockan fem i morse hade Amanda och jag sjungit för honom, sedan hade han bjudit oss och några killar på "frukost". Men när jag vägrade åka till skolan med honom i hans bil hade han blivit sur. Nu satt han på andra sidan av aulan.

En "okänd välgörare" hade sponsrat det här föredraget. Jag hade frågat Sebastian om det var Claes, han hade sett ut som om det var en dum fråga. Det gick rykten om att föredraget kostade 350 000 kronor men ingen av lärarna pratade om sådant.

Amerikanskan var inte bara chefredaktör, hon var också doktor i nationalekonomi och vald till en av världens mest inflytelserika opinionsbildare av Time Magazine. Hon hade blivit känd genom sin Youtubekanal där hon förklarade ekonomiska frågor med hjälp av Barbie och Ken, Barbies hus och Barbies bil. Det mest visade klippet handlade om den amerikanska finanskrisen. I det fick Black Barbie spela vräkt husägare (ensamstående, trebarnsmamma). Ken gjorde rollen som chef på Lehman Brothers. Amerikanskan lät dockorna prata, Ken var högdragen och distanserad, Black Barbie svor och talade sämre engelska än en genomsnittlig svensk dagisunge med drömmar om att bli rappare. Men ingen anklagade amerikanskan för att använda rasistiska stereotyper. Hon var för lik Black Barbie för att någon skulle våga sig på det. Hennes kritiker tyckte att hon var för radikal, att hon gjorde grova förenklingar för att bevisa sina poänger. Jag tänkte att någon borde säga åt henne att åtminstone nyansera sitt smink. Hon skulle ha mycket att vinna på ett par kortare lösögonfransar.

I dag skulle hon prata om världsekonomins framtid. *Tillväxt eller kollaps*, var undertiteln som väl borde ha slutat med ett frågetecken men inte gjorde det.

"Någon härinne som avskyr ekonomi? Som faktiskt tänker syssla med viktiga saker?" (Lite skratt.) "Klokt beslut. Man kan inte lita på nationalekonomer." (Högre skratt.)

Hon svepte med armen över salen.

"Nämn en farlig nationalekonom."

"Karl Marx", sa någon från en av de bakre raderna.

Hon nickade.

"Milton Friedman", ropade Samir. Han hade satt sig längst fram.

Amerikanskan log nöjt.

"My point exactly." Hon tog upp en plastflaska med vatten och drack. "Och ekonomer är livsfarliga av det enkla skälet att världsekonomin drabbar människor. Alla människor. Så oavsett om ni läser ekonomi eller inte, om ni tycker att pengar är allt eller att ni står över materiella ting ... lyssna noga. Det här handlar om er."

Medan Barbie vickade med pekfingret mot oss i publiken dämpades ljuset i aulan. En gigantisk skärm dök upp längst bak på scenen och utan vidare presentation började hon smattra ur sig en snabbkurs i 1900-talsekonomi: siffror, historiska händelser, allmän rösträtt, första världskriget, ekonomisk kris, andra världskriget, ekonomisk boom. Framför henne åkte det upp hologramstaplar och snurrande 3D-kuber och cirklar, staplar och diagram över befolkningstillväxt, medelinkomster, livslängd. Nu stod det klart varför aulan varit stängd i en vecka, det här kändes som hämtat direkt ur en Bond-film. Hon hade till och med ett hologram av Roosevelt. Han stod bredvid henne på scen några sekunder och läste ur ett tal om The New Deal. Inte ens Amanda hade problem med att hålla sig vaken.

Barbie pratade fortare än en sportkommentator. Christer nickade i takt med hennes satsmelodi. Nick-nick-nick-nick, han verkade ha tappat en skruv i nacken. Han var sjukt lärarupphetsad, drabbad av en sorts mental urinvägsinfektion.

"Många är övertygade om att ekonomi är en vetenskap styrd av krafter som påminner om tyngdlagen. Utgifter och inkomster. Tappar du ett glas ramlar det i golvet och går sönder. Du går i konkurs om du spenderar mer än du tjänar."

Barbie tittade upp mot raderna av kostym- och dräktklädda föräldrar, lät blicken fortsätta ner mot oss studenter och mässade vidare.

När det blev dags för frågestund började Christer jogga omkring med en trådlös mikrofon. Sebastian inledde. Amerikanskan log mot honom redan innan han reste sig upp.

Det var alltså Claes som betalade.

Plötsligt fick jag lust att gå därifrån. *Black Barbie och Ken Fagerman.*

Om Sebastian var hitskickad för att hålla koll på vad den senaste modedockan i finansvärlden hade att säga, då skulle både Claes och hon bli besvikna.

Sebastian lät trött, han stakade sig men fick ur sig det som stod på hans lapp och medan Barbie svarade gick Christer mot nästa person som blivit tillsagd att förbereda en fråga.

När det blev min tur gav jag tillbaka mikrofonen till Christer innan amerikanskan börjat svara. Några följdfrågor tänkte jag inte försöka krysta ur mig. Hon nickade eftertänksamt åt mig. Hon låtsades inte om att hon tyckte att det var en idiotisk fråga (bara idiotiska frågor som Christer redan visste svaret på hade blivit godkända) och hon fick applåder för sitt svar. Det var hennes femtiotredje variant på "å ena sidan och å andra sidan och i min studie över frågan belyser jag många nya faktorer ... de tyder på att det är långt ifrån klart och tydligt".

3D-tekniken var avstängd. Amandas ögonlock började se tunga ut, hon letade efter en mer bekväm ställning. Barbie var bara skal och yta, hon skulle aldrig säga något som inte alla härinne höll med om. Hon levererade.

Men då blev det Samirs tur. Han tog mikrofonen från Christer och började.

"Vi hade ett skolval här i skolan för några månader sedan." Samirs röst darrade. Han lät nervös. "Alla elever fick låtsasrösta och två påhittade rasistpartier fick mer än trettiofem procent av rösterna."

I ögonvrån såg jag hur Christers blick flackade. Det här var inte den förberedda frågan. Han räckte ut handen mot micken, förvirrat, men amerikanskan pekade mot Samir, hon ville att han skulle fortsätta. Och Samir flyttade mikrofonen till sin andra hand, utom räckhåll för Christer.

"Skolledningen bestämde att resultatet inte skulle tas på allvar, att det blev så för att en grupp elever gått ihop och bestämt sig för att sabotera övningen."

"Men?" Amerikanskan var på helspänn.

Någon i publiken ropade *håll dig till saken, Samir*. En av papporna som stod längst bak ropade *nu tror jag du har hamnat på fel föreläsning, grabben*, men Barbie lyfte sin hand och det blev tyst igen.

"Fortsätt."

"Ingen tog det där skolvalet på allvar. Men det är ett bra exempel. För vi får lära oss att politik handlar om att alla problem i alla europeiska länder beror på invandringen, krig utanför Europas gränser och islamisk terrorism. Saker våra politiker inte har kontroll över. Det är det enda vi pratar om, islamisterna är det största hotet. Men samtidigt blir miljardärerna bara fler och de fattiga allt fattigare. Här hemma. Det pratar vi inte om. Jag menar ..." Samir harklade sig, kom av sig lite

183

grann. "Borde vi inte prata om hur de här ekonomiska frågorna påver-kar vår välfärd och ... demokratin, påverkar inte det demokratin, ja, vårt samhälle, liksom?"

En kille ett par rader bakom Samir började nynna på Internatio-nalen. Ett försiktigt skratt spred sig men Barbie höjde sin Jesushand igen och avbröt dem.

"Berätta. Var det Samir du hette? Berätta, Samir, på vilket sätt tycker du att de här samhällsmotsättningarna är en nationalekonomisk fråga?"

"Jag tycker att nationalekonomer borde använda sina siffror till att komma med konkreta lösningar på de problem som faktiskt finns. Det betyder ingenting att säga att man måste investera tusen miljar-der i infrastruktur, om man inte också säger var de pengarna ska kom-ma ifrån. I synnerhet inte när debatten bara handlar om att vi inte har råd med någonting eftersom invandringen kostar för mycket."

Det hade hänt något med amerikanskans leende. Det såg annor-lunda ut och det tog en stund innan jag insåg att det nya leendet var äkta. Samirs röst blev stadigare.

"Visst är offentliga investeringar toppen, men det svåra är att be-stämma vem som ska betala notan. Och det är ingen som vågar säga att de härinne borde betala."

Det susade lite lagom högt i salen. Stämningen var förändrad, inte ilsken, men som det blir när ett rum fylls av vuxna som vill förklara hur det ligger till. Raden med pappor, jag riktigt kände hur de ville harkla sig och säga åt Samir (och Barbie) att *det-här-förstår-du-dig-inte-på*. För de hade minsann inga problem med invandringen. Verkligen inte! *Men nu talar vi om Sveriges industri*, ville de säga. *Vi ska ge jobb och välfärd och nya bostäder till alla dessa nyanlända. Då kan ni inte förlama oss med skatter.*

Jag visste vad de ville säga för jag hade hört pappa prata om det här. Och papporna längst bak verkade ha glömt att de lovat att inte ställa några frågor, för fyra, kanske fem av dem hade tagit ett halvt steg fram-åt med handen uppsträckt. De var inte vana vid att räcka upp handen, det syntes, men de vred på kropparna. Vissa av dem tittade åt fjorton håll samtidigt för att försöka signalera att vilken-gullig-men-naiv-kille och vi-vill-alla-göra-revolution-när-vi-är-unga och någon teaterviskade vi-har-närt-en-kommunist-vid-vår-barm och någon annan började fnissa okontrollerat.

Amerikanskan ignorerade dem, istället drog hon fram en stol och satte sig ner.

"Bullshit", skrek plötsligt killen som nyss nynnat Internationalen. Barbie tittade upp.

"Är det?" sa hon och bjöd publiken på tandkrämsleendet igen. *Det är ingen fara*, sa leendet. *Jag är på er sida.* "Oroa er inte, vi ska inte prata invandrarpolitik. Jag kan inte tillräckligt om det. Vi ska prata om hur vi finansierar statens utgifter. Hur vi finansierar välfärd. Det är en relevant fråga, eller hur?" Hon inväntade ett medgivande mummel. "En procent av världens befolkning äger femtio procent av världens tillgångar. Och dessutom: världens åttiofem rikaste människor äger lika mycket som den fattigaste hälften av mänskligheten tillsammans ..." Hon tvekade och gjorde rösten lätt. Kanske skämtade hon? Kanske sneglade hon på Sebastian. "... de skulle få plats på några få av bänkraderna härinne i aulan. Är inte det ett problem?"

En av papporna kunde inte hålla sig längre. Utan att ha fått vare sig ordet eller micken ropade han *excuse meeee*, men Barbie tittade inte ens åt hans håll. Istället gick hon långsamt över scenen tills hon hamnade framför Sebastians rad.

Nu ska Sebastian visa att han kan representera Fagermankoncernen, tänkte jag och min mage krampade. *Hon vill att han ska hjälpa henne att få igång en riktig debatt.*

Jag ville att Sebastian skulle resa sig upp och gå. *Stick*, tänkte jag. Du hatar politik. Och så tänkte jag det förbjudna. *Du är för korkad för den här diskussionen.*

Barbie fortsatte, ett par futtiga meter ifrån Sebastian. Tonfallet var mer obekymrat än någonsin, men hon förutsatte att han lyssnade.

"Det finns en seglivad övertygelse om att det ur ett nationalekonomiskt perspektiv skulle löna sig att vara extra generös mot miljardärer. I Sverige tycker till och med Socialdemokraterna att noll procent förmögenhetsskatt är en rimlig nivå." Hon viftade mot föräldraraden. "Ni anar inte hur glad min revisor skulle bli om jag sa att jag tänkte flytta till Sverige. Och jag är inte ens miljardär."

Sedan vände hon sig mot Samir igen.

"Men vad händer då? När de som inte är miljardärer, de är inte ens miljonärer de stackarna, vad händer när de inser att de finansierar alla offentliga utgifter? Vad kommer de att göra?" Hon pekade uppfordrande på Samir. Han höll fortfarande i mikrofonen och svarade omedelbart, som om han bara väntat på hennes kommando.

"De kommer att protestera."

"You bet they will."

Det naturliga leendet var tillbaka. Papporna hade tystnat. Christer gjorde något som liknade en ansats till piruett på stället. Det här hade han inte räknat med.

"De kommer att protestera", fortsatte Barbie. "Hur? Blir det en blodig revolution? Kommer era föräldrar att bli halshuggna på stadens torg? Det vill vi inte. Då är det nog bättre om vi kan skylla budgetunderskottet på invandrarna."

Amerikanskan kisade med ögonen och tittade längst bort i salen.

"Ni skrattar", konstaterade hon. Men ingen skrattade. Ingen sa något, bara Samir. Hans röst hade tappat all osäkerhet och han verkade plötsligt tio år äldre. Jag hade aldrig tänkt på vilken bra engelska han talade. "Överklassen har aldrig i historien väntat sig att bli fråntagen makten, den har alltid blivit överraskad."

"Mycket riktigt", nickade amerikanskan och vände sig om och blängde uppfordrande på Sebastian. Han hade ingen mikrofon, han halvlåg i sin stol när han svarade, men vi hörde honom ändå.

"Skitsnack. Vem ger jobb till folk? Är det du, kanske, Samir? Eller din pappa taxichauffören?"

Sebastian skrattade, så högt han kunde. Men inte ens killarna bredvid honom hakade på.

Amerikanskan tittade kort på Sebastian, lutade huvudet svagt åt sidan, sedan vände hon sig mot Samir igen och gestikulerade åt honom att svara istället. Han nickade.

"Det dumma är att tro att fler miljardärer är bättre för Sverige."

Barbie nickade och tog över när Samir andades in.

"Och vi kan prata om pappor som kör taxi också. För vad händer med skattemoralen hos taxipapporna?"

186

Säg inget, tänkte jag till Sebastian. Håll tyst.

Och Sebastian gjorde ingen ansats att säga något mer, vare sig vulgärt eller korkat. Istället fällde han bak huvudet och la armarna i kors över bröstet som om han försökte hitta en bekväm sovställning.

"Vi har kommit från ämnet, tror jag." Amerikanskan harklade sig. "Innan mina egna säkerhetsvakter lyfter ut mig härifrån för att undvika att det utbryter kravaller ..."

Hon såg på Samir och på föräldraraden längs med aulaväggen, på Christer som trampade vatten. Sedan började hon tala igen. Meningarna kom mer eftertänksamt nu när hon slapp hologrammen och bildexplosionerna.

"Behöver vi miljardärer för att skapa jobb? Nja. Välstånd? Framgångsrika företag, till och med rika individer kan definitivt vara bra för samhällsekonomin ..." Hon höjde hakan mot de bakre raderna. "Jag har inga som helst problem med att det går att bli miljonär. Inte ens miljardärer tycker jag direkt illa om." Hon nickade mot Sebastian, men han låtsades sova. "Jag tror faktiskt på kapitalismen, även om en del av mina landsmän tror att alla med mitt ... utseende är kommunister."

Christer kacklade till, men fick inte med sig någon i skrattet.

"Men jag tror att du försökte göra en annan poäng, Samir. Nämligen att det finns en gräns för hur ojämlikt ett samhälle kan bli och ändå fortsätta att vara en stabil demokrati. Och du har rätt i det. Jag ska förklara varför."

Det var knäpptyst. Alla ville höra det här. Vi bytte inte ens ställning.

"Man måste vara försiktig med samhällskontraktet. Båda parter måste hålla sin del av avtalet. Vi måste ha en begriplig rättvisa. Det är inte rättvist om välfärdssystemet finansieras enbart av låg- och medelinkomsttagare. Att storföretag betalar mindre skatt än deras små och medelstora kollegor är inte heller rättvist. Så ser inte samhällskontraktet ut. Och när en sjuksköterska betalar mer individuell skatt än någon som har ärvt en förmögenhet ... Att inte ha någon förmögenhetsskatt. Ingen alls." Hon formade pekfingret och tummen till en nolla. "Inte heller arvsskatt. Noll procent. De som inte behöver betala löneskatt om de inte vill behöver alltså inte betala skatt över huvud taget. Är det i enlighet med samhällskontraktet? Är det vad Bibeln menar med att den som har, åt honom skall vara givet?" Hon pausade och drack vatten. "Inte ens i USA är vi lika generösa. Och man behöver inte vara kommunist för att konstatera att motsättningarna i USA närmar sig explosionspunkten. Att tro att de motsättningarna inte har med nationalekonomi att göra är ett misstag. Och jag håller med dig, Samir. Det är ingen galen konspirationsteori att säga att det finns de som vinner på att samhällssvårigheter kan skyllas på en minoritet ... låtsas att problemen beror på de ..." hon tecknade citattecken i luften, "'svarta' ... eller, som de kallades på trettiotalet, 'judarna', eller som ni kallar dem i Europa i dag – 'invandrarna'."

Hon tystnade. Tystnaden varade i flera sekunder. Ingen härinne ville kännas vid att det kunde finnas ett samband mellan deras pengar och invandrarfientligheten. *Vi är inga rasister, vi är på den goda sidan, vi är inga simpla, obildade Sverigedemokrater.* Men det gick inte att protestera. Barbie hade inte anklagat någon, inte rätt ut. Sedan sneglade amerikanskan nästan omärkligt på väggklockan som satt i ena änden av lokalen, rätade på ryggen och pekade på Samir.

"Tänk, va? Det här blev väl oväntat roligt?"

Det var så tyst i aulan att föräldern som pratade hördes utan svårighet.

"Roligt och roligt", muttrade han. Han lät nyvaken, men pratade perfekt engelska. Jag kände igen honom. Han var chef för en av de stora bankerna och kliade sig i sitt rufsiga hår. "Det är betydligt mer än 'roligt'. Det här är tidig julafton. Jag kan gå tillbaka till mina kollegor och berätta att vi i Sverige lever i ett skatteparadis. Ikväll blir det champagne."

Och föräldrarna skrattade lättat. Den goda stämningen var tillbaka lika snabbt som den försvunnit. *Det är bara politik. Vi behöver inte vara överens.* Om bankmannen inte kände sig träffad, då behövde vi andra inte heller göra det. *Vad vet väl Barbie om hur vi har det i Sverige? Haha! Höhö.*

Och så applåderade vi. Amerikanskan åstadkom mjuka klapprörelser mot publikens håll och hon log åt Samir och han log tillbaka, som om de delade en hemlighet, bara de två.

"Det är svåra frågor du ställer, Samir", sa hon medan vi fortfarande klappade. "Fortsätt ställa dem, det kommer att ta dig långt."

När Christer gick upp på scenen för att tacka fick jag ögonkontakt med Samir. Han var fortfarande lite rosig om kinderna.

Bra jobbat, mimade jag. *Tack*, mimade han tillbaka. Jag ville säga något mer, men då hade han vänt bort blicken. Jag tittade på Sebastian istället. Han hade somnat på riktigt.

Christer överlämnade blommor och en bok om Djursholm och vi applåderade igen och när det äntligen var över stängde jag av telefonen och gick ut ur aulan. Någon annan fick väcka Sebastian. Vi hade håltimme nu, men en hel skoldag kvar och jag orkade inte höra vad han skulle säga och jag orkade definitivt inte gå på fler lektioner så jag tog bussen hem. Det var flera timmar innan mamma och Lina skulle komma, jag skulle få vara ensam. Jag orkade ingenting annat än att vara ensam.

När det ringde på dörren hade jag bytt om och låg på sängen med datorn på magen och tittade på en film. Sebastian skulle bara sätta sig utanför dörren och vänta om jag försökte ignorera honom så jag gick ner för att öppna.

Men det var inte Sebastian. Samir hade hängt sin jacka över ena armen och verkade andfådd, som om han sprungit hit.

"Får jag komma in?"

Han la handen mot dörrkarmen och lutade sig in mot mig. Det fick hans underarmsmuskler att spännas och jag gick emot honom. Jag ställde mig tätt intill och strök med min hand, först över den tunna huden, sedan över hans korta stubbiga hår på armen. När jag kysste honom, lätt, försiktigt, stack det i läpparna. Jag förde min tunga mot hans och det brände i huden. Han la sin hand runt min midja.

"Visst", sa jag. "Kom in."

Kvinnohäktet

24.

När jag har rasten på morgonen kan jag inte ta någon sömntablett så i natt sov jag inte, åtminstone inte vad jag kan minnas. Jag försökte se filmen Susse gav mig, tre gånger försökte jag. Eventuellt sov jag en stund under mitt sista försök.

När jag tänker tillbaka, nu när jag har tid att försöka förstå vad som hände, då är det lätt att börja sortera. Jag skulle vilja dela upp allt i noggrant avgränsade avsnitt: första veckorna i skolan, efter att jag och Sebastian kommit hem från Medelhavet, när *det kändes som om det alltid varit Sebastian och Maja* (Amandas ord). Det var väl en bra, okomplicerad, självklar tid? Under den perioden fick jag i alla fall nya vänner, en ny sorts uppmärksamhet, andra typer av komplimanger. Alla runtomkring Sebastian och mig (utom Samir) verkade tycka att ingenting var mer naturligt i hela världen än just mitt och Sebastians liv och att vi var ihop.

Andra avsnittet var mer komplicerat och förvirrat. Och tredje avsnittet, efter att jag kysste Samir, då blev det totalt kaos.

Men det funkar inte att göra så. Om jag ska vara ärlig går inte ens den första tiden att skilja från det andra, det som hände senare. Det finns inga kapitel i den här sörjan.

Men det var varmt i början, högsommarvarmt, och färgglatt. Kanske hjälpte det? Värmen påminde om Medelhavet och dämpade det jag borde ha sett redan då, allt det konstiga. Inte bara det konstiga med Claes, hur elak han var, hur lite han brydde sig. Utan det konstiga med Sebastian. Skolan var samma skola som alltid, men den både krympte och växte när Sebastian och jag blev ihop. I början var han nästan alltid där, även när han inte gick på lektionerna. Han verkade alltid veta var jag var, även om jag var någon annanstans än där jag borde vara enligt schemat. Och jag gillade det, jag blev smickrad av att han höll koll på mig, att han ville vara i närheten av mig. Det var ingen stalker-grej, han var inte kontrollerande och konstig, inget sådant. När han dök upp, plötsligt stod framför mig i sin vita T-shirt och log, då log jag tillbaka, det är klart att jag gjorde, vi var ju kära, han var glad att se mig och jag var glad att han hittat mig.

Men det var inte allt. Han hade alltid något annat i sig. Det var mer än sorgsenhet. Det var inte hat, hat är enkelt och Sebastian var aldrig lätt att förstå. Jag var aldrig rädd för vad han kunde göra mot mig, inte ens mot slutet, men jag var alltid orolig. Till och med den första tiden var både och, blandad, svår, lätt och härlig, rolig, hemsk och underbar.

Jag hatar första rastpasset på häktet. Jag hatar det ännu mer eftersom personalen tycker att de gör mig en tjänst när de ger mig det. De vill att jag ska bli glad för att jag får tid över till annat, härliga aktiviteter att fylla dygnets timmar med, timmar som frigörs av att jag "vaknar och kommer upp i tid". Som om jag har annat att göra än att önska att jag kunnat röka. För det jag gillar minst med morgonpasset är att jag inte har hunnit bli röksugen.

Ännu mindre röksugen blir jag när de parar ihop mig med Doris.

Egentligen är det meningen att jag ska rastas ensam, jag har fortfarande restriktioner, trots att förundersökningen är klar. Jag ska fortfarande sitta isolerad ("för min egen säkerhets skull"), och jag har besöksförbud. Men häktet är fullbelagt och antalet timmar på dygnet med dagsljus räcker inte för att alla ska kunna få sin grundlagsskyddade tid utomhus om de inte parar ihop några. Dessutom måste de tänka på min ålder. Det är inte bra att låta mig tillbringa för långa perioder utan att träffa några andra människor. Inlåst i en ensamcell tjugotre timmar per dygn, sådant (häktade ungdomar och brist på social samvaro) blir man kritiserad av Amnesty för. Ferdinand älskar att berätta allt hon vet om Amnesty och förklara att det är därför de försöker få mig att träffa prästen och psykologen och läraren flera gånger i veckan och inte vill att jag ska rastas ensam.

Doris är en kvinna i sextioårsåldern som verkligen inte heter Doris

194

på riktigt, men borde göra det. Hon anses vara det perfekta sociala-samvaro-sällskapet för mig, hon är mitt Amnesty-alibi.

Det var inget jag hade planerat – att det skulle bli som det blev med Samir. Vi skämdes, han skämdes, jag skämdes, det är klart att jag skämdes.

"Jag skulle aldrig ligga med Samir", sa jag till Sebastian (och mig själv) efter helgen hos Labbe. "Aldrig mer!" sa Samir och jag till var-andra efter den där luciaeftermiddagen när det ändå hände. Aldrig skulle det hända igen. Vi skulle inte ha behövt säga det för att veta att det var så. Men vi sa det, flera gånger, hela tiden, ändå hände det igen. Och igen.

Samir ringde mig. Han messade. Jag svarade inte, suddade ut mes-sen, ångrade mig, svarade, ångrade mig igen. Vi sågs i skolan, jag satte mig i biblioteket, vår hemliga skog dit ingen annan kom. Det kändes på riktigt. Så fort jag såg Samir kändes det på riktigt. Allt annat var bara jobbigt. Under den tiden, i december, var mitt liv vidrigt hela tiden dygnet runt, ända tills Samir tog i mig. Och det fortsatte att vara vidrigt ända tills han tog i mig igen.

Jag har alltid tyckt att det är skitkonstigt att folk skär sig i armarna för att det ska göra mindre ont i själen, för att de ska *orka*. Men det med Samir var nog på sätt och vis samma sak. Det var så skönt att vara med honom att det gjorde ont. Ibland tänkte jag att det var för att det gjorde ont som det var skönt, även om jag också tror att allt han inte var gjorde att jag inte kunde låta bli honom.

Samir var *inte* hela tiden på gränsen till sammanbrott. Han ville *inte* hela tiden göra något annat än det han gjorde. Han förväntade sig *inte* att bli igenkänd, tillfrågad, omsvärmad, uppmärksammad, in-släppt först av alla. När Samir tog i mig ville han bara ta i mig, ingen-ting annat, i alla fall kändes det så. Vi låg med varandra överallt där vi inte fick. Hemma hos mig (mamma och pappa var på jobbet, Lina på dagis), när jag skolkade (inte Samir, han hade håltimme). På en av skolans toaletter en kväll två dagar efter lucia. Skolan var öppen för att kören repeterade i aulan, men vi kände ingen i kören och just då, precis när hans händer tog i mig, då tänkte jag att det måste bli så här.

Om det är han och jag istället, då slipper jag Sebastian. Samir var inte Sebastian, han var tvärtom och jag ville verkligen ha det. Kanske var det därför?

Samir var inte min räddande prins, tvärtom, han var det förgiftade äpplet. Men då, de där korta dagarna medan det höll på, spelade det ingen roll varför, frågorna om varför-just-Samir var inte tillräckligt viktiga för att jag skulle kunna låta bli honom. Jag tänkte att det var fel och att jag inte borde. Men jag kunde ändå inte låta bli honom. Så jag sket i att tänka på det också.

Under hela rasten på häktet, oavsett om vi har fått det tidiga passet eller inte, sitter Doris på cementbänken på knäppa-iväg-fimp-avstånd från mig och kedjeröker handrullade cigaretter utan att ens ta ciggen ur munnen. Röken stiger upp kring henne som om hon vore en kastrull med skevt lock. Hon säger inte ett ljud till mig på något språk, inte ens när jag hälsar. Hon tittar inte, nickar inte, mumlar inte. Jag har hört henne sucka åt sin tändare en dag när det regnade och hon hade svårt att få igång den. Men hon frågade inte om hon kunde låna min istället, fortsatte bara tills den gick igång ett par minuter senare och när hon fått fyr på sin cigg släppte hon ifrån sig ett stönande ljud. Jag antar att det var av lättnad. Glädje, kanske? En särskild Dorisvariant av glädje.

Jag minns att jag frågade mamma när jag var typ tolv år hur gammal man ska vara när man ligger med någon första gången. Mamma svarade att när du vill ligga med någon så mycket att du skiter i vad jag tycker om den saken, när du skiter i vad alla andra tycker eftersom du hellre gör än låter bli, då är du gammal nog. Jag trodde att hon sa så för att visa hur kul hon tyckte att det var med sex, visa hur "cool" hon var. Jag tyckte att hon var äcklig och tillgjord. Men hon hade verkligen rätt. För en gångs skull borde jag ha lyssnat på henne. Inte förrän jag träffade Sebastian hajade jag vad hon menade. I början med honom, när han strök min underarm och fick den att kännas som om den var gjord av sammet, då förstod jag precis. Jag tyckte visserligen fortfarande att mamma var fånig, men jag fattade. Och när det inte kändes så längre var jag beredd att göra vad som helst med vem som helst bara för att få

194

känna det igen. Nej, förresten, Samir var inte vem som helst och han gjorde definitivt inte vad som helst. Men han fick mig också att känna så, att jag *inte kunde låta bli*. Även om det inte var okomplicerat med Samir, inte ens när det var bra. Han var en variant på glädje, men han gjorde mig aldrig glad.

Doris har en personlighet lika upphetsande som våta byxben och hon är fet på det där amerikanska sättet – konformad – det får mig att tänka på en leksak jag hade när jag var liten, en bunt ringar i olika färger och ihålig plast. De skulle placeras ovanpå varandra på en platta med en pinne i mitten, i fallande ordning, med den största ringen längst ner. Eller en sådan där spiral som var poppis när mamma var ung (de "går" nedför trappor), Doris rör sig så fast långsammare: en bilring i taget, vid de få tillfällen då hon inte bara sitter still.

Jag har frågat Susse vad Doris sitter inne för. Det är Susse "förhindrad att berätta". Men oavsett vad det är hade det varit mer förvånande att hitta Doris ute i det fria än bakom lås och bom. Om man slog upp "kvinnofänge" i ett gammalt lexikon från 1800-talet skulle man hitta ett sepiafärgat fotografi på någon som var till förväxling lik Doris, möjligen med undantag för kläderna. För Doris har inte häktesuniformen (oh nej!), hon har tjockstrumpor i foppatofflor, mjukisbyxor och en fleecetröja. Över det har hon en gigantisk regnjacka, med fickor stora som soptunnor. Det är där hon förvarar sin tobak. Eventuellt också en kull nydränkta kattungar.

Varje gång jag rastas med Doris fantiserar jag ihop nya historier om vad det kan vara hon har gjort, det har blivit en utmaning att alltid försöka hitta på ett nytt brott. För det är inte lätt att veta. Doris är för gammal för att sitta häktad för att nyss ha haft ihjäl sitt nyfödda barn. Hon verkar för fet för att ha haft ihjäl sin karl (om hon inte helt sonika satt sig på honom) och jag kan inte föreställa mig vem som skulle vilja ha ihop det med Doris, eller att det har funnits någon i världen som Doris brytt sig tillräckligt mycket om för att hon skulle vilja sätta sig på hen. Doris är den fulaste kvinnan jag sett i hela mitt liv.

Det första jag tänkte på när Samir började i vår skola var hur vacker han var. Inte snygg, vacker. Frågar du vem som helst skulle de säga att det inte var de viktiga med honom, för alla måste alltid låtsas att vackra människor har ett särskilt inre, att de är smarta och snälla och roliga och allt möjligt, men visst var det Samirs främsta tillgång. Avgörande, till och med. Hans smarta kommentarer och fina betyg och politiska engagemang och allt han kunde som andra i hans ålder inte hade en aning om hade bara varit outhärdligt utan den där smörkolahuden och de mörkbruna ögonen, nästan lika svarta som de löjligt långa dockögonfransarna. Mina ögon kändes färglösa som regnvatten när han tittade på mig. Samir luktade tjära och salt. Han var den vackraste kille jag sett i hela mitt liv, hur skulle det kunna vara oviktigt?

Doris är gråblek som en daggmask och luktar våt hund. Förra helgen låtsades jag att hon förestått en bordell med hunsade horor, kidnappade från sina familjer i fattiga östländer. Jag fantiserade om hur hon suttit och rökt sina gråbruna cigaretter vid en gammeldags telefon i bakelit med korkskruvssladd. Där tog hon upp beställningar på förnedrande sex som hon sedan lät sitt stall av tolvåriga knarkare utföra. Till sin hjälp hade hon ett halvdussin slaver med dålig andedräkt och fläckiga skägg. Det var en av slaverna, tänkte jag; han ringde polisen och angav henne när han inte fick betalt.

I dag är jag mer inne på att hon har skött bokföringen åt någon knarkkung (hon vägrar vittna emot honom, eftersom han skulle döda henne då eller kanske har hon kokat sprängmedel åt sin yngsta son (en underhuggare med akne, han jobbar åt den ryska maffian). Kanske talar hon flytande svenska, hon bara låtsas köra den här stumfilmsgrejen, egentligen är hon född här, kanske ville hon bli skådespelare när hon var liten men kom inte in på scenskolan eftersom hon var för ful och då började hon supa och gick ner sig och efter ett par år började hon ta emot fosterbarn eftersom det var bra betalt. Kanske hade ett av hennes undernärda fosterbarn ätit så mycket kålsallad och lingonsylt i skolmatsalen att ungen fått åka till sjukhus. Och där gjordes en läkarundersökning och då upptäcktes Doris vanvård och det är därför hon sitter i min rastgård och vägrar att säga ett ord.

Jag har inget annat att göra om dagarna än att fantisera ihop sådana här saker. Doris är den mest effektiva antirökkampanj jag har utsatts för.

198

"Föreställ dig en plats där du känner dig trygg", brukade mamma säga när jag var liten och hade svårt att sova. Jag blundade och låtsades göra det hon sa, men jag gjorde det aldrig. Nu gör jag det, hela tiden. Helgerna på häktet gör tiden till ett urverk i huvudet. Rostiga kugghjul, de tuggar sönder hjärnan, en mikromillimeter i taget. Bara ibland tänker jag på det som är. Oftast tänker jag mig till andra platser där ingen annan finns.

Jag hittar på ställen där man borde känna sig trygg. Stränder, hav, vidder, tomhet, solnedgångar och vindar. Ibland tänker jag på skogen. Att jag går barfota i mossan fast det är höst, granbarren sticks, leran fastnar mellan tårna. Jag hatar inte häktet. Det är perfekt ensamhet. Du får inte vara någon annan, men ibland slipper du vara någon alls. Även om den bra känslan inte varar så länge, bara några sekunder kanske (ett skärp som känns skönt sekunden innan det dras åt för hårt) men just då mår jag lite, lite bättre.

Jag låtsas att jag går på en strand, till exempel. Inte för att jag har varit på en strand alldeles ensam, men det är lätt att föreställa sig, en lång strand med gråa snäckor och vit sand, tång och drivved. Jag fantiserar om att jag går på den, det är ebb, sanden är asfaltstung och kompakt när havet drar sig tillbaka. Långt borta vid horisonten slår vågorna, klipporna runt om bukten är svarta, vitt skum virvlar kring dem, exploderar flera meter upp mot himlen. Det låter och luktar, även när havet är stilla så rör det på sig, överallt. Jag vet att det låter lite som en film där Ryan Gosling går hand i hand på stranden med en brud som får håret i ansiktet och jag hatar sådana filmer, men jag tycker ändå om att tänka på den platsen. Fast utan människor.

Alla platser jag fantiserar om är tomma. Så fort jag tänker på en människa kommer antingen Samir eller Sebastian eller Amanda tillbaka, min hjärna tvingar mig att tänka på dem. Och jag fixar inte det. Då funkar inte mammas metod längre.

Förutom rasterna med Doris är jag isolerad. "För min egen säkerhet." Men jag vet att det bara är vad de säger. Jag sitter inte i ensamcell för att jag ska känna mig trygg utan för att alla utanför häktet ska känna sig trygga i förvissning om att jag är ordentligt inlåst. Men trots det. Trots fuktskadan ovanför mitt handfat i stål (den buktar utåt som magen på en fisk). Trots att de ger mig sömnmedel (tungan känns som en hamster i munnen när jag vaknar). Trots lukten. Jag vänjer mig aldrig vid lukten, det är som en grundfärg, den ändras aldrig och påminner lite grann om matoset från skolmatsalen (en blandning mellan storkök och svettiga gymnastikskor).

Trots allt är jag glad över att vara ensam i häktet. Jag kan tänka. På havet och stranden och skogen, alla de allra mest patetiska klichéerna. Alla motsatser till det här stället. Jag tror inte att jag skulle känna mig trygg i skogen eller på stranden eller hemma, men jag känner mig lite tryggare av att ligga instängd och tänka på sådana ställen.

Det finns förbjudna tankar också, andra än de om Amanda, Samir och Sebastian. Förbjudet är: hemma, vägen ner till vattnet, cykla till Ekudden med Lina på pakethållaren, bada vid hopptornet i Barracudaparken, gå barfota på Aludden, vifta bort myror från Linas fötter, grilla på Cykelnyckelön, läsa högt i soffan med Lina i knät, sitta på kökstrappen med mammas kashmirfilt över benen och dricka te, Linas svettiga hand när det är ett läskigt kapitel, min nattygsbordslampa som surrar när den varit tänd ett tag, skräckfilm med Lina, fingrarna kladdiga av varma popcorn med smör, Lina som äter äppelmunk och försöker att inte slicka sig om munnen, Lina som kniper ihop ögonen och munnen och rynkar nästippen när jag smörjer in hennes kinder med solkräm.

Den mest förbjudna tanken, mer förbjuden än någon annan: Lina.

Blunda, föreställ dig en plats, varsomhelst, bara inte Lina är där.

När rättegången är slut och jag blir dömd kommer jag att bli tvungen att flytta från häktet. Jag har inte frågat Sander, men han har berättat ändå, att han ("om den situationen aktualiseras") kommer att kräva att jag blir dömd till ungdomsvård och flyttad till något ställe för ungdomar. Men det kan "bli knepigt" eftersom jag fyllt arton.

Jag frågade Sander om jag kunde få stanna på häktet. Men han verkade inte tro att jag menade allvar. Det gjorde jag.

Om jag är sjuk några dagar kommer det att dröja ännu längre innan jag måste flytta härifrån. Och vart de än flyttar mig så kommer jag inte längre att vara isolerad. Sander och alla andra tror att det värsta med

200

häktet är isoleringen, jag fattar inte hur jag ska klara mig utan den. Det kommer att finnas massvis med människor runtomkring mig. De kommer att prata med mig, ta på mig, ställa frågor, sätta sig bredvid mig vid matbordet, kräva mig på svar.

Kommer jag att behöva träffa Lina? Antagligen. Jag vägrar att fantisera om det.

Huvudförhandling i mål B 147 66

Åklagaren m.fl. mot Maria Norberg

25.

Det regnar på vägen till domstolen. Rutan jag tittar ut genom blir randig på snedden av vattnet. Sander sitter i baksätet med mig, han mötte mig i häktet för att kunna "gå igenom några saker" på väg till förhandlingen.

"Har du sovit gott?" undrar han.

Jag nickar.

När jag var liten trodde jag att om man drömt en mardröm skulle man berätta den för att den inte skulle slå in. Och bara man sa den hemska drömmen högt så blev den overklig. Den ramlade liksom ur ramen för det som kan hända på riktigt.

I sagorna står det att trollen spricker i solen. Jag tror att det ska betyda att om man bara exponerar det hemska, visar upp det, så slutar det att vara hemskt. Men i verkligheten, med riktigt vidriga saker, är det tvärtom. För mycket solsken och "sanningar" och "prata ut" och "säg vad du känner" och "våga diskutera dina problem" får folk att se vilket monster du är. Dina fula känslor syns lika tydligt som håriga vårtor.

Ibland förblindar solen dem som tittar på trollet. Och då kan allt ljus, glittret, få monstret att bli världens vackraste. Så var det med Sebastian. Hans strålkastarljus var så starkt att det var svårt att se annat än att han var Claes Fagermans son, festfixaren, en kul kille. Den han var på riktigt gick knappt att urskilja.

Jag har slutat tro att jag kan avvärja katastrofer genom att sätta ord på dem. Saker händer uppenbarligen, oavsett vad jag säger. Det allra värsta påverkas inte av skrock och vidskepelse, statistik och sannolikhet.

"Tack", säger jag därför till Sander. Vad ska han göra åt att jag sover dåligt? "Bara bra."

Sedan återgår jag till att titta ut genom fönstret. Värmen susar in genom bilens luftkonditioneringssystem. Det är för varmt, men jag säger inget.

Förut brukade jag berätta om mina fantasier, mina drömmar, det jag låtsades och inbillade mig. Jag berättade och alla lyssnade. Pappa brukade dra upp mig i sitt knä och säga att han älskade min "livliga fantasi". När jag blev för gammal för att ha i knät ändrades det. Då började han avsky när jag berättade om underliga saker jag hade tänkt. Han gillade bara om jag kommenterade det någon annan redan sagt, om jag gjorde det lite spydigt och distanserat. Då lyssnade han. Ibland skrattade han nästan. Blev jag för engagerad tyckte han att jag var löjlig, då försökte han se ut som om han inte ens lyssnade. Han gjorde allt för att visa att han inte var det minsta intresserad. Jag var tvungen att viskprata utan satsmelodi för att han inte skulle säga att jag måste lugna ner mig. ("Ta det lugnt, Maja.")

Men det var inte bara pappa. Sebastian var likadan. Och Samir. Samir var det mer än Sebastian efter att vi legat med varandra. ("Ta det lugnt, Maja. Vad hetsar du upp dig för?") Alla killar är sådana när man har legat. Alla tjejer vet det.

Tjejer ska aldrig skratta åt sina egna skämt. Aldrig prata fort, eller ännu värre, högt. En tjej som pratar för högt om saker hon har listat ut på egen hand kan lika gärna börja kissa offentligt och visa tuttarna utanför riksdagen. *Mensiga, tonåriga, kvinnliga hormoner.*

Pappa tyckte bara om min fantasi i teorin. Egentligen var han rädd för den. Och numera är han knappast ensam om det. Min fantasi är en del av det de tror att jag är, ett bevis på det farliga och okontrollerade. Därför berättar jag om mina mardrömmar, eller det jag är rädd för. Jag har slutat tro att det ska få det onda att försvinna. Skrock hjälper inte mot verkligheten. Hypokondriker får dödliga sjukdomar lika ofta som alla andra.

Vi kommer fram till domstolen. Parkerar. Går ur bilen. Tar hissen upp.

"Vad var det du ville diskutera?" undrar jag. Först då inser jag att vi

206

suttit tysta hela resan. Sander rycker på axlarna. En kort sekund tror jag att han ska klappa mig på kinden, som morfar skulle ha kunnat göra.

"Du sköter dig bra, Maja", säger han istället. "Mycket bra."

Sander lyssnar alltid på mig. Till och med när jag är tyst.

Rättssalen känns mörkare än vanligt. Inte för att fönstren vanligtvis släpper in en massa dagsljus, men i dag är vi inlindade i grått, vått skumrask, till och med inomhus. Luften är torr, det känns kvavt redan innan vi har börjat. Vi har nästan två veckor kvar av rättegången och jag tycker redan att vi har hållit på en evighet. Jag har fattat grejen.

Börja klockan tio, sluta klockan fyra, fredagar lite tidigare om det går. När Sander berättade för mig om schemat lät det inte som om det skulle bli speciellt långa dagar, men jag förstod inte hur dödstrött man blir av att ha långtråkigt. Jag begrep inte att min egen rättegång skulle kunna bli långtråkig. Åklagarens papper, innantilläsning av protokoll och blanketter, rapporter och utlåtanden (vi "ska återkomma" till dem när det så småningom blir dags för vittnena att läsa innantill ur samma pappersjävlar), ännu fler protokoll, ännu fler utlåtanden.

Vi ägnade mer än halva förra veckan åt att lyssna på när åklagaren gick igenom vad vi ska *återkomma* till, det kommer aldrig att ta slut. Rättegången är som en mardröm där man hela tiden letar efter något men har glömt vad det är. Eller när man försöker skrika i drömmen och rösten inte fungerar och även om man tar i så kommer det inte ens ett krax ur halsen. Det är inte en läskig dröm på det viset att man blir rädd, man blir inte uppstressad så att man svettas, ändå vet man att allt går åt helvete och det finns ingenting man kan göra för att förhindra det.

I dag ska Sander göra sin sakframställan (och han ska lägga fram sina egna förbannade papper, dem han ska *återkomma* till senare). Att han ska göra sakframställan betyder på sätt och vis att han ska berätta min story, men han har också sagt att han "lägger grunden till varför vi anser att du måste frikännas".

Sander har aldrig sagt "det kommer att gå bra". Han ljuger inte för mig. Ferdinand har sagt "oroa dig inte" ett par gånger, men hon anstränger sig knappt för att försöka se ut som om hon menar det. Och eftersom det jag känner inte går att förklara som att jag "oroar mig" skiter jag i att svara.

Vad Pannkakan säger bryr jag mig inte om.

Klockan är två minuter i tio när chefsdomaren sätter på sin mikrofon. Han börjar med att snyta sig. En av nämndemännen gäspar utan att hålla handen för munnen. Inte en enda av domarna sitter på det där rakryggade viset som de gjorde de första två dagarna. Vi ska precis börja och de är redan mer uttråkade än vakten vid dörren. Bara Sanders tandrad lyser klart härinne. Han är pigg, han tycker att *jag sköter mig*.

Så fort ordföranden har tagit sig igenom inledningsorden ("härmed kallas till huvudförhandling i mål B 147 66 ...") – han rabblar oengagerat, typ "i faderns, sonens och den heliga andes namn", eller "såsom i himmelen så ock på jorden" – blir det Sanders tur att prata.

"Enligt åklagaren har Maja Norberg gjort sig skyldig till mord, anstiftan till mord och medhjälp till mord och mordförsök."

Jag tvivlar på att det här sällskapet behöver påminnas om den saken, men Sander verkar tycka att det är en klatschig inledning.

"Maja Norberg bestrider ansvar", fortsätter han, och nu är det hans tur att rabbla, han rabblar det han rabblade redan i inledningsanförandet om min inställning till huvudyrkanden och alternativa yrkanden och det blir omedelbart långtråkigt, jag vill härifrån. Men så sänker han den monotona takten ytterligare en aning. Och man måste anstränga sig för att lyssna.

"Åklagaren menar att Maja Norberg har anstiftat mordet på Claes Fagerman och att hon planerat och genomfört de aktuella brotten på Djursholms allmänna gymnasium ..."

Sanders röstläge är genomfruset. Det säger: detta-är-absurt-vad-åklagaren-påstår-det-är-orimligt-omöjligt. Rösten säger att allt det fula-Lena har sagt är så befängt att Sander inte ens kan förmå sig att upprepa det med något som helst engagemang. Han avslutar med en antydan till suck.

"Maja Norberg förnekar detta."

208

Sander tittar från ena sidan av domarpanelen till den andra. Den trötta nämndemannen gäspar igen, denna gång vänder han sig åt sidan. Sander fortsätter.

"Åklagarens gärningsbeskrivning innefattar ..." Jag undrar om det är hans tur att gäspa, "en beskrivning av ... hur ska jag uttrycka mig? En minst sagt märklig mördare."

Åklagaren skruvar på sig. Hon ser inte sömning ut. Istället är hon påtagligt irriterad, tittar stint på ordföranden, hon försöker få hans uppmärksamhet.

Sander suger på orden, ser nöjd ut, lyfter på huvudet, som om han just precis exakt den här sekunden kom att tänka på något nytt.

"Åklagarens bild av Maja som gärningsman är på sätt och vis enastående. Unik i sitt slag."

Jag försöker se ut som motsatsen till unik. Omärklig. Vanlig. Jag vill visa alla hur alldaglig jag är. *Enastående?* Varför säger han så? Är inte det något bra? Är åklagarens bild av mig något bra? Sander får det att låta som böldpest (eller, ja, massmord). Men ingen tittar på mig. Alla stirrar på Sander, de är rädda att missa en enda stavelse.

"Är Maja det?" Jag rycker till. Meningen är ett piskrapp. "Är verkligen Maja den åklagaren påstår att hon är?"

Nu skrapar åklagaren med sin stol i golvet. Hon kan knappt sitta still, så upprörd är hon.

Sander låter frågan hänga i luften. Sander pratar inte om min privilegierade ställning, att jag är från Djursholm, att jag är "unikt lyckligt lottad", verklighetsfrånvänd, isolerad, allt det har åklagaren pratat om. Sanders retoriska fråga handlar om ifall jag är unikt ond.

Statistiskt sett talar det mesta emot mig. Redan mitt kön gör det osannolikt att jag skulle gå in på en skola och börja meja ner folk. Visst har det funnits några kvinnliga skolskyttar, men de är verkligen inte många. Sebastian däremot, som i hela sitt liv varit unik i sitt slag, är på alla sätt utom ett en typisk skolskytt. Minus rikast-i-Sverige-grejen stämmer allt: en vit kille med psykiska problem, drogmissbrukare, problem i skolan, separerade föräldrar och van vid vapen. Sander har med ett utlåtande från en psykiater i sin sakframställan. Psykiatern ska kallas som vittne.

"Maja gjorde inte Sebastian galen", ska psykiatern få säga. "Han blev galen på egen hand." Jag däremot, mig är det inte lika enkelt att få in i mallen. "Maja är inte skolskyttstypen", ska vår expert få påpeka. Statistiskt sett, det är Sanders poäng, borde jag vara oskyldig. Problemet är bara att alla mördare inte är typiska. Och att i de få fall där skolskytten har varit kvinna så har hon alltid gjort det tillsammans med sin kille. Men det säger inte Sander något om. Åklagaren lär dock ha ett knippe experter beredda att påminna om just det.

Och nu har åklagaren fått nog. Hon har knäppt på sin mikrofon, hennes mun har skrynklats ihop till ett katrinplommon.

"Borde inte advokat Sander, av tidsmässiga skäl om inte annat, koncentrera sig på sin sakframställan och spara det här till sin plädering?"

Domaren skakar på huvudet. Han ser också irriterad ut. Men mer på fula-Lena än på Sander. Domaren gillar inte att bli tillsagd hur han ska sköta sin rättegång.

"Advokat Sander är väl medveten om vår planering och hur lång tid han har att förfoga över." Han tittar på Sander. "Eller hur?"

Sander nickar och fortsätter, märkbart uppiggad.

"Åklagarens gärningsbeskrivning är en makalös historia. Hela världen har fascinerats av Sebastian och Maja: Sveriges mest osannolika par i brott. Och åklagaren har fått hjälp i sitt sagoskrivande, inte minst av de journalister som under de senaste nio månaderna har kunnat berätta om hur Maja Norberg ska ha övertalat, förlåt, manipulerat, sin svaga, i kraft och handling oförmögna pojkvän att genomföra en blodig hämnd på människor i deras absoluta närhet."

Åklagaren suckar, högt så att alla ska höra. Hon har aldrig sagt det här, säger sucken. Men det har hon, kanske inte rätt ut, ändå vet alla vad hon menar. Domaren lyfter motvilligt sin hand och gör en cirkelrörelse med den i riktning mot Sander. *Kom till saken*, säger hans hand. *Kärringen är tjatig, men hon har en poäng*, säger handen också. *Du får återkomma till det här senare.* Jag tittar ner i bordet. Jag förstår vad Sander håller på med. Men det är ändå mig och Sebastian han pratar om.

"Vi kan historien vid det här laget. Maja och Sebastian var ett ungt par med många problem: med droger och alkohol, med skolan och varandra, med sina föräldrarelationer och vänner. Åklagaren försöker

210

visa att Maja var gränslöst bekräftelsesökande, att hon kände ett ore-sonligt hat mot människorna i sin och Sebastians närhet, att hon ville hämnas, att Sebastian var svag, att han känt sig hotad och ifrågasatt och att Maja var hans enda fasta punkt i tillvaron, att det var hos henne han sökte bekräftelse."

Åklagaren harklar sig igen. Ännu högre den här gången. Sander pra-tar obekymrat vidare.

"Vi har hört åklagaren redogöra för de händelser som föregick mor-det på Claes Fagerman och tragedin på Djursholms allmänna gym-nasium. Maja godtar stora delar av den beskrivningen." Sander drar återigen en nästan omärklig suck. "Med vissa avgörande skillnader."

Sander tittar ner i sina papper; han är tyst och bläddrar en stund. Pappren behöver han inte, annat än för att ge oss tid att tänka efter. Han vill att vi ska hinna bli sugna på att höra fortsättningen.

När ordföranden förstår att inledningen på Sanders anförande är slut sträcker han sig efter sitt block. Jag gillar faktiskt det med honom, att han antecknar och lyssnar. Ibland, när han tycker att Lena Pärsson pratar för fort till exempel, då höjer han handen i en stoppgest för att få henne att sakta ner. En gång, när Lena Pärsson visade messen jag skickade till Sebastian natten före, bad han henne att vara tyst medan han antecknade tidsangivelserna. Han sa till och med "shh ...", fast det var nog av misstag. "Ett ögonblick", sa han också, precis efteråt. Och Lena Pärsson blev tyst. Domaren ville anteckna alla tidsangivel-ser på sitt eget papper, trots att han redan hade alla pappren och trots att Lena Pärsson körde sitt pedagogiska läsa-högt-och-visa-på-stor-skärm-samtidigt. Jag gillar det med honom, att han tar allt på allvar och inte litar på att allt Pärsson säger är rätt.

Sander fortsätter.

"Det här är ett exceptionellt uppmärksammat mål. Vi har alla hört åklagarens berättelse. Hon har obekymrat vidarebefordrat den till media under en mycket lång tid. Det är nu dags för oss att ta ett steg tillbaka. Det är först nu Maja kan berätta sin sida av saken. Lyssna på henne, tack. Med öppet sinne. Försök också komma ihåg att det är först efter att vi har granskat samtliga bevis och hört samtliga vittnen som vi kommer att kunna sammanfatta vad vi faktiskt vet. Vad är fakta och vad är spekulationer? Först efter avslutad förhandling kommer vi att kunna jämföra de fakta vi har i målet med det Maja berättar."

Åklagaren lyckas med konststycket att ge ifrån sig ett ljud som påminner om när en människa himlar med ögonen. Prata-inte-med-oss-som-om-vi-var-dumma-i-huvudet säger ljudet.

Sander nickar åt Ferdinand. Hon reser sig upp och ställer sig vid ett avställningsbord med en dator. Där tar hon upp en liten manick. Den liknar en penna och är kopplad till salens två storbildsskärmar. Med den kan hon peka på bilderna med en röd laserprick.

Lasermannen, tänker jag och känner hur ett skratt stiger upp i halsen, plötsligt som en sur uppstötning. I sista stund lyckas jag förvandla skrattet till en hostning och Ferdinand klickar upp en övervakningsfilm från Sebastians uppfart. Tidsangivelsen syns i ena hörnet av skärmen. Det är inget ljud påslaget.

"Så ... vad är det vi vet?" undrar Sander. "Låt oss börja med kronologin. Maja har berättat att hon gick från Fagermans hus strax efter klockan tre på morgonen den aktuella dagen. Inhämtat material från Fagermans övervakningskameror visar att det stämmer. Maja gick från huset klockan 03.20. Hon har berättat att hon kom tillbaka strax före klockan åtta samma morgon, det styrks också av det filmade materialet."

Han harklar sig. Nickar åt Ferdinand, hon klickar fram utskriften av ett förhör med en av Claes säkerhetsvakter.

"Enligt förhör med Fagermans säkerhetsvakt har han en sista kontakt, via den kameraförsedda porttelefonen, med Claes Fagerman efter att Maja har gått från huset klockan 3.20. Vad kan vi dra för slutsats av detta? Claes Fagerman var sålunda vid liv när Maja gick därifrån."

Ferdinand klickar sig tillbaka till övervakningsfilmen och låter den röda pricken dansa på storbildsskärmen.

"Vi tar det igen. Övervakningskamerorna från infarten till Fagermans hus visar hur Maja Norberg lämnar Fagermans adress klockan tjugo över tre på morgonen och hur hon sedan återvänder till platsen först klockan 07.44."

Sander harklar sig och låter bildsekvensen rulla klart. De har klippt ihop övervakningsfilmerna. Först får vi se när jag går ut genom Sebastians ytterdörr och nerför hans uppfart och sedan när jag kommer tillbaka igen. Ferdinand ritar cirklar med laserpennan runt tids-angivelserna.

Därefter visar Ferdinand ett obduktionsprotokoll på skärmen.

"Enligt det rättsmedicinska utlåtandet avlider Claes Fagerman ett par timmar innan Maja återvänder till huset strax före klockan åtta. Uppskattningsvis skjuts Claes Fagerman ihjäl ungefär klockan fem på morgonen, fredag morgon. Den tidsangivelsen understöds av rättsläkarens observationer på plats och av den efterföljande rätts-medicinska undersökningen. Utredningen visar sålunda att när Claes Fagerman skjuts ihjäl är Maja Norberg inte närvarande. Maja har uppgivit att hon vid den här tidpunkten, mellan ungefär klockan halvfyra och strax före åtta på morgonen, befunnit sig i sitt eget hem, en dryg kilometer från Fagermans hem. Den här utsagan styrks inte bara av den säkerhetsvakt som arbetat vid infarten till Fagermans hus under den aktuella natten utan också av Majas föräldrars berät-telse."

Jag ser i ögonvrån hur åklagaren skakar på huvudet. Hon tycker att det här också är onödigt, hon vill visa att hon fortfarande tycker att Sander borde komma till saken. Men när hon berättade det här var det inte lika tydligt. Det var svårare att fatta vad hon menade.

"Vi kan alltså konstatera att det är fastställt att Claes Fagerman av-led under en tidsperiod då Maja inte befann sig i huset. Detta över-ensstämmer också med åklagarens gärningsbeskrivning. Min huvud-man har inget att invända i dessa delar."

Jag tror en stund att Sander ska låta bli att säga något om messen. Att han ska låtsas som om de inte finns. Men det kan han naturligtvis inte göra.

"Så vad händer när Maja befinner sig i föräldrahemmet eller är på väg till eller från Fagermans villa? Det är i den här delen som åklaga-rens gärningsbeskrivning går från att redogöra för vad vi vet till rena spekulationer."

Ferdinand klickar fram samma överblick över Sebastians och mina mess från natten innan som åklagaren visade under sin redogörelse. Omedelbart börjar jag frysa. Min skalp krymper. Den gjorde sam-ma sak när kalla-mig-Lena läste upp dem förra veckan. Jag vill inte se dem igen, aldrig mer. Sander låter bilden lysa medan han pratar vidare.

"Åklagarens redogörelse för händelseförloppet innefattar ett flertal påståenden som Maja bestrider. Men låt mig först snabbt påminna om det Maja medger. Hon har i förhör berättat att Claes Fagerman inleder ett våldsamt gräl med sin son. Grälet fortsätter efter att ungdomarna som befunnit sig i huset för att festa har lämnat hemmet. Efter att Maja och Sebastian varit ute på en gemensam promenad återvänder de till huset där grälet mellan Sebastian och hans far återupptas. Sebastian och Claes grälar fortfarande när Maja lämnar huset för att gå hem och sova. Så långt finns alltså inget att invända."

Festen. Jag mår illa av att tänka på den. När Claes hade kastat ut Dennis, Labbe, Amanda och alla de andra blev det tyst i villan. Jag tyckte att det var skönt först. Sedan började Claes skrika. Inte bara på Sebastian, han skrek på mig också. Vi var tvungna att gå därifrån. Vi var ute och gick ganska länge. Jag var rädd. Sebastians pappa gjorde mig rädd. När han satt i sitt arbetsrum, när han pratade med människor som fick betalt för att göra hans liv lättare, då gick det knappt att titta rakt på honom utan att bli bländad av all hans förträfflighet. Men som Sebastians pappa var han någon annan.

När vi kom tillbaka hade Claes satt på sig morgonrock, han väntade på oss i köket och han hade inte ens en tidning att klamra sig fast vid. Det gick knappt att känna igen honom. Tappad på allt pigment. Han såg liksom osminkad ut, även om han aldrig sett sminkad ut förut, någonsin, inte ens när han var med på tv.

Bara någon timme tidigare, när Claes kastade ut alla, hade han känts gigantisk, till och med större än han brukade, men nu, när alla åkt hem och han skrikit klart, förintat allt, hade han blivit kortare och fulare. All den affärsmässiga glansen var avskrapad. Kvar vid det där köksbordet var bara en blek gubbe i morgonrock, en cirkelsimmande skräckfisk i svart vatten, en blind, vit fisk på botten av en djup sjö. Sebastians pappa levde på mörker och encelliga vattendjur. Det syntes.

Jag har nog aldrig hatat Claes Fagerman mer än jag gjorde just då.

"Men."

Sander har lyft upp ett långt, välmanikyrerat pekfinger. Vi väntar på hans poäng. Vi väntar på att han ska förklara vad det är jag inte håller med åklagaren om. Under tiden ser jag hur den röda punkten liksom kryper upp på skärmen och fastnar på mitt första meddelande. Ferdinand har lagt ifrån sig laserpekaren, det är av misstag pricken hamnar där. Mitt första mess.

Vi klarar oss utan honom. Du behöver inte honom. Din pappa är vidrig.

Jag läser inte resten.

Jag skrev många fler den där natten. Alla kan läsa dem. Jag tittar ner i bordet.

De andra kan läsa:

Han förtjänar att dö.

26.

"När Maja återvänder till Fagermans hus morgonen därpå har hon skickat Sebastian nio mobiltelefonmeddelanden. Sebastian har skickat tre svar och han har ringt Maja två gånger. Så vad säger ungdomarna till varandra? Åklagaren menar att det är under samtalen dem emellan som själva planeringen sker. Det första samtalet varar i två minuter och fyrtiofem sekunder och äger rum strax efter att Maja lämnat Sebastians bostad och innan hon har hunnit komma hem. Det andra äger rum precis innan hon lämnar sin egen bostad för att gå tillbaka till Sebastian. Det varar i mindre än en minut."

Sander tittar på Ferdinand. Hon har plockat upp laserpekaren igen och riktar den mot telefonlistan där de två samtalen står utsatta. Den röda pricken darrar lite. Hur ska någon kunna förstå varför jag skrev det jag skrev? Hur vidrig Claes var. Att det värsta inte var att han smet ifrån det han borde ha gjort, det han borde ha sagt till Sebastian, det värsta var vad han faktiskt gjorde och sa.

Sebastian hade aldrig tidigare velat se den här sidan av honom. Han avgudade sin pappa. Det var den enda människa han såg upp till. Men den allra sista natten blev Sebastian tvungen att se det jag redan visste. Ändå verkade han mer trött än arg när jag gick därifrån. Grälet och promenaden och det vi sagt hade gjort honom utmattad. Jag trodde att han skulle gå och lägga sig. Var jag arg? Jag vet inte. Mina känslor hade inte varit viktiga på väldigt länge, huvudsaken var Sebastian. När han skrev första messet till mig "vad ska jag göra", ville jag visa att jag var på hans sida, jag ville säga att jag också sett vem hans pappa var och att han skulle klara sig utan honom, att allt skulle ordna sig. Hans pappa var inte värd honom, han hade inte rätt att förnedra Sebastian.

Vi klarar oss utan honom. Du behöver inte honom.

Jag vägrar att läsa de sista orden. Men jag skrev till Sebastian att jag tyckte att Claes förtjänade att dö. Jag menade det.

Sander säger ingenting om det, om vad jag kände då. Trots att jag har sagt det till honom. Istället lyfter han sitt finger igen, nu ännu högre, uppfordrande, han kräver att vi ska lyssna.

"Vad säger den här telefonlistan? För det första: Sebastian och Maja har pratat med varandra, och de har messat varandra. Vi vet inte vad de har pratat om. Och vi känner till innehållet i messen, men vet vi vad det betyder?"

Han höjer ytterligare ett finger.

"Maja har medgivit att hon inte tyckte om Claes Fagerman. Att hon tyckte att han misskötte sin föräldraroll. Maja baserade denna uppfattning på den behandling Claes Fagerman utsatte sin son för. Inte vid något tillfälle har dock Maja agerat på ett sådant sätt att det kan anses visat att hon förmått Sebastian att döda sin far, eller att det hon sagt ska anses vara tillräckligt för att uppfylla kriterierna för anstiftan i lagens mening."

Men jag ville att han skulle dö. Hur ska Sander kunna komma runt det?

"Vi kommer att diskutera om uppsåt funnits, om messtexten 'han förtjänar att dö' betyder att Maja ville att Sebastian skulle döda sin far, eller åtminstone ställde sig likgiltig till om Sebastian kunde tänkas tolka det som en uppmaning att döda. Vi anser att Maja saknar uppsåt. Men det finns ett ännu viktigare skäl till varför åklagaren inte kan anses ha uppfyllt kriterierna för anstiftan. Sebastian ville döda sin far. Han behövde inte bli övertalad av Maja på den punkten. Och detta kommer vi att återkomma till."

Journalisterna älskar det här. Jag ser dem inte, men jag kan känna hur de kollektivt lutar sig framåt i sina stolar för att inte missa ett ord. Hur intensivt de lyssnar på vartenda ord om kejsar Claes Fagerman, hur den onde miljardären behandlade sin son som en olydig slav. De älskar att Sander gör Claes Fagerman till ett monster, att de ska få bli insläppta hemma hos honom och få veta alla detaljer om hur han ignorerade sin son, skämde ut honom, förolämpade honom, avskedade

217

honom från familjen, sparkade ut honom. En fungerande pappa borde ha sett till att Sebastian fick vård och omsorg, Claes Fagerman spottade på honom istället, om och om igen. Jag kan inte se journalisterna, men temperaturen i salen har höjts flera grader av deras upphetsning, av den här nya historien. De vill gärna berätta den och de har redan glömt att de berättade en annan historia nyss. Nu ska de låta sina läsare och tittare lära känna Sveriges rikaste man på riktigt. Claes Fagerman – miljardären som drev sin son till massmord. Att den här historien dessutom kan påverka börsen är en bonus journalisterna knappt kan hantera, så härligt tycker de att det är.

"Låt oss återgå till tidsaxeln. En omständighet vi har full klarhet i, är att efter att Maja har befunnit sig inne i Fagermans hus i elva minuter sätter sig Sebastian Fagerman och Maja Norberg i en av Claes Fagermans bilar för att åka till Djursholms allmänna gymnasium. Med sig i bilen har de två väskor. Åklagaren hävdar att Maja varit medveten om vad som funnits i väskorna redan innan hon hjälpte Sebastian att lägga dem i bilen. Åklagaren menar att Maja gjorts uppmärksam på innehållet allra senast under de elva minuter då hon befann sig i Fagermans hus vid åttatiden på morgonen den aktuella dagen."

Han sänker handen.

"Maja nekar. Att Sebastian skulle ha berättat för henne vad han gjort och planerade att göra är rena spekulationer från åklagarens sida. När Sebastian och Maja åker till skolan vet inte Maja om att Sebastian har dödat sin pappa. Hon har inte fått veta vad Sebastian tänker göra i skolan. Maja tror att Sebastian inte tänker sova hemma de närmaste nätterna och därför behöver ta med sig packning. Hon förutsatte att han tänke sova på en av familjens båtar och ta dit väskorna efter skolan. Borde hon ha frågat vad väskorna innehöll? Borde hon ha listat ut att Sebastian dödat sin pappa? Så här i efterhand har hon sagt i förhör att hon önskar att hon hade gjort det. Men det är ingenting vi kan klandra henne för. Det är också omöjligt att spekulera i vad som skulle ha hänt om hon hade gjort det. Skulle Sebastian ha dödat henne och säkerhetsvakterna och åkt till skolan ensam? Kanske. Det är omöjligt att veta. Och dessutom, vad gäller åtalet, ointressant. För det avgörande är: åklagaren kan inte visa att Maja har planerat något av morden

218

tillsammans med Sebastian Fagerman, åklagaren kan inte ens visa att Maja varit medveten om att Sebastian Fagerman haft de planerna."

Du ska ut ur mitt hus. Det skrek Claes medan de andra fortfarande var kvar. Inte bara jag hörde det. Han sa det till säkerhetsvakten också. *Jag ger honom tjugofyra timmar. Sedan ska ni byta lås. Efter det får han inte komma in på området under några omständigheter. Hör ni det? Hör ni vad jag säger? Jag vill inte ha med honom att göra. Han är myndig, jag har inget ansvar för honom. Han ska ut. Jag har fått nog. Polisen får slänga ut honom om det krävs.*

Sander säger ingenting om det nu. Men säkerhetsvakterna ska höras senare. Han kommer att be dem att berätta om det.

Sander höjer återigen ett finger.

"Maja kände inte till Sebastians planer. Hon har inte hjälpt honom med förberedelser eller planering. Hon har inte heller hjälpt Sebastian vid utförandet av dåden, vare sig direkt eller indirekt. Vi kommer under veckan att få tillfälle att närmare diskutera åtalets brister i dessa delar, men jag vill redan nu påminna om åklagarens skriftliga bevisning. Finns det något i utredningen som tyder på att Maja har vetat att väskorna inte innehöll Sebastians packning, att hon varit medveten om att det fanns vapen och sprängmedel i dem? Svaret är nej."

Ferdinand klickar fram ett protokoll som åklagaren redan har pratat om, men nu är det vår tur att visa samma papper.

"Samtliga skjutvapen förekommande i utredningen ägs av Claes Fagerman och har – före dåden – förvarats i ett vapenskåp försett med säkerhetskod. Maja har inte känt till denna kod. Väskorna är Sebastian Fagermans. Hon har inte hjälpt till med att packa dessa väskor, eller på något annat vis assisterat vid förberedelserna. Vi kommer att återkomma till den tekniska utredningen och visa att den också stöder Majas berättelse."

Jag tycker i ärlighetens namn att Sanders redogörelse börjar kännas lite hoppig, men ordföranden verkar lyssna och de andra domarna ser inte ut som om de tänker somna. Sander berättar hur vi körde till skolan. Hur lång tid det tog. Var vi parkerade. Ferdinand klickar på sin dator och pekar med sin laserpenna, Pannkakan bläddrar i sina pärmar. Då och då räcker han över ett papper till Sander.

Sander berättar att när vi kom till mitt skåp la Sebastian in den ena av väskorna där. Det var i den bomben låg.

Jag har fått frågan sextiotre gånger minst, varför jag lät honom lägga den där, varför jag sa ja, varsågod, typ: *Lägg för all del din bomb i mitt skåp.* Åklagaren undrar, precis som poliserna gjorde när de förhörde mig, varför jag inte sa åt Sebastian att lämna grejerna i bilen. Varför skulle hans packning med in i skolan om den skulle till båten?

Jag har försökt förklara, att vara ärlig. För sanningen är att Sebastian antagligen inte ens frågade mig om han fick lämna väskan där, han bara gjorde det. Jag behövde inte säga ja, för jag skulle aldrig ha sagt nej.

Och om du inte tyckte att det var konstigt att han la ena väskan där, varför tyckte du inte att det var bättre att lägga bägge där? Varför tyckte du inte att det var konstigt att han släpade med sig en väska full med packning till klassrummet?

Den andra väskan fick inte plats. Han kunde inte lägga båda där. Varför mitt skåp och inte hans? Sebastian hade inte med sig sin skåp-nyckel. Han hade aldrig det. Jag tror inte ens att han hade kvar den, jag hade i alla fall aldrig sett honom använda sitt eget skåp. Behövde han ett skåp använde han mitt. Han använde också mina böcker, mina pennor, mina papper, vid de sällsynta tillfällen då han brydde sig. Att Sebastian tog med sig den andra väskan till klassrummet istället för att lämna den var inte det minsta konstigt.

När Sander har pratat klart om mitt skåp och väskorna tittar han på Ferdinand och väntar på att hon ska byta bild. Det är en ritning över klassrummet. Jag känner hur illamåendet stiger upp i gommen. Jag funderar på att lägga händerna över öronen, men jag vet att jag inte får. Jag måste lyssna. Jag måste se ut som om jag klarar av att ta mig igenom det här.

"Det exakta händelseförloppet i klassrummet är inte klarlagt. Men enligt det Maja har kunnat återge ser det ungefär ut som följer. Väl inne i klassrummet lägger Sebastian Fagerman den medtagna väskan på en av bänkarna i den bakre delen av klassrummet."

Ferdinand pekar med den röda pricken.

"Omedelbart efter att Fagerman kommit in i klassrummet öppnar

220

han väskan och plockar ut vapen nr 1, ett halvautomatiskt jaktvapen registrerat på Claes Fagerman. Vapnet är av typen Remington kaliber 308 W. Maja står strax bakom Fagerman när han öppnar eld. Vapen nr 1 är laddat med ett standardmagasin innehållande fyra kulor. Fagerman avlossar två skott som träffar …" Ferdinand låter laserstrålen peka ut Dennis plats, den är markerad med en etta. "Fagerman tömmer sedan magasinet innan han laddar om med ett nytt standardmagasin och avlossar ytterligare ett skott." Ferdinand pekar på Christers och Samirs positioner. "Han lägger inte vapnet ifrån sig och det tar honom uppskattningsvis ett par sekunder att ladda om. I direkt anslutning till Fagermans avlossande av dessa skott plockar Maja Norberg upp vapen nr 2. Även detta vapen är registrerat på Claes Fagerman. Det ligger fullt synligt i den öppna väskan. Detta vapen är av samma modell som vapen nr 1 och är även det laddat med ett standardmagasin med fyra skott. Därutöver finns ett skott i loppet."

Ferdinand låter laserstrålen svepa mot den punkt som markerar var Amanda stod när hon blev träffad och sedan låter hon punkten landa på Sebastians siffra. Hon klickar på sin dator och bilden visar hur Sebastians och Amandas siffror och min ifyllda ring (jag har ingen siffra utan en ring) förflyttade sig.

"Med stor sannolikhet är vapnet osäkrat när Maja tar upp det och när hon letar efter det ställe där hon ska kunna osäkra vapnet avlossar hon – av misstag – först ett, sedan ännu ett skott. Några sekunder senare tömmer hon magasinet."

Ferdinand klickar fram nya positioner på ritningen med grejen hon håller i handen. Klicketiklickklick och siffrorna flyttar sig tills de en efter en blir alldeles stilla och det får mig att tänkta på de där blädderblocken morfar brukade göra åt mig när jag var liten, med en streckgubbe i hörnet på blocket, som sprang när man bläddrade jättesnabbt. En gång ritade morfar en gubbe som hängde sig. På sista sidan var han död. Då blev mormor sur.

"När skottlossningen är över inväntar Maja polis och sjukvårdspersonal. När de anländer låter sig Maja avväpnas utan att göra motstånd."

Det finns massvis med fotografier tagna inne i klassrummet efter att kropparna flyttats därifrån. Men dem visar Sander inte. Bara teckningar och ritningar med prickar och siffror och streckade linjer. Inget blod. Min redogörelse, eller rättare sagt min advokats redogörelse, är blodfri.

"Nu har vi kommit till kärnan i åklagarens gärningsbeskrivning." Sander tittar på mig från sidan. "Åklagaren menar alltså att Maja och Sebastian gemensamt har planerat att skjuta samtliga närvarande, att låta den tidsinställda sprängladdningen detonera i Majas skåp, och att avsluta med att skjuta sig själva. Åklagaren menar att när Maja avlossar de första skotten med Vapen 2 gör hon det i avsikt att döda Amanda. Åklagaren hävdar att Maja uppsåtligen dödar Amanda och att hon dödar Sebastian i ett läge som inte kan betraktas som nödvärn."

Sander gör en paus igen. Ingen gäspar längre. De raka ryggarna är tillbaka. Domarna tittar på mig när Sander slutar prata. Jag torkar ögonen med baksidan av handen och tittar tillbaka. Pannkakan ger mig en pappersnäsduk. Jag tar den och knölar ihop den. Sander pratar lågt igen.

"Maja förnekar ansvar. Maja har inte planerat detta med Fagerman. När hon kommer till Fagerman för att åka med honom till skolan vet hon inte om att Claes Fagerman är död. Hon blir inte heller informerad om det. Hon vet inte vad väskorna innehåller. Vi kan bara spekulera i vad som hände mellan far och son Fagerman under den tid då Maja var hemma hos sina föräldrar. Kanske var det grälet som eskalerade på ett sätt så att Sebastian bestämde sig för att skjuta sin pappa? Kanske hade han redan tidigare planerat det han gjorde? Men under den här rättegången ska vi inte spekulera i Sebastian Fagermans motiv och handlande. Domstolens enda uppgift är att fastställa Majas roll. När skottlossningen inleds blir Maja chockad. När hon tar upp ett av de vapen som Fagerman tagit in i klassrummet är det för att skydda sitt eget och de andras liv, för att få stopp på Fagerman. Det går snabbt för honom att skjuta sina tre första offer. Mycket snabbt. Maja är en ovan skytt, hon är dessutom skräckslagen. När hon avlossar vapnet de första gångerna blir Amanda Steen träffad, men detta är inte Majas avsikt. Maja är obekant med hur vapnet hon hittar i väskan fungerar, hon har under utredningen förklarat att det första skottet avlossades när hon försökte hitta säkringen. När vapnet brann av blev hon skrämd och avlossade, återigen av misstag, ytterligare ett skott. Först därefter lyckas hon få viss kontroll över sitt vapen och när hon skjuter igen träffar hon Fagerman. Under hela denna tidsrymd befinner sig Maja i ett självklart nödvärnsläge. Det enda sättet för henne att värna sitt liv är att ta ett av de vapen som Fagerman medfört in i klassrummet och använda det för att försvara sig."

Nu reser Sander på sig. Han klarar inte av att sitta still längre, han går fram till Ferdinand och tar laserpennan från henne, låter den röda strålen virvla över ritningen men pekar inte på något speciellt.

"Visar utredningen att Maja planerat detta med Sebastian? Nej. Visar den att Maja var medveten om Sebastians planer? Nej. Kommer åklagaren att kunna visa att Maja haft uppsåt att döda Amanda? Nej. Svaren på samtliga dessa frågor är klart och tydligt: nej, åtalet är inte styrkt på någon av dessa punkter. Dödar Maja Sebastian i självförsvar? Naturligtvis."

Åklagaren har för andra gången knäppt på sin mikrofon. Nu låter hon skitförbannad.

"Jag måste faktiskt protestera. Är det verkligen för mycket begärt att advokaten håller sig till sakframställan? Skulle advokaten kunna återkomma till det här försvarstalet i sitt slutanförande?"

Ordföranden nickar motvilligt.

"Advokat Sander?"

Sander vänder sig mot mig istället. Han höjer handen häftigt och den röda pricken träffar mig på axeln. Jag rycker till. Sander verkar arg. Och han bryr sig inte det minsta lilla om att domaren och åklagaren tycker att han ska byta spår. De kommer att bli tvungna att kasta ut honom för att få honom att sluta. Det verkar inte ens som om han talar till domarna längre.

"Förklara gärna för mig hur Maja ... en tonåring, chockad, hotad till livet ... hur skulle hon kunna göra något annat?" Sander sänker handen igen, vänder sig mot domarpanelen och jag kan andas ut. "Förklara gärna för mig vad ni hade gjort i hennes ställe. Förklara för mig hur ni kan klandra henne för detta?"

Åklagaren harklar sig överdrivet högt och länge i sin påslagna mikrofon.

Domaren nickar igen, lite mer bestämt den här gången.

"Vi behöver gå vidare, advokat Sander. Advokaten har väl en del skriftlig bevisning att gå igenom?"

Sander vänder sig mot Ferdinand. Han rycker på axlarna, ger tillbaka laserpennan och återvänder till sin plats. När han har satt sig har rösten återfått sitt vanliga torra tonläge.

"Vi har en del skriftlig bevisning att åberopa. Ja."

En del. Ett typiskt exempel på Sanders humor. Han har lämnat in kilovis med skriftlig bevisning.

Ferdinand har plockat upp en hög med tjocka pärmar. Domarna får varsin. Ordföranden får sin pärm först. Slutligen lägger Ferdinand fyra pärmar på åklagarens bord. Utöver Sebastians psykiaters utlåtande, det som gjordes strax efter det som hände på annandagen, finns det kompletteringar till min personundersökning och alla kopior av alla de kompletterande utredningsåtgärder som Sander har låtit sina medarbetare beställa och genomföra. Han har inte litat på en enda av åklagarens analyser, utan beställt egna undersökningar av vapnen och brottsplatsen. Han har till och med genomfört en egen rekonstruktion av skolskjutningen. Sander har gjort en närmast fullständig parallellutredning.

Han kommer att påminna rätten om vartenda papper. Papper efter papper efter papper. Vi ska "återkomma" till de flesta av dem. Det blir lunch och det blir eftermiddag och det blir ganska snabbt skittråkigt igen.

Klockan har hunnit bli fem i halv fyra när Sander dricker upp det sista av sitt vatten och lägger undan sitt sista papper. Domaren höjer sin hand och skriver frenetiskt i sitt anteckningsblock. Sander låter honom skriva klart.

Sedan lägger han händerna framför sig, handflatorna utsträckta, blicken rakt fram.

"Ibland brukar vi säga om särskilt svårdömda mål att ord står mot ord. Här är det enklare. Den tekniska undersökningen visar att Sebastian packat väskorna, hanterat vapen och explosiva medel ensam, och att han har planerat dåden ensam. Maja har inte varit närvarande vid

Claes Fagermans död. Maja har skjutit gärningsmannen. Och vad vet vi om bakgrunden? Vi vet att Sebastian har haft stora problem. Så pass stora att inte bara Maja varit orolig för hans liv. Efter incidenten vid jul var hon ständigt orolig. Under våren blev Sebastian alltmer svårhanterlig och våldsam. Om detta vittnar ett flertal människor i hans närhet. Det irrationella beteendet har eskalerat för att slutligen utmynna i den katastrof där Maja blir ett av offren. Maja däremot, hon har aldrig uppvisat några tecken på våldsamhet, inte förrän vid det tillfälle då hennes liv är hotat. "

Sander tittar på mig från sidan. Plötsligt får jag för mig att han ska ta min hand. Jag lägger ner den i knät och tittar på chefsdomaren istället. Han ser mig rätt i ögonen när Sander avslutar.

"Maja Norberg avlossade ett vapen i sitt eget klassrum. Hon gjorde det för att rädda sitt liv. Men nu är det vår tur. Nu måste vi rädda Maja."

27.

Sedan blir det tyst. Knäpptyst. Nästan som i kyrkan när någon har sjungit ett fantastiskt fint solo men man inte får applådera. Sander är känd för att vara Sveriges bästa brottmålsadvokat. Kanske är det först nu jag inser att ryktet faktiskt stämmer.

Han är bra på att berätta. Men jag hade inte insett hur duktig han är på att övertyga. Pannkakan är bara tvärsäker, hela tiden, och det är väl därför han aldrig får prata här i domstolen, trots att många människor tror att de är så man gör: om man bara framställer sig som *hundra procent säker* så räcker det för att få med sig folk. I verkligheten tror ingen på den typen av självsäkerhet. Politiker borde lära sig det, att vi väntar på meningar som slutar med frågetecken. Att vi längtar efter en person som inte fattar allt men kommer med förslag. *Jag är inte säker på att det kommer att gå men jag vill gärna försöka.*

Sander låter alla följa med i hans egna tvivel, varje steg på vägen. När han säger "vi ställde oss frågan, kan det här verkligen stämma?" Då blir alla nyfikna. När han säger "vi bestämde oss för att undersöka saken själva", då tycker alla, även om de tidigare har sagt att det är slöseri med både tid och pengar att göra om polisens jobb, att det är en fullkomligt lysande idé och när han berättar att "resultatet förvånade oss" och "vi har kommit fram till", då lyssnar varenda en. Och även om de var tvärsäkra på att han hade fel så kan de inte låta bli att sänka garden och tänka, *kanske ... han kanske har en poäng ändå?*

Just nu är stämningen i rättssalen en annan än den var i morse. Journalisterna bakom mig skriver så intensivt på den här nya, fräscha vinklingen på Storyn att man skulle kunna tro att de har glömt den förra versionen, trots att de hittade på den själva. Ordföranden tittar på mig, han har tittat på mig flera gånger i dag, trots att han inte behöver. Det har han inte gjort förut.

Det spelar inte lika stor roll längre, tänker jag, att jag skrev de där messen till Sebastian. Det är första gången jag tänker att det kanske inte är tillräckligt bevis för dem att jag bar väskan, att det var i mitt skåp de hittade bomben. Det kanske inte räcker för att säga att *det är uppenbart att du ville spränga hela skolan i luften.* Jag hinner tänka allt det här. Jag hinner tänka att den förändrade stämningen innebär att de härinne också har bytt åsikt om mig, att de kanske har ändrat sig om vem jag är.

Hellre dör jag. Han måste bort. Han förtjänar att dö. Är det saker man kan tänka utan att vilja mörda någon? Är det saker man får säga? Sander tycker det. Det är inte straffbart att berätta för sin pojkvän att man hatar någon, säger Sander. Han säger att det inte spelade någon roll vad jag sa till Sebastian, han skulle ändå ha mördat sin pappa, han skulle ändå ha gjort det han gjorde. Det skulle ändå ha hänt, även om jag inte gjort det jag gjorde. Kanske har han rätt, hinner jag tänka. Kanske?

"Då tackar vi försvaret för i dag", säger ordföranden och börjar samla ihop de få papper han har framför sig. Jag tittar på de andra i domarpanelen. De som aldrig ställer några frågor, de som tittar på mig, men bara när de tror att jag inte märker det.

"I morgon ska den åtalade lämna sin redogörelse?"

Sander nickar. Jag drar ofrivilligt efter andan. *Min tur. Nu är det dags.* Domaren sneglar på sin armbandsklocka.

"Då avslutar vi för i dag." Han sträcker sig efter sin portfölj och lägger ner sina anteckningar i den. "Om det inte var något annat. Jag förstod att det var ett problem med målsägandeförhörets schemaläggning, stämmer det?"

Lena Pärsson harklar sig.

Chefsdomaren tittar på henne. Hon rätar på ryggen och nickar bestämt. Hon är fortfarande irriterad, men det här påminner henne om att rättegången är långt ifrån över. Tyvärr påminner det mig om samma sak.

Nu har Sander gjort sitt och i morgon är det min tur att berätta. Men om personerna härinne tvivlar på att jag är den mördare som åklagaren påstår är det ytterst tillfälligt. Det kommer inte att vara speciellt länge.

Lena Pärsson lutar sig mot den lilla mikrofonen och slår på den. För så snart jag har pratat klart är det dags för åklagaren att vända på steken igen. Det finns nämligen en person som inte håller med Sander. Som tänker påminna alla om att jag dödade min bästa vän. Den personen säger att jag plockade upp vapnet tidigare än jag påstår och att jag inte alls siktade på Sebastian när jag träffade Amanda, att det inte alls var ett misstag.

Lena Pärsson börjar prata.

"Som jag redan meddelat rätten, målsägaren kan som bekant inte närvara denna vecka … därför kommer jag att inleda med vittnesmål ett till fyra. Vittnena ifråga har meddelats och godtagit schemaändringarna. Jag har därefter bett målsägande att infinna sig på måndag klockan tio, i enlighet med domstolens instruktioner. Jag räknar med att vi kommer att behöva hela dagen."

I ögonvrån ser jag Pannkakan. Han ser inte glad ut, han ser inte alls ut som om vi håller på att vinna det här. Och jag kommer att tänka på vad en av häktesvakterna sa till mig en gång i början, när vi gick ensamma från förhörsrummet till min cell: *Du är medveten om att han aldrig vinner några mål, den där Sander? De gör aldrig det, stjärnadvokaterna. De tar sig an de vidrigaste klienterna som alla vet är skyldiga för att de gillar hopplösa fall. Sedan förlorar de. Och ingen har förlorat mer än Sander.*

Pannkakan vet det, naturligtvis. Han vet att när en stjärnadvokat tar sig an ett mål som mitt är det inte för att vinna, det är för att han vill visa att han är beredd att förlora för principens skull: *Alla har rätt till ett försvar, även de allra vidrigaste.*

De härinne tycker om att höra Sander prata, se *proffset in action*. Men det kommer inte att förhindra det oundvikliga. Jag har gjort det jag gjorde och det finns någon som var med när jag gjorde det. *Jag har rätt till Sveriges bästa försvarare.* Men vinna, det har jag inte rätt att göra.

Domaren nickar och slår med klubban i bordet. Det känns som om han slår den rakt i min panna. *Du förtjänar att dö.*

"Då säger vi så. Samir Said hörs på måndag klockan tio. Vi ses i morgon."

Samir och jag

28.

"Diplom på toa?" Samir kom tillbaka in i mitt rum skrattande, la sig på rygg över min säng och stack händerna bakom huvudet. "Gör folk det på riktigt? Hänger upp sina diplom på gästtoaletten för att man ska se att de minsann har gått på både Handels och INSEAD?"

Jag försökte besvara hans flinande med ett obekymrat skratt och gick upp för att ställa fönstret på glänt. Det var lördag morgon veckan före jul och kvavt härinne; det var fem dagar efter att Samir kysst mig första gången, och nu hade han sovit över och vad skulle jag säga? Min pappa var skitfånig, det var ingen nyhet. Sebastian jagade i Sydafrika över helgen. Mamma och pappa var i London. De hade tagit med sig Lina. Ingen av dem skulle komma hem på över ett dygn.

"Det är någon ironisk grej, pappa tycker sådant är kul. Egentligen vill han bara slippa erkänna att det är viktigt för honom."

"Gästtoan." Samir skrattade fortfarande. "Var har din mamma hängt sina betyg? I gästrummet?"

Men mamma skulle aldrig visa upp sig på det viset, trots att hon hade bättre betyg i skolan än pappa. En gång hittade jag deras gamla papper i en låda på vinden. När jag sa det till mamma blev hon inte glad, som jag hade trott, istället verkade hon bara irriterad. "Jag hade bättre betyg på universitetet också", hade hon fräst. "Jag var kursetta de fyra sista terminerna på juristlinjen." Som om jag hade sagt något elakt, förolämpat henne.

Mina föräldrar var märkliga bägge två, men på olika sätt. Jag gick tillbaka till sängen och satte mig grensle över Samir.

"Det är viktigt för min pappa att visa att han har jobbat hårt för att

231

komma dit han är. Men ingenting är lika viktigt som att låtsas att han inte är pretto."

Samir drog mig i håret ner mot sig och kysste mig, tryckte tungan hårt in i min mun, bara lite för långt in. I natt var första gången vi haft mer tid på oss än så-fort-det-går-utan-att-någon-märker. På sex dagar hade vi legat med varandra fem gånger. Det senaste dygnet tre gånger till. Det kändes konstigt att somna och vakna med honom, hans fingrar kändes annorlunda, jag hade inte vant mig vid att se hela hans nakna kropp på en gång.

"Jobbat hårt, säger du." Samir skakade roat på huvudet. "Din pappa vill visa att han har jobbat hårt för att komma dit han är i dag? Bodde inte han i elevhemmet där Labbe bor nu?"

"Jo, men …" Jag fattade vart Samir ville komma, hans poäng, men man måste ju få vara stolt över vad man gjort även om man inte vuxit upp på gatan?"Pappa gick inte där för att farfar och farmor var rika, de bodde utomlands, han var tvungen att gå på internat."

"Jag förstår", mumlade Samir mot min hals och pressade sitt skrev upp mot mig. "Det måste ha varit jättetufft. Stackars, stackars din pappa." Han skrattade till igen, sedan blev han äntligen tyst. Medan Samir drog upp min T-shirt såg jag den suddiga spegelbilden av oss i mitt fönster. Han la händerna på min mage, munnen mot mitt bröst och jag lutade mig tillbaka, la mig ner, lät mitt huvud och mitt hår falla över kanten på sängen för att kunna titta rakt på reflektionen av oss. Jag älskade hur vi såg ut, hur Samir kändes, hur hans hårda kanter och stora händer såg ut när han tog på mig. Han var inte försiktig och van, men jag ville att han skulle fortsätta, ta hårdare, andas närmare. Vi var otroligt snygga ihop.

Jag fick bestämma hur vi skulle ha sex. Jag var till och med tvungen att göra det. Samir tog gärna initiativet, men lämnade över allt annat till mig, lät mig visa, styra. La jag mig på rygg blev det så, satte jag mig ovanpå honom eller ställde jag mig på alla fyra gjorde vi så istället. Gjorde jag ingenting blev han irriterad. "Kom igen", kunde han säga om jag inte drog ner strumpbyxorna eller trosorna eller särade på benen eller vad det nu var som krävdes för att han skulle kunna tränga in i mig. Bara om jag sa åt honom *ta av trosorna, sära på mina ben, träng in i mig*, bara då gjorde han det.

232

Efteråt la jag mig skavfötters med honom. Han halvsatt mittemot mig, lutad mot min kudde och vred en lock av sitt mörka hår runt fingret. När han tittade på mig, lite för länge, sög det till i magen. *Vi skulle kunna bli bra på det här, han och jag*, tänkte jag. *När jag har gjort slut med Sebastian.*

"Vad ska du göra på jullovet?"

Han svarade inte först. Istället blundade han, drog mig från min sida av sängen och tvingade ner mig bredvid honom, kysste mig igen. Jag stack in handen i hans tjocka hår, sängen var inte tillräckligt bred för att vi skulle få plats så här, det kändes som om jag höll på att ramla ner från kanten.

Då blinkade min telefon. Ljudet var avstängt, men ljusskenet var omöjligt att missa. Jag lutade mig in mot Samir, tittade inte på telefonen, ignorerade den totalt, lyfte min hand och la den mot Samirs axel.

"Flytta in dig, jag får inte plats."

Han bökade in sig ett par centimeter, men reste sig upp när jag hasade efter, klev över mig och ner från sängen, nappade åt sig sina kalsonger och drog på sig dem.

"Jag måste plugga."

Jag tittade förvånat på honom. Blev han sur för att jag fick ett mess?

"Måste du plugga nu?"

Jag hade inte ringt till Sebastian en enda gång sedan Samir kom hit. Hans meddelanden hade jag svarat på, men jag låste in mig i badrummet när jag gjorde det. Jag kunde knappast skita i dem. Samir kunde inte bli irriterad på mig för att Sebastian messade, jag hade förklarat situationen för honom, han hade sagt att han fattade.

"På lovet. Du frågade vad jag ska göra i jul, jag ska vara hemma och plugga."

När Samir fått på sig kalsongerna fortsatte han med T-shirten. Det var lika bra att låta honom vara.

"Jag tar en dusch", sa jag. Telefonen lät jag ligga kvar på nattygsbordet. Samir kunde läsa om han ville, jag brydde mig inte. Jag skulle göra slut med Sebastian, det är klart att jag skulle, men inte just nu, jag kunde inte gärna göra slut på telefon, det måste till och med Samir fatta.

233

När jag kom ut i köket satt han där och drack svart kaffe från vår espressomaskin, den han hade dissat kvällen innan.

Samir hade haft en hel del kommentarer om inredningen. Taklampan. *Ett minne från den nedlagda fabriken, ser jag.* Knivstället. *Varför köpa knivar som inte går att slipa?* Kaffebryggaren. *Den där maskinen skulle inte gå att sälja i ett land där man vet hur riktigt kaffe ska smaka.* Spisen. *Lagar din morsa mat?* Vinkylen. *En sån måste jag ha! Det vet man ju vad som händer med champagnen om man låter den umgås med den proletära mjölken.*

De dammiga flingorna han hittat i vårt skafferi och hällt upp i en skål hade han knappt smakat på. Jag kokade ägg, rostade bröd och nu fick jag ont i huvudet, jag kunde inte komma på något att prata om. Utomhus sken solen för första gången på tio dagar, men vi kunde knappast gå på promenad hand i hand eller åka någonstans, sätta oss på ett café och fläta fingrar eller gå på bio och hångla i mörkret. Jag träffade alltid någon jag kände om jag gick ut.

"Vad tänker du på?" sa jag.

"Jag måste åka hem snart."

"Var har du sagt till dina föräldrar att du är?"

Han ryckte på axlarna.

Jag reste mig upp och ställde in min disk i diskmaskinen. Samir satt kvar på sin plats, lyfte händerna så att jag kunde komma åt att ta hans kaffekopp.

"Jag ska prata med Sebastian. Men …"

Samir fnös.

"Jag har inte bett dig att göra någonting."

"Jag vet. Men Sebastian mår inte bra. Han …"

"Sluta, Maja. Kör den där skiten med varandra, om stackars-lilla-Sebastian .. Men dra inte in mig i det. Det är inte synd om honom. Om det är så jävla svårt att stå ut hemma i lyxvillan, varför flyttar han inte hemifrån? Om han inte orkar ta sig till skolan, varför slutar han inte? Din pojkvän är ett rövhål, oavsett om han är påtänd eller nykter. Vore jag hans pappa hade jag skickat ut honom för länge sedan. Och varför du har fått för dig att du måste ta hand om honom, det fattar jag inte heller."

234

Jag svalde.

"Han behöver ..."

"Han behöver inte dig, Maja. Ledsen att göra dig besviken, men han behöver ingen alls. Alla är utbytbara för Sebastian Fagerman. Han bryr sig inte om någon, inte ens om dig."

Jag hann inte reagera, komma på vad jag skulle säga för att Samir skulle förstå. Istället började min telefon surra. Signalerna gick fram ljudlöst, telefonen kröp fram över diskbänken av vibrationerna. Vi tittade på den tills röstbrevlådan gick igång och den slocknade.

"Det går en buss om tolv minuter." Samir reste sig. "Jag ska försöka hinna med den."

Han lämnade den geggiga flingröran på köksbordet och gick ut i hallen. Jag följde efter. Jag lutade mig fram och gav honom en puss på kinden och medan han knöt sina skor låste jag upp dörren, nycklarna satt på insidan. När jag öppnade stod Amanda på vår uppfart och låste sin cykel.

"Hej", sa hon och blev stående med händerna utefter sidorna. Samir gick förbi både mig och henne.

"Hej, hej", sa han till Amanda. Hans röst var oberörd. Amanda svarade inte. Väl ute på gatan började Samir halvjogga.

"Vi ses", ropade han. Ingen av oss svarade.

När jag tittade på Amanda igen stirrade hon tillbaka. När hon var säker på att jag sett att hon hade förstått låste hon upp cykeln igen, drog ut den på gatan och cyklade därifrån. Jag kunde inte följa efter. Det var för kallt för att gräla i T-shirt och trosor. Jag var ingen jävla Bridget Jones.

När Amanda försvunnit utom synhåll gick jag tillbaka in i huset, låste dörren, stängde av telefonen, drog ut mitt duntäcke i vardags- rummet, la mig i soffan, tittade på tre avsnitt Walking Dead och åt makaroner med smör och ost direkt ur kastrullen.

Jag väntade i fyra timmar. Inte för att jag inte visste var Amanda var, eller för att jag inte tänkte göra något åt den här situationen innan den exploderade, utan för att jag behövde vara ensam.

Solen hade nästan gått ner när jag gick ut genom ytterdörren igen.

Det snöade. Medan jag gick ringde jag Samir. Han svarade inte. Det föll ingen riktig snö, bara varianten som påminner om att man inte ska tro att det är härligt med vinter. Jag gick i modden och december-mörkret, mina skor blev genomblöta och alla fönster i stallet var immiga på insidan av det påslagna aggregatet och hästarnas kroppsvärme och utandningsluft. Jag gick raka vägen till Amandas box. Dörren stod på vid gavel.

"Kan vi prata?"

Hon svarade inte så jag gick in och satte mig vid Devlins huvud. Amanda stod upp och drog ryktborsten över länden på hästen, skrapade av borsten efter varje drag. Han var redan blank, men Amanda kunde inte sluta nu, då hade hon varit tvungen att titta på mig.

Vad gjorde jag här? Varför kände jag prompt att jag måste förklara mig, varför var det min uppgift att lugna Amanda? Jag hade inte gjort henne någonting. Ändå var jag här för att förklara att ingenting allvarligt hade hänt, att ingenting i hennes liv skulle ändras, att allt var som det alltid varit. Och för att säga förlåt. Vårt förhållande såg ut på det viset. Jag bad henne om ursäkt, oavsett om jag gjort något eller inte. Aldrig tvärtom.

Devlin böjde ner huvudet och blåste varm utandningsluft i mitt hår. Jag strök honom över mulen. Det var säkert ett halvår sedan jag var i stallet senast. Förut bodde jag praktiskt taget här. Pappa hade alltid sagt att så fort jag började "gilla killar" skulle jag sluta rida och jag avskydde att han hade rätt. Varje gång jag klev in här bestämde jag att jag skulle börja igen. Men det blev aldrig av att jag tog tag i det.

"Amanda", försökte jag. Det var lika bra att få det avklarat.

"Du kan inte ..." Amanda vände sig mot mig, höjde handen och hytte med ryktborsten. Hon var så upprörd att hennes röst svajade. "Jag förstår inte hur du tänker, Maja. Jag förstår inte vad du tycker att jag ska säga. Du fattar väl hur sjukt det här är? Du fattar väl vad du har gjort?"

Jag nickade. Det var lika bra att hålla med. Kanske skulle det förkorta processen.

"Alltså, det är inte så att jag inte fattar att det är tufft med Sibbe ..." Hon började gråta. Amanda var övertygad om att det här handlade om

236

henne. "Men, Maja, han förtjänar inte det här. Han har det jobbigt, Maja. Du kan inte göra så här mot honom."

Säger du Maja en gång till klipper jag till dig, tänkte jag. Jag var tvungen att vara tyst ett tag. Räkna till hundra. Låta henne prata av sig, jag behövde inte lyssna, jag måste bara låta henne prata.

Men hon kunde inte göra något åt vad jag tänkte. Hon kunde inte få mig att sluta vilja skrika åt henne att hon inte fattade någonting. Hon var dum i huvudet. Hon fattade inte ens att smeknamnet hon hittat på åt Sebastian fick våra killar att låta som ett par seriefigurer. Labbe och Sibbe. Tudde och Ludde. Knatte, Fnatte, Tjatte. Jag svalde. Jag orkade inte med Amanda. Jag orkade inte med alla människor som trodde att de fattade hur det var att vara ihop med Sebastian. Jag var ihop med honom. Bara jag. Jag ville inte vara det, men jag var det ändå. Och ingen kunde haja hur jävligt jag mådde. Amanda var för mycket. Jag fixade inte det här. Ändå orkade jag inte säga emot.

"Jag ska inte … det är inte …"

"Och Samir? Det är inte speciellt snällt mot honom heller. Är du kär i honom?" Hon fnös så hånfullt att man hade kunnat tro att vi pratade om en fet socialdemokratisk kommunpolitiker med gabardinbyxor och vuxna politikerbarn.

Varför inte? Varför skulle jag inte kunna vara kär i Samir? Var det verkligen så osannolikt? Sedan hon blev ihop med Labbe pratade Amanda om Samir som hennes privata välgörenhetsprojekt. *Samir är så smart. Samir är så rolig. Och smart. Och jätterolig. Sa jag smart?*

"Nej." Jag skakade på huvudet och pratade samtidigt. "Nej, nej." Jag orkade inte känna efter, kanske var det en lögn, men jag orkade inte bry mig. "Jag vet inte. Men det har varit jobbigt, Amanda. Jag gillar Samir, han är inte så krånglig hela tiden. Jag har haft det … Sebastian och jag har inte …"

Jag behövde inte avsluta någon av alla mina meningar. Det var bättre att låta Amanda fylla i med det hon tyckte passade bäst. Egentligen borde jag gråta också. Vi kunde inte gråta samtidigt, Amanda avskydde att dela på uppmärksamheten. Men så fort hon slutade gråta borde jag börja. För att verkligen få över henne på min sida borde jag också låta henne trösta mig. Men jag tvivlade på att jag skulle klara av det.

"Det bara hände. Allt är så jobbigt med Sebastian och Samir är ..."
Amanda tittade ilsket på mig. "Jag ska prata med Samir", försäkrade jag henne. "Jag ska prata med Sebastian också, men du måste lova att inte säga något. Du får inte säga något till Labbe eller Sebastian. För Sebastian får inget veta. Han skulle bli tokig om han fick veta."

Amanda nickade.

"Det är klart att jag inte säger något."

Jag undrade om hon berättat för Labbe redan.

"Bra", sa jag.

"Jag håller alltid mina hemligheter", snörvlade hon irriterat.

Lär dig prata ordentligt, tänkte jag. Man *håller* sina löften. Och *avslöjar inte* sina hemligheter. Men det kunde jag knappast påpeka.

"Tack, Amanda", sa jag istället.

29.

Utomhus var det kolsvart, natt klockan fyra på eftermiddagen. *Välkommen till Decembersverige.* När jag hade tröstat klart Amanda för allt jag inte gjort henne gick jag bort från stallplanen och ringde Samir igen. Han svarade fortfarande inte. Jag ringde fyra gånger direkt efter varandra. Jag skickade ett mess. Han var online, men när mitt meddelande markerats "levererat" kopplade han bort sig. Inget svar. När jag kom fram till Vendevägen såg jag bussen komma från torget. Jag satte mig på den och ringde en gång till. Röstbrevlådan gick igång.

Vi måste prata. Jag ville inte vänta tills Sebastian kom hem. Det jag var tvungen att göra ville jag göra innan någon kunde hindra mig, innan jag ångrade mig. Och Samir hade verkat arg när han åkte, redan innan Amanda kom. Jag ville inte att vi skulle vara osams, jag ville inte att han skulle tro att jag skämdes för honom, jag ville att han skulle veta att jag menade allvar.

I tunnelbanevagnen stod två fönster öppna. Luften var iskall. Ändå luktade det fredagsfylla och intensiv julhandel. Mellan Mörby centrum och Östermalmstorg var alla säten och utrymmen upptagna av påsar och folk, det tog tid att komma till Gamla stan. Jag såg knappt ut genom fönstren för allt folk, men efter att jag bytt linje blev det bättre.

Christer hade berättat om en forskningsrapport där man gjort en undersökning av hur länge folk levde och utgått ifrån tunnelbanestationerna. Det var typ femton års skillnad i beräknad medellivslängd mellan Bagarmossen och Danderyds sjukhus. Och de sista tre stationerna innan jag var framme vid Tensta satt det inga gamlingar alls på tåget. Inte en enda tjej i min egen ålder heller, bara killar och två morsor med barnvagn, slöja och hellånga klänningar.

239

Kanske satt alla tjejer i min ålder inlåsta i sina lägenheter för att inte råka halka på en erigerad penis eller ner från balkongen.

I min jackficka hade jag tårgassprejen jag fått av mamma, hon hade tagit med sig den från Frankrike. En gång hade jag råkat trycka på sprejknappen medan jag fortfarande hade den i fickan. Jag märkte inte att jag gjort det förrän jag tog handen ur fickan, drog den genom håret och mina ögon exploderade. De sved och tårades i mer än två timmar efteråt. Mamma ville köra mig till akuten, men pappa satte mig i duschen och spolade mitt ansikte med ljummet vatten tills det kändes lite bättre. Sedan ringde han en kompis som är läkare och han ringde in ett recept på en salva och en sköljgrej. Det gjorde att svullnaden lade sig. Pappa krävde att jag skulle slänga sprejen efter det, men mamma vägrade. Jag kunde åka fast för vapeninnehav, men det "struntade" mamma i för att "min säkerhet var viktigare". Viktigare än vadå, kunde man undra, åkte jag fast för polisen var det jag som fick skit, inte hon. Men nu var jag glad att jag hade den. När det satte sig en kille mittemot mig i vagnen fingrade jag på flaskan och tittade ner i golvet.

Jag var noga med att inte ha ögonkontakt med någon. Jag funderade på att sätta mig närmare mammorna med barnvagnarna, men de hade ställt vagnarna i mitten så ingen kunde komma fram till de lediga platserna.

Tensta centrum var näst sista station på blå linjen. Alla personer i vagnen utom två gick av samtidigt med mig. Jag gick långsamt för att hamna sist i rulltrappan. Jag hade tittat på gps:en i telefonen innan, programmerat in Samirs adress och kollat åt vilket håll jag skulle gå när jag kom upp ur tunnelbanan, men jag ville inte ta fram telefonen, jag hade ingen lust att visa att jag inte hittade här och ingen lust att visa telefonen heller.

Det var mer folk på gatuplanet än det varit i vagnen, kvinnorna från min vagn blev upphämtade av en kille i elvaårsåldern och jag såg baksidan av tre andra säckiga kvinnor som kom ut ur en Icaaffär lite längre bort, i övrigt var det fortfarande bara män. Killar, killar, killar.

Samir hade aldrig berättat att han bodde i Tensta. Blev jag förvånad när jag kollade upp adressen? Kanske. Kanske för att det var just

240

Tensta, det kändes extremt på något vis, nästan påhittat. Men jag vet inte vad jag väntat mig av själva stället, jag hade aldrig varit där förut. Frukt och grönsaksstånd? Utrullade mattor med försäljning av oäkta klockor och plasthandväskor med påklistrat Guccimärke? Rostade mandlar och kastanjer, familjer med nitton barn som spelade fotboll med varandra, gubbar böjda över schackbräden och Rocky-typer med lindade händer som alla på gatorna applåderade åt när de sprang förbi med huvorna på träningsoverallen uppdragna. Pitbullterriers och Red Bull? Saffran och vitlök? Boule och bullriga skratt? Kanske. Eller så hade jag trott att det skulle likna kvarteren där Dennis bodde. Jag och Sebastian åkte dit en gång och även om vi hämtade honom en bit från själva huset så såg man ju vilket ointressant och oviktigt radhusområde det var. Ett man glömmer redan innan man åker därifrån, ett ställe lika meningslöst som en engångsmugg i plast. Men det här? Det var bara obegripligt. Ett ställe utan idé. Trasig förvaring utan lock.

Det var kanske bättre på somrarna, när det inte var lika mörkt och träden hade löv, men nu var det bara ett av de fulaste ställen jag sett i mitt liv. Politiker och journalister som gjorde en grej av att de "minsann bodde kvar i Tensta", de måste vara dumma i huvudet. Eller så hade de övernattningslägenheter på Söder.

Jag räknade till fyra trasiga gatlyktor bara på torget precis vid tunnelbanenedgången och fick Christers röst i huvudet. Hans allvarliga seriösa lärarpedagogröst. Om han visste att jag åkt hit skulle han bli så nöjd, nicka långsamt och säga med viktig röst: *Det är det riktiga Sverige, Maja. Så ser det ut.* Men det här var inte *det riktiga Sverige*, inte mer än Östermalmstorg eller Stockholms skärgård, eller Strandvägen. Saker blir inte riktigare bara för att de är fula.

Vid en busstation på andra sidan torget satte jag mig och plockade upp telefonen med ena handen. Jag var tvungen. Den andra handen höll jag i fickan där tårgassprejen låg och jag gjorde mitt bästa för att försöka intala mig att det inte alls var rasistiskt att vara rädd. Mammas röst i huvudet: *Att vara försiktig betyder inte att man är rädd.* Sedan orienterade jag mig. Samir bodde inte långt från stationen, fem minuter visade promenadindikatorn. När killen från tåget hade åkt iväg med en buss som hade så bråttom från stationen att den började rulla innan dörrarna var helt stängda, började jag gå längs med en asfalterad gångväg. Den var också tom. Ingen var ute och rastade sin hund eller såg till att bebisen fick lite frisk luft. Ingen joggade, ingen var på väg någonstans. Jag skyndade förbi graffitin, de halva cyklarna fastkedjade i omkullvälta cykelställ, genom en urinluktande tunnel och förbi två tomma lekplatser.

Samir bodde på nedre botten i ett hyreshus. Det såg ut som hyreshus gör i alla ungdomsfilmer om *förorten*, fast minus Stenmarksmössorna, vampyrerna, farfarscyklarna och snön. Det ekade i trapphuset, porten stod på glänt, det verkade inte behövas någon kod. Dörren till Samirs lägenhet var precis bredvid hissen och när jag ringde på dörren plingade det. Det var en yngre version av Samir som öppnade. Men jag hann inte presentera mig förrän han själv dök upp.

Både hans mamma och pappa var hemma. Jag visste inte att han hade två yngre bröder, men de var så lika varandra att de inte kunde vara något annat. Jag presenterade mig för allesammans och jag trodde att vi kanske skulle sätta oss i köket, det syntes från hallen – en smal tarm med en dörr ut mot en balkong. Den såg ut att vara proppfull med tomma kartonger. Trodde jag att hans föräldrar skulle vilja prata med mig, fråga hur Samir och jag kände varandra, insistera på att jag satte mig ner, drack en kopp te, åt en kladdig kaka eller att de åtminstone skulle titta nyfiket på mig? Kanske. Inget sådant hände. De verkade ointresserade, hans mamma var uppenbart skitirriterad. Hon sa något på ett språk jag inte förstod och sedan såg jag henne inte mer. Pappan tog min utsträckta hand men släppte den utan att säga vad han hette, vände sig om och gick och satte sig framför tv:n, en fotbollsmatch pågick mellan två lag jag aldrig hört talas om. Tv:n var gigantisk, minst dubbelt så stor som vår. Jag trodde först att ljudet var avstängt, tills jag såg att pappan satt på sig ett par bulliga illgröna hörlurar.

Jag förstod inte varför Samir såg så sur ut. Var det för att jag kom utan att förvarna honom? Men han hade faktiskt också dykt upp hemma hos mig utan att berätta det för mig innan. Det var så det började.

Jag begärde inte att han skulle presentera mig som sin flickvän, men det hade gått utmärkt att säga "det här är Maja, vi går i samma klass".

Vi kunde ha gått till hans rum, jag hade velat se det, det gjorde inget om han delade med sina bröder. Jag brydde mig inte om att han bodde på det här viset.

Jag ville säga det till honom: *Du behöver inte skämmas, jag bryr mig inte*. Men det kändes konstigt. Jag höll tyst. *Kan vi prata?* Något i den stilen fick jag ur mig. Men inget mer.

Och Samir nickade och trampade ner fötterna i ett par gympaskor jag aldrig sett honom ha i skolan. Han hade bytt om också, till ett par glansiga överdragsbyxor. *Förortsuniformen*, tänkte jag.

"Vi går", sa han. Jag vände för att gå tillbaka in i vardagsrummet och säga hej då till hans pappa, men Samir tog mig i armen och drog mig ut genom dörren, tillbaka till trapphuset med den halvöppna ytterdörren.

Det var uppenbart att det störde honom att jag kom. Han var väldigt irriterad. Jag ville bara att vi skulle vara ensamma och prata, *om att Amanda visste*, jag ville fråga honom *vad ska vi göra nu?* Jag ville slippa ta alla beslut själv. Jag ville att han skulle säga *gör slut med Sebastian*, då hade jag fått svara *jag gör det ikväll* och jag hade sluppit känna mig ensam. Varför kunde han inte se att det var omtänksamt av mig att komma till honom istället för att begära: *kan du komma hit?* Jag ville visa att jag gärna åkte till honom. Att det inte gjorde mig någonting, att jag inte brydde mig om var han bodde.

Det var så fånigt. Alltid detta: *jag bryr mig inte, Samir*. Jag undrade varför det kändes så viktigt att han skulle förstå att jag inte brydde mig. Tyckte Samir att Tensta var ett toppenställe, tusen gånger bättre än alla andra ställen? Knappast. Då hade han inte skaffat sig en pendeltid på en timme i varje riktning, varje dag, bara för att ta sig till Djursholms allmänna gymnasium. *Jag fattade*.

Kanske borde jag ha sagt att jag förstod varför han avskydde det här outhärdliga stället där han var tvungen att bo, att jag verkligen förstod varför han gjorde allt han kunde för att komma därifrån. För han förtjänade bättre än Tensta. Han var bättre än stället där han hamnat. Det borde jag kanske ha sagt. Hans lägenhet, trapphuset, vägen dit, vägen därifrån, polyesterträningsbyxorna. Jag tyckte inte att han borde skämmas, för det var inte hans fel. Men det kunde jag inte heller säga. För det skulle också få honom att skämmas.

Han gick framför mig utan att säga ett ljud. Jag visste inte vart vi skulle. Det spelade ingen roll. Jag visste inte vart man gick för att prata i Tensta, jag var beredd på allt, tvättstugan, eller ett källarförråd, eller vid ett klätterplank eller på en ungdomsgård eller ett kvartersfik eller en skateboardrink. Bara det gick att prata i lugn och ro.

Det tog en stund innan jag insåg att vi var på väg mot tunnelbanestationen. Då tog jag tag i honom, tvingade honom att stanna.

Redan innan jag sa varför jag tyckte att vi skulle prata tittade Samir konstigt på mig. När jag pratade vidare blev det bara värre. Jag minns uppriktigt sagt inte exakt vad han sa, men han tyckte inte att jag behövde göra slut med Sebastian, inte för hans skull, verkligen inte. *Vi är inte ihop, Maja. Vi har legat med varandra några gånger, det är inte samma sak.*

Det var inte så att han kallade mig hora, eller billig, ingenting sådant. Men intellektuella, politiskt supermedvetna, blivande-utrikeskorrebäst-i-världen-Samir såg på mig med nya ögon. Du-måste-vara-dum-i-huvudet-böcken.

Han ville inte stå still. Vi skulle uppenbarligen gå medan han pratade. Han ville få mig härifrån så fort som möjligt och vad jag hade att säga var inte intressant, han tog mig i underarmen igen, jag var en unge i trotsåldern som vägrade gå hem från lekparken. När han var färdigpratad hade vi kommit fram till tunnelbanan, men han lämnade mig inte ifred där heller, han stod kvar och trampade i sina fula vita gymnastikskor på perrongen tills mitt tåg kom, och då gick han på det och åkte med mig hela vägen till T-Centralen.

Vad trodde han att jag skulle göra? Att jag skulle stanna kvar i smyg, skaffa mig massvis med härliga kompisar och en egen grå lägenhet med en och nittio i takhöjd och linoleumgolv. Att jag skulle bli hans nya granne, skaffa mig gravidmage, matchande träningsoverall och knyta en mönstrad sjal om huvudet *bara för att det är så himla snyggt*?

Jag satt ner på sätet, han stod upp trots att hela vagnen var full med lediga platser. När vi kom fram verkade han ha lugnat sig lite grann, han la en hand strax nedanför min axel innan han lämnade mig. *Hej då, Maja. Vi ses i skolan.* Jag önskade att jag hade kunnat kräkas på honom.

Jag gick från Danderyds sjukhus, hela vägen hem. Gångtunneln från tunnelbaneuppgången fram till parkeringen utanför Mörbyskolan var skitsnygg, närmast vardagsrumsmysig, jämfört med Tensta centrum. Men jag började frysa långt innan jag var framme vid Stocksunds IP. Lovikkavantarna jag fått av Amanda ("jag hittade dem i en supergullig affär i SoHo") var blöta, inifrån av svett, utifrån av blötsnö. De var tunga som ryamattor. Jag slängde dem i en papperskorg vid gränseken och knöt händerna i fickorna istället. Det hjälpte inte.

När jag äntligen kommit hem frös jag så att jag skakade, gick raka vägen in i badrummet, tog inte av mig någonting förrän badkaret var fyllt. Det gjorde ont att lägga sig i vattnet, så varmt var det, men jag gjorde det ändå.

Jag hade trott att Samir var kär i mig. Kanske hade jag till och med tagit det för givet: att han var jättekär i mig, det hade han alltid varit (visst?), och jag hade åkt hela vägen till honom för att förklara att jag tyckte om honom också och jag hade trott att han skulle förstå. Att han skulle tycka att jag var värd besväret. Det gjorde han inte.

När jag blivit varm och skrynklig och badvattnet började bli kallt satte jag på mig pappas morgonrock, gick in i vardagsrummet där mitt duntäcke låg kvar i soffan, kröp in under det och ringde Sebastian. Han skulle visserligen komma hem från Sydafrika redan i morgon kväll, men jag måste göra det här nu, genast, innan jag ångrade mig. Vi pratade i nästan tjugo minuter. När han först svarade hörde jag knappt vad han sa, men han gick till ett tystare rum, eller kanske gick han utomhus och jag sa det jag visste att jag var tvungen att säga och han svarade, han svarade lugnt och sansat utan att bli galen och jag sa att vi kunde prata mer när han kom hem och han sa *vad vill du att jag ska säga* och han lät inte ledsen, men han verkade ha förstått allt och vi sa hej då och la på. Tio minuter senare blev jag osäker på om han skulle komma ihåg vad jag sagt så jag skickade ett mess också.

När han inte svarade skickade jag ett till. Samma text. Jag ville vara säker på att det var det första han skulle se när han tittade på telefonen, utifall han skulle glömma alltsammans, även om han inte låtit hög på rösten.

Jag väntade till långt efter midnatt innan jag ringde Samir. Kanske hade han inte trott att jag var allvarlig när jag sa att jag skulle göra det. Kanske var det därför han hade betett sig som han gjorde. Första gången svarade han. Jag tror att jag väckte honom. Jag la på utan att säga något. Han kunde se på skärmen att det var jag som hade ringt och jag förväntade mig att han skulle ringa tillbaka. När det hade gått åtta minuter ringde jag igen. Samirs röstmeddelande förklarade att han skulle ringa tillbaka. "Så fort jag kan", sa meddelandet. Jag somnade någon timme senare, fortfarande med mobilen i handen och volymen på högsta. Samir ringde aldrig. Inte Sebastian heller.

30.

När det tog slut med Sebastian (och Samir) gjorde jag ingenting av det man ska göra när ett förhållande tar slut. Jag tittade inte på filmer jag tyckte var sorgliga när jag var liten, jag åt inte glass direkt ur paketet eller lyssnade på sånger som handlade om vilka skitstövlar alla killar är. Men jag blev förkyld. I två dagar släpade jag mig till skolan ändå, men när sista dagen var avklarad och det äntligen var jullov fick jag jättehög feber.

Första dagen på lovet gav mamma mig dubbel dos Ipren, en filt och en kudde att ha i bilen. Större delen av färden sov jag, vaknade till då och då för att det gjorde ont i ryggen, nacken, halsen eller benen. Jag svettades och Lina tittade på mig från andra sidan baksätet med en liten bekymmersrynka mellan sina mörkblå ögon. Pappa väckte mig när vi stannade för att äta och jag blev tvungen att följa med in på väg-krogen. De serverade grillkorv med ketchuppåsar och mörka räfflade pommes frites, men jag hade hellre velat stanna i bilen.

"Det är för kallt", sa pappa.

"Du måste äta något", sa mamma.

Vi kom fram till morfar strax efter sju på kvällen, det var plogat på vägen upp till huset. På somrarna brukade jag gå långpromenader med morfars hundar på samma väg. Morfar bodde tre kilometer från kios-ken och Icaaffären och när jag var liten tyckte mormor att jag skulle leka med grannbarnen men jag vägrade eftersom jag inte kände dem. Istället gick jag till och från kiosken, köpte kvällstidningen till morfar, sedan gick jag tillbaka och köpte en glass till mig själv. Så höll jag på. Vägen fram och tillbaka. Ibland gick jag så många vändor att inte ens hundarna orkade följa med mig. Sommarvägen var grusbelagd med en sträng gräs i mitten, när det regnade blev det djupa vattenpölar och myggen landade på bensinglittret. Nu var vägen inramad av två meter snö på vardera sidan och det var andra julen vi skulle fira utan mormor. På det som numera var bara morfars trapp stod en oklädd gran och två tända lyktor.

Kakelugnen brann i mitt rum, morfar hade lagt en värmedyna i sängen. Jag bytte inte om, somnade i kläderna jag åkt dit i. Mamma kom in två gånger, första gången drog hon av mig kläderna och vred på mig ett svalt, nystruket nattlinne. Det var mormors. Andra gången gav hon mig brusdryck som smakade apelsin och bittermandel, det var influensatabletter hon köpt i USA och jag sov, jag sov och sov och sov medan de andra gjorde pepparkakshus (jag kände det på lukten) och klädde granen (jag hörde när pappa bar in den i huset och mamma skällde på honom för all snö han drog in i hallen), rullade köttbullar och griljerade skinka (lukten igen) och gravade lax; mamma kom upp med en knäckemacka när den var klar, jag orkade inte äta den.

Jag låg kvar under mitt duntäcke när morfar kom upp och la in mer ved i kakelugnen och när han släppte in en av hundarna, hon somnade under mitt täcke med nosen tryckt mot mitt knäveck. Jag låg kvar när mamma bar upp en bricka med te och smörgåsar med ost, jag orkade inte äta dem heller. Jag drog upp täcket till hakan och halvsatt medan jag slickade i mig en vaniljglass på pinne och Lina visade mig teckningarna hon skulle ge bort i julklapp. När glassen var slut kröp jag ihop i fosterställning och somnade om medan Lina fortsatte prata.

Inte förrän på julafton klev jag upp ur sängen, duschade i en halvtimme, tvättade håret två gånger och satte på mig rena kläder. Mamma bytte mina lakan och jag åt tre portioner risgrynsgröt med jordgubbssås. Lina petade i sin gröt tills hon hittade mandeln, det var många år sedan jag fick den för Lina blev fortfarande så lycklig.

"Var bor tomten, Maja?" undrade hon med munnen full av mat.

"Alltså . . .", sa jag tveksamt. För det här hade vi redan gått igenom. Det borde inte vara en överraskning. "Tomten finns inte."

"Jag vet", suckade Lina och bet sig i underläppen. "Men de där flygande renarna då, var bor de?"

Bara vi firade jul med morfar i år. Mammas syskon hade bestämt sig för att fira med sina svärfamiljer, det var inte längre *första julen utan mormor.* Men jag var bara glad för det. Det var en tystare jul utan alla hetslekande kusiner som turades om att börja gråta och tvinga de vuxna att lägga sig i obegripliga gräl om ingenting.

På julafton slogs det lokalt snörekord (sedan mätningarna inleddes) och parabolen och internet låg nere. Vi lyssnade på musik på morfars stereo, åt lunch i köket för det var varmare där och när vi ätit klart satte vi oss allesammans i vardagsrummet och tittade på samma dvd-film på tv:n, pappa hade valt den. Jag somnade och vaknade med huvudet i mammas knä. Hon strök mig över pannan och jag blundade längre än jag behövde. Lina lärde mig ett kortspel som hon själv hade hittat på och pappa ställde sig i köket och skalade potatis. Vi andra tog en promenad ("vi måste passa på medan solen fortfarande är uppe"), den kalla luften rev i halsen. När vi kom tillbaka tände jag en brasa i öppna spisen i köket och jag fick så mycket beröm att man hade kunnat tro att det var svårare att få igång en eld än att uppfinna penicillinet.

Medan vi var ute och gick stack morfar ett kuvert i fickan på mig. Han strök mig över kinden och log. Det var för mina betyg, jag fick betalt beroende på hur bra jag klarade mig. Och kuvertet var tjockt, det var alltid välfyllt, även nu. Jag klarade mig fortfarande bra.

Jag hade klarat mig.

"Tack", mimade jag. Morfar såg glad ut och jag blev gladast för leendet, jag älskade att morfar log trots att det var andra julen utan mormor.

Under filosofilektionerna i skolan hade vi pratat om vad känslor är för något, att det fanns sex negativa grundkänslor och bara en positiv – glädjen. Jag hade räckt upp handen och sagt att *det vet väl alla att vi blir rädda på ungefär samma sätt,* att *vi alltid kan förstå vad en person menar om han säger att han skäms. Att de renaste känslorna, de som får oss att klamra oss fast vid livet, de är alltid negativa.*

Det kryper i kroppen när jag tänker på hur jag satt i klassrummet och försökte visa att jag var djupare och känsligare än alla andra. Jag trodde att jag visste hur det kändes att bli arg. Jag tyckte att jag kunde släppa kontrollen. Men, newsflash! Att äta två limpor bröd med smör och ost när man tänder av räknas inte. Låtsas se i syne av någon tablett, krulla på kokain och säga *det var så bra att jag trodde att jag skulle dö.* Det är bara hittepå. Ingenting, absolut precis ingenting visste jag om att vilja dö. Jag hade varit på en enda begravning i mitt liv (mormors) och jag hade aldrig varit rädd på riktigt, aldrig varit ensam, aldrig velat dö. Jag hade aldrig gått i tusen bitar. Duktiga Maja längst fram i klassrummet med handen i vädret. *Jag kan svaret!* Nej, det kan du inte. *Du vet ingenting.*

Numera, efter klassrummet vet jag: grundkänslor är smaklösa och ointressanta, bara en galning går runt och gapskrattar hela dagarna.

Jag skrattar ibland, men min glädje är en hysterisk reaktion.

Skam. Rädsla. Sorg. Hat. Det är de sammansatta känslorna som har försvunnit, blandningarna i en färgaffär, sexton nyanser av äggskalsvitt. Gult och blått blir grönt. Vänskap? Svartsjuka? Ömhet? Omtanke, medkänsla. Lycka.

Jag saknar lyckan mest, blandningen av allt, av alla negativa känslor, en gnutta förvåning och en massa glädje. Lyckan är den perfekta mixen, men ingen kan receptet.

De där juldagarna hos morfar var senast jag var lycklig. Jag skrattade och sa saker åt mamma utan att tänka att jag sa dem bara för att hon ville att jag skulle säga dem. Lina fick en walkie-talkie i julklapp, hon tvingade ut mig i snön för att vi skulle kolla hur långt den fungerade. Och när vi gjort det byggde vi en snökoja och en lykta som vi tände och vi gjorde änglar i snön och kastade snöbollar ut på sjön bara för att se hur långt de kom. Jag åt marsipan doppad i choklad och tyckte nästan att det var gott och senapsgriljerad skinka på hårt bröd för att det inte finns något godare och morfar hyschade åt mig för att jag skulle lyssna extra noggrant när Jussi Björling sjöng om tårar och olycklig kärlek.

I tre dagar var jag bara ledsen i andetagskorta stunder, inte rädd en enda gång den julen var den perfekta lyckoblandningen. Julafton, juldagen och annandagen.

Sedan. Blandar man alla färger i målarlådan blir det bara en brun sörja. Och till slut blir allting svart. För dagen efter annandagen väckte mamma mig strax före sju. Claes Fagerman hade ringt. De hade pratat

250

i tio minuter. Han var ledsen över att behöva ringa så tidigt, mamma var ledsen över att behöva berätta, men jag måste åka till Danderyds sjukhus psykakut för Sebastian hade försökt ta livet av sig.

31.

Två timmar senare landade en helikopter på morfars gräsmatta, den som sluttade bort från huset ner mot sjön. Det virvlade snö när jag halvsprang med min väska bort mot den öppna helikoptern. Morfar joggade med mig så gott han kunde, hans ben var lite stela. Han pratade en kort stund med piloten, jag fick sätta mig bredvid honom, han skulle "köra" mig in "till stan", sedan skulle en bil hämta mig och ta mig den sista biten till sjukhuset. Claes var tyvärr inte där, men "han hälsade", har "uppskattade verkligen detta", han var "tvungen" att vara någon annanstans, jag lyssnade inte.

Sebastian hade försökt ta livet av sig.

Morfar gjorde en konstig rörelse med huvudet, kysste mig på kinden och lät mig åka.

Inte förrän jag redan satt i helikoptern slog det mig att ingen frågat mig om jag ville åka till Sebastian. Men vad skulle jag ha sagt? Nej, han får klara sig själv?

Jag måste åka. Det är klart att jag måste?

Sebastian hade dropp i armen, vitt bandage och en ljusblå nattskjorta. När jag kle- in genom dörren började han gråta. Jag satte mig bredvid honom, reste mig igen, gick till andra sidan, den där inte dropparmen var, la mig i sängen bredvid honom, borrade in näsan mot hans hals och grät jag också.

Det hade "börjat med en misstänkt överdos". Mamma blev skär om kinderna när hon berättade. "Han behöver dig, Maja", sa hon. Hon var rädd och ledsen, men också något annat, det syntes. Pappa tittade på mig med den där konstiga blicken han fick ibland. *Vi har en så mogen*

252

dotter, tänkte de. *Hon tar sitt ansvar. Sebastian och hon har problem, men han älskar henne, och hon förstår att hon måste stötta honom, hjälpa honom igenom det här.*

De visste att det var slut mellan oss. Men "i den här situationen" verkade det vara glömt. Vad våra tonårsgräl än berodde på kunde de knappast vara viktigare än att jag "ställde upp". Och de var stolta över mig, mamma och pappa. För det jag gjorde, trots allt.

Men jag var inte mogen och modig. Jag hade varit otrogen mot Sebastian och sedan hade jag lämnat honom för att jag "inte orkade mer" och jag grät mot hans hals för att jag inte visste om jag ville vara där. Det skrämde skiten ur mig. För första gången anade jag hur lätt han hade kunnat dö, att döden bara är ett endaste hjärtslag från livet och jag tog tag i hans handled, tryckte mina fingrar mot bandaget hårdare än jag vågade, för jag måste känna ådrorna under. Jag var räddare än jag någonsin varit i mitt liv. Sebastian hade kunnat vara död. Och det var mitt fel. Jag hade svikit honom.

Förlåt, viskade jag, med munnen strax intill hans halspulsåder. Jag kunde inte hjälpa honom, jag kunde inte, hur gjorde man? *Förlåt.* Hur säger man åt en människa att inte vilja dö? *Jag ska älska dig när ingen annan orkar. Jag lovar. Jag ska aldrig mer lämna dig ensam.*

Jag låg kvar i sängen medan Sebastian berättade. Han hade varit ute kvällen före julafton, Dennis hade hängt på, han var alltid redo och vad skulle han annars göra? Men när ambulansen hämtade Sebastian hade han stuckit. Sebastian låg på trottoaren utanför Urban Outfitters på Biblioteksgatan och läkaren hade sagt att den som ringde in gjorde det från en oregistrerad kontanttelefon. Men Sebastian klandrade inte Dennis. Han hade fått besked om att han fick stanna i Sverige tills han gått klart året i skolan, sedan skulle han bli utvisad. Det var betydligt svårare att rymma från häktet än från familjehemmet där han bodde, han kunde inte riskera att bli tagen av polisen, inte nu, särskilt inte nu.

Sebastian blev körd till akuten med en misstänkt överdos. Hans pappa kom och hälsade på honom under besökstimmen men gick redan efter tjugo minuter. Ett drygt dygn senare, natten mellan julafton och juldagen, hittade personalen Sebastian på hans sjukrumstoalett.

Spegeln var sönder och det hade runnit blod ut genom den stängda toalettdörren. Han hade förlorat väldigt mycket blod. Sedan dess hade han legat på psyket, de hade väntat med att ringa mig för att inte störa under julhelgen.

Claes hade talat med akutläkaren. Det hade sjuksköterskorna berättat för Sebastian när han vaknade.

"Kan det ha varit läkaren som sa att pappa inte skulle komma hit?" frågade han mig. "Att jag inte fick ta emot besök? Kan läkaren ha sagt det?"

Han ville att jag skulle svara, men det gjorde jag inte. För han ville inte ha de svaren. Men han blev arg ändå, trots att jag inte sa något och han sa att *du vet inte vad du snackar om* och att *min pappa måste faktiskt sköta företaget*, och att *min pappa kan inte sitta på ett sjukhus och glo*. Sebastian sa det flera gånger, att hans pappa inte kunde och att jag måste fatta det och jag fortsatte att vara tyst för vi visste båda två att det inte var sant.

Claes skulle vara här om det var din bror, tänkte jag, men jag sa inte det heller. För Sebastians bror skulle aldrig försöka ta livet av sig, Lukas gjorde ingenting fel.

Men så sa jag det ändå. Att Claes *borde ha*, att *alla normala pappor skulle ha*, att *en pappa inte får göra så*. Och då blev Sebastian ännu argare, men sedan orkade han inte skrika. Han grät istället. *Han är inte en vanlig pappa*, viskade han bara, med en röst som bad att jag skulle hålla med och sedan sa han inte mer och jag ville inte göra honom ännu ledsnare. Så vi pratade om hans mamma.

"De har inte fått tag på henne. Det var inte jag som bad dem försöka. Jag tror inte pappa skulle ringa henne, inte för det här."

"Varför?" vågade jag fråga. "Varför ringer han henne inte? Varför träffas ni aldrig? Varför lämnade hon er?"

Och nu blev Sebastian inte arg.

"Jag vet inte om hon lämnade oss", sa han bara. "Pappa säger att det var han som kastade ut henne, men ibland tror jag att det var hon som lämnade honom och jag vet inte om hon ville ta med oss eller om hon ville vara ifred, men Lukas ville inte flytta och då ville inte jag det heller och pappa skulle aldrig låta henne …"

254

Han började om när rösten bar igen.

"Lukas ringde i går, han har ringt två gånger. Han har ringt mig, han har ringt och jag tror att om det var mamma som lämnade pappa skulle hon inte få träffa oss. Han skulle inte tillåta det. Aldrig. Pappa fixar inte att bli förolämpad. Och mamma är ..." Jag torkade honom om munnen och näsan med toalettpapper och viskade "fortsätt" och han grät ännu mera och när han gråtit klart snöt han sig och sa: "Jag är inte lik mamma. Pappa säger alltid att jag är det, men jag hatar henne, jag är inte lik henne, hon är en idiot. Jag skiter i om det var hon som stack, det var det säkert, för hon klarar inte av någonting. Lukas säger det också. Hon är helt jävla hopplös."

Och då sa jag inget mer.

Hans mamma och pappa var inte hos honom. Inte hans duktiga storebror Lukas som inte heller vågade säga emot Claes, bara ringa i smyg när han inte var i närheten. Men jag kom till sjukhuset. Jag hade också gjort honom illa men vi pratade inte om det mer, vad jag hade gjort var oviktigt, det var en bagatell och när jag viskade *förlåt mig*, sa han *det gör inget, du är här nu, det spelar ingen roll*, och jag kysste honom och han kysste mig och han stack sin friska hand under min tröja, i mitt hår, han höll mig om nacken och kysste mig igen och kysste mig igen, för han kunde inte leva utan mig, det var en fråga om liv och död.

Trodde jag verkligen det? Att han behövde mig för att leva? Ja. För det var sant. När han blev förflyttad till psykakuten var hans pappa och bror redan i Zermatt och åkte skidor. Därifrån flög hans pappa direkt till en annan stad för att jobba och Lukas stack tillbaka till USA. Det låter som ett skämt men den enda som hälsade på Sebastian innan jag kom till psykakuten var Claes sekreterare Majlis. Och ni tror kanske att jag hittar på det, men det gör jag inte och det värsta med det var inte att Claes Fagerman skickade sin assistent, det värsta var att han förstod exakt hur sjukt det var men gjorde det ändå.

Sebastian låg länge i sjukhussängen och grät. Jag låg bredvid och såg på honom hur nära han varit att dö, jag såg på honom att han ville dö och jag tänkte att om jag bara stannade hos honom skulle jag få honom bättre. Jag skulle få honom att titta på mig så där, som om han aldrig sett något liknande. Få honom att känna sig vilsen, som om han tappat fotfäste och bara kunde komma ihåg en enda sak: att han ville ha mig. Och då skulle jag komma på, då skulle jag *veta* hur man gjorde för att rädda en människa. Och då skulle allt bli bra. Då skulle Sebastian må bra igen.

Tänkte jag på Samir? Kanske. Men han ville inte ha mig, jag passade inte in i hans liv, han ville inte anpassa sig till mitt. Samir behövde mig inte.

När jag låg i Sebastians sjukhussäng och vi grät bägge två ville jag tända världen för honom, visa honom vad han betydde, komma med honom, till honom, för honom. *Fy fan*, tänker ni, men det gör ni bara eftersom ni vet hur det gick. Just då visste ingen någonting. Och ingen frågade mig. *Vill du? Kan du?* Eller sa att *vi hjälps åt, inte kan du göra det här ensam.* För alla visste att det här var det enda alternativet. Det fanns bara jag.

Ingen frågade mig om jag ville rädda Sebastian, men alla klandrar mig för att jag misslyckades.

Jag vet inte vad läkaren sa när Claes Fagerman förklarade att han inte kunde komma och besöka sin son på psykakuten, för att han var upptagen med att åka skidor och fira jul, men jag vet att folk aldrig ställde krav på Claes Fagerman. Inte ens läkarna. De kanske sa till varandra, i fikarummet när Claes inte hörde, *någon borde säga åt honom*, men de var själva aldrig denna någon, *ingen är någon*, och om eller när de träffade Claes Fagerman och i teorin skulle kunna säga vad som helst, då glömde de det som varit viktigt innan. *Vad fan gör du, du är hans pappa! Hans brorsa. Var är hans mamma?* Inte en chans att de skulle fråga det. Claes Fagerman gjorde dem så imponerade att de aldrig vågade säga annat än sådant de var säkra på att han skulle gilla. Och de var livrädda för att han skulle vända sin ilska och sitt förakt från sin son och rikta det mot dem istället.

Jag låg i Sebastians säng och kramade honom tills han gråtit klart, tills han somnat och jag låg kvar tills han vaknade igen.

Inte en enda människa på hela jorden reste sig och skrek till någon lyssnade: *Kan någon jävel ta hit Sebastians förbannade skitföräldrar och tvinga dem att älska honom på det sätt han förtjänar att bli älskad?*

När han grät så att han inte kunde prata kysste jag honom. Han kysste mig tillbaka. Det var obekvämt och jag fick hans snor i munnen och bandagen var i vägen, men just då, på sjukhuset, var Sebastian kärleken. Han var allt jag behövde, han var hos mig och inte på väg någon annanstans och jag trodde faktiskt att jag skulle kunna förändra något. Inte världen, jag är inte dum i huvudet, men jag tänkte på hur det skulle bli när han blev utskriven och vi skulle ligga på hans dubbelsäng, nakna och ensamma och han skulle rita vägar på min mage och jag andas hans utandningsluft och vi, nej, vi behövde inga andra människor. Vi behövde fan inte hans vidriga farsa. *Han borde dö, inte du*, viskade jag i Sebastians öra. Menade jag det? Det är klart jag gjorde. Jag hatade Claes Fagerman. Jag ville offra allt för Sebastian. Det enda problemet var att jag inte hade någon koll på vad "allt" var. För störst av allt är kärleken ända tills något annat blir ännu större.

Jag åkte till sjukhuset med helikopter och bil, det var självklart att jag skulle åka. Jag gick tillbaka till Sebastian och jag stannade där. För Sebastian behövde mig. Han hade ingen annan. Han älskade mig. *Vilken tur att vi hade varandra.*

Det jag saknar nu, efter allt, är hur det var när jag kunde känna ljumma blandkänslor som liknade lycka. Hur det var under de där juldagarna hos morfar, när det var snö överallt och mitt huvud kändes som efter ett regnväder och mina känslor var utspädda i en lagom blandning.

Kärleken? Nej, jag saknar inte kärleken. Kärleken är inte störst eller renast, den blir aldrig en perfekt blandning, bara en oren vätska. Man borde lukta på den innan man smakar. Men risken är att man ändå inte märker att den är giftig.

Kvinnohäktet, natt

32.

Även mitt i natten, i den mörkaste timmen, letar sig en svag strimma nästanljus in i min cell. Den kommer från staden utanför, där blir det aldrig helt svart, aldrig helt tyst. När jag vaknar ligger jag en stund på rygg och låter ögonen vänja sig, sedan ser jag konturerna omkring mig. Min tunna, gula filt under lakanet höjs allteftersom jag andas, jag lägger handen mot sänggaveln och känner mina nagelavtryck i den mjuka furun. Då är jag som mest ensam.

Jag hade en furusäng när jag var liten, jag önskade mig en våningssäng och mamma köpte den på Ikea, jag vågade aldrig sova i överslafen men brukade krypa under sängen och lägga mig platt på rygg och rita på sängbenen, skriva hemliga meddelanden till eftervärlden. Ibland tvingade jag med mig Amanda. Vi var kanske aldrig bättre vänner än då, när livet bestod av isglass, glittertatueringar i tuggummipaket och vem som kunde rita det bästa hästhuvudet. Men det var trångt under sängen, vi låg aldrig där speciellt länge.

När jag fick en ny säng med spetshimmel i gustaviansk stil var det slut med klottret. Himmelsängen behöll jag tills det blev dags för Lina att sova i vanlig säng. Då fick hon den och jag fick både nytt rum och dubbelsäng och Amanda skaffade sig en riktig tatuering, en lilja vid handleden. Den syntes knappt när hon hade klocka på sig.

Sebastian sov aldrig över hos mig. Inte för att mamma och pappa skulle ha haft något emot det, men Sebastian var liksom bäst i sina egna miljöer och vi var aldrig ifred hemma hos oss. Han ville helst vara det. Ifred. När han fick komma hem från sjukhuset blev det allt viktigare. *Jag vill att det ska vara tyst. Kan du bara hålla käften?*

I cellen behöver jag inte tända ljuset för att gå på toaletten. Stålringen blänker även när det är mörkt, jag sätter mig på den, det stör mig inte längre att den är hård och smal och obekväm. När jag är klar hittar jag spolknappen utan att famla för jag vet exakt var den sitter. Jag har bott i det här rummet så länge nu, det har fastnat i mig, bränts in i mig med glödande järn, en för-evigt-för-alltid-inristad-i-huden-med-svidande-bläck-tatuering, jag vaknar aldrig längre och undrar i en ljuvlig sekund var jag är någonstans, och jag tänker aldrig ett svalkande *varför*.

Men drömmarna har jag fortfarande. Och ibland får jag vara med henne, Amanda, när hon skrattar med öppen mun, tar mig i armen och nyper för att det är hon och jag för evigt.

Hon och jag. Och Sebastian och jag.

Bara att tänka på honom, hur det var när det var Sebastian, får min kropp att reagera. Det spelar ingen roll att huvudet protesterar, kroppen minns, till och med min hud minns honom.

Före Sebastian var jag en tjej som sa ja eller nej. Aldrig något annat. Men med Sebastian blev jag som en av killarna. Det spelade aldrig någon roll att jag visste att jag skulle hata mig själv efteråt. Jag sa "kom igen då", jag vädjade, "snälla", "mera", "en gång till", "bara en sista gång". Det finns bara en enda sak min kropp minns tydligare än hur mycket jag ville ha honom och det var hur det kändes när han försvann.

Det har blivit min tur att prata. Om bara några timmar. Först ska Sander guida mig igenom min redogörelse, sedan kommer åklagaren att ställa sina frågor.

Jag kan höra i mitt huvud vad åklagaren kommer att säga. Hur kunde du? Vad gjorde du? Vad visste du? Varför stoppade du honom inte? *Svara.*

"Det är inte upp till dig att förklara varför Sebastian gjorde det han gjorde", säger Sander. "Ju snabbare du inser det och släpper det, desto bättre är det. Du måste koncentrera dig på din egen del i den här historien."

Sander tycker inte att jag ska prata om hur jag älskade Sebastian, det "hör inte till saken". Han vill inte lyssna på när jag förklarar hur jag svek Sebastian. Att det var mitt fel att han mådde dåligt. Eller att Sebastian behövde mig. När jag pratar med Sander om det, passar han alltid på att bläddra i något eller vända sig en aning bort från mig, eller letar i fickorna efter sina glasögon. Sander vill inte höra vad vi hade. *Historien om vår kärlek passar sig inte.* Han tycker att den i sig gör att jag verkar skyldig. Eller dum i huvudet, vilket är ungefär samma sak.

Det hör inte till saken. Du behöver inte berätta om det. Du kan hålla det för dig själv. Det är inte rättsligt relevant.

Men det finns saker Sander inte förstår. När han var ung behövde inte kungen pussa Silvia på slottstrappen när de var nygifta. Kungen behövde inte hålla ett direktsänt middagstal "Silvia, Silvia. Jag älskar dig, blablabla ...", inför hela folket. Det behövdes inga talskrivare för att tillfredsställa pöbelns behov av "vi har gått genom eld och vatten, vi har inte valt den enkla vägen, men störst av allt är kärleken". På Sanders tid fick man ha sådant ifred. På Sanders tid skulle man hålla saker för sig själv, annars blev det pinsamt. Men den tiden är förbi. Och jag vet vad som krävs. Jag vet vad jag själv hade velat veta: och jag hade velat veta allt, jag hade krävt precis varenda detalj, om min och Sebastians smutsiga, sjukliga, förgiftade kärlek. För att förstå varför jag sa att jag tyckte att hans pappa förtjänade att dö och varför jag sköt min pojkvän och min bästa vän.

Det kanske inte är upp till mig att förklara varför Sebastian gjorde vad han gjorde. *Det är säkert inte rättsligt relevant.* Men jag var där, han var min kille, jag kände honom bättre än någon annan i det där klassrummet, jag visste definitivt mer om honom än hans egna föräldrar. Och jag dödade honom och Amanda. Om inte jag förklarar, vem ska då göra det?

Varför? Jag vill också veta det. Och "varför?" är oändligt stort, det kräver total öppenhet och "total öppenhet" kräver att jag är försiktigare än jag någonsin varit med vad jag säger. För så fort jag säger det blir det sant.

Den dag då det äntligen, efter alla förseningar, har blivit min tur att prata vaknar jag långt innan jag borde.

Att vakna när det är som mörkast är värst. I dag gör jag det och redan

263

innan jag öppnar ögonen vet jag att jag inte kommer att somna om. Jag mår illa, jag ställer mig med huvudet böjt över handfatet, låter vattnet rinna, kranvattnet på häktet blir aldrig riktigt kallt, aldrig riktigt varmt, men jag sköljer ansiktet, mitt nattlinne blir vått vid halslinningen och jag drar det av mig. Sedan står jag naken mitt i rummet och andas, in och ut, in och ut. Jag fryser och svettas.

Sander har förberett mig inför det som ska hända i dag, vi har övat, vi har övat och övat och övat och nej, det handlar inte om att Sander har ljugit ihop en historia åt mig som jag har lärt mig utantill, men han vet att om jag börjar stamma och rodna och svettas så att det syns, då spelar det ingen roll vad jag säger, hur ärlig jag är, då kommer ingen i den där rättssalen att lyssna på mig.

Den tilltalade. Det är jag. Om några timmar ska jag få berätta, det är dags för mig att *leverera min redogörelse.*

Sander har sagt att jag har "rätt att avstå". Det betyder att jag skulle kunna hålla käften hela rättegången. Ingen kan tvinga mig att prata, ingen kan tvinga mig att svara på frågor. Vill jag vara tyst får jag vara tyst.

På sjukhuset pratade Sebastian, men när han åkt därifrån blev han tyst. Jag lät honom vara, ställde inte tusen frågor och krävde inga svar. Jag förstod att han behövde vara tyst. Hans kompisar gjorde sitt bästa för att spela oberörda. Ingen av dem hade insisterat på att få komma till psyket, men när han var hemma igen blev det svårare att låtsas som om deras teater var för Sebastians skull. Dennis var duktigast. Labbe sämst. Första gången Sebastian träffade Labbe efter jul började Labbe gråta och kramas och då skulle Amanda också försöka göra samma sak och det var hemskt. Sebastian hatade det.

När jag lägger mig i sängen igen fryser jag. Det finns en extrafilt i mitt skåp men jag skakar för mycket för att hämta den. När jag blundar svider det under ögonlocken. Jag lägger mig på sidan, försöker få armarna om knäna, andas ner under täcket. Frossbrytningarna kommer och går, jag hinner nästan vänja mig vid rytmen, som när man har hicka, sedan slutar de lika snabbt som de började.

När jag har berättat klart finns det ingen väg tillbaka. Men här i natten finns versioner av historien, parallella liv till mitt eget. Jag kan inte sluta tänka på dem. I en version kysser jag aldrig Samir, jag låter honom aldrig ta min hand, jag åker aldrig ut till hans förort, han börjar aldrig hata mig eller skämmas för hur jag får honom att känna sig, han känner sig inte ansvarig för mig, och skaffar sig andra saker att hetsa upp sig över än Sebastian, och jag blir aldrig förälskad i Samir och behöver inte göra slut med Sebastian och Sebastian försöker inte ta livet av sig, han blir inte sämre på det sätt han blev efter jul och den allra sista festen äger aldrig rum hans pappa blir inte arg och Sebastian tappar aldrig hoppet om att hans pappa ska älska honom och han skjuter aldrig det första skottet och aldrig de andra och jag dödar aldrig Amanda och jag dödar aldrig Sebastian och vi lever vidare och det är ett bättre slut, en bättre början, ett bättre liv.

För det är när jag gör slut med Sebastian och han märker hur lätt det är att dö som han blir en mördare. Jag förstod det inte förrän det var försent.

I ett annat parallellt universum skjuter jag Sebastian redan kvällen före. Precis efter festen. Jag vet inte varför jag skulle göra det, och hur, men det skulle ändå vara bättre eftersom de andra hade kunnat fortsätta leva. I en tredje version går jag aldrig hem efter festen kvällen innan och mamma och pappa ringer polisen tidigt på morgonen och de hittar mig död vid Barracuda. Jag har dränkt mig och polisen går raka vägen till Sebastian och tvingar sig in för att prata med honom och han kan inte göra det han gjorde i huset och han kan inte åka till skolan och göra det han gjorde där.

I en fjärde version åker jag aldrig hem från Sebastian efter festen, jag skiter i att gå trots att hans pappa säger åt mig och jag stannar med Sebastian, jag tvingar honom att vara med mig istället och om jag hade varit där hade han inte dödat sin pappa. Då betyder det att alla får leva. Amanda får leva.

Och alla versioner har en sak gemensamt. Jag kan inte sluta tänka på dem. Inte ännu i alla fall.

Det är viktigt att du berättar. Permanenten, polisen från mina förhör, hon sa det fler gånger än jag orkar hålla reda på. *Gör det för Amandas skull.*

Folk tror alltid att de vet vad de döda skulle ha velat. *Amanda hade velat att du skulle ha varit modig. Amanda hade velat att du berättade sanningen. Amanda hade förstått.*

Det är sådant fundamentalt skitsnack. Amanda hade velat att jag inte sköt henne. Amanda ville inte dö. Det är det enda jag tror att vi kan vara säkra på.

Sanningen är att allt som hände efter att jag gick tillbaka till Sebastian, det hände för att jag inte lyckades stoppa det.

Om jag ska berätta om det som också var Sebastian? Det onda? Ja, varför inte? Det är inte mitt ansvar att försvara honom. Nu är han ensam, lika ensam som jag. Men jag är inte säker på att det hjälper mig, eller att det ens är speciellt viktigt. För i dag ska jag berätta. Sedan är det Samirs tur.

Huvudförhandling i mål B 147 66

Åklagaren m.fl. mot Maria Norberg

33.

Samir överlevde alltså. Sebastian sköt honom med tre skott, ett fastnade i buken och ett i axeln och ett gick rakt genom armen. Han fick opereras sex gånger och de tog bort hans bukspottkörtel. Jag är osäker på vad det betyder, men i stämningsansökan står det att han kommer att få medicinera resten av sitt liv, att han har nedsatt rörelseförmåga i vänstra armen och kroniska smärtor i ryggen.

Men han är tillräckligt återställd för att kunna plugga, på Stanford av alla ställen, enligt Pannkakan tack vare ersättningen han fått av Fagermankoncernen.

Samir är inte bara ett av offren, en av målsägarna. Han är också åklagarens huvudvittne, fula-Lenas enda vittne inifrån klassrummet. Samirs historia är det hon bygger sitt åtal mot mig på. Och jag vet naturligtvis vad han har berättat. Förhören med honom finns i förundersökningen och jag har läst dem. Jag har läst dem så många gånger att jag kan dem praktiskt taget utantill. Och Samir har sagt att jag sköt Amanda med avsikt. Att jag plockade upp mitt vapen i lugn och ro, att Sebastian inte verkade bli det minsta stressad av att jag tog upp det, att Sebastian bad mig att "gör det nu, kom igen. Jag vill att du ska göra det", innan jag sköt. Först Amanda. Sedan Sebastian.

Det är tyst i rättssalen när jag kommer in för att sätta mig på min plats. Luften dallrar av förväntan, hade mormor sagt. Även domarna ser annorlunda ut. Uppfyllda av viktighet igen, precis som den allra första dagen. Samir ska alltså inte vittna förrän på måndag nästa vecka, han hade något att göra i Stanford och domstolen bedömde att det var okej, men jag måste göra det i dag. Det är därför alla är på helspänn, för att jag ska prata. Men med hänsyn till att vi alla vet vad Samir kommer att säga förstår jag inte varför alla hetsar upp sig. Det finns ingenting jag kan säga som kan få hans berättelse att försvinna.

Sander har sagt att Samirs vittnesmål "måste bedömas i ljuset av den situation han befann sig i", han menar att han kan "peka på osäkerheterna i det Samir observerat". Men jag vet att när de har hört vad han har att berätta kommer de att lita på det. Samir är en person man litar på.

Sander börjar med att ställa frågor om mig. Han undrar hur gammal jag är, trots att den som fortfarande inte vet det knappast kan ha puls, han frågar var jag bor och jag svarar inte "Djursholm", jag säger "med min mamma och pappa och lillasyster ... hon är fem år och heter Lina". Sedan vill han att jag ska berätta hur det går för mig i skolan och jag säger "ganska bra" och Sander påpekar "mycket bra". När uppvärmningen är avklarad är det dags att börja prata om "det som hände".

Sander har sagt att han inte tänker "fokusera" på Samirs "uppfattning av skeendet", men att jag är tvungen att berätta om klassrummet. Men vi börjar med Sebastians självmordsförsök. Jag får berätta hur dåligt han mådde innan, hans festande, att jag tyckte att det var jobbigt, att jag träffade Samir, vad Sebastian sa när jag gjorde slut, vad vi pratade om på sjukhuset.

"Berätta hur det blev när Sebastian kom hem från sjukhuset. Kan du göra det?"

Sebastian fick åka hem en vecka efter nyår, samma dag som skolan började. Men han var sjukskriven ytterligare två veckor och dem tillbringade han hemma. Först trodde jag att det blev bättre. Det blev inte bättre, men jag trodde det. Sebastian slutade att gå ut, han slutade bjuda hem tvåhundra personer på fest och boka weekendresor till Barcelona, London och New York. Han ville vara med mig istället. Gärna hela tiden, även när jag borde vara i skolan. Han slutade också att prata om vad vi skulle göra, vart vi skulle åka, hur vi skulle festa. Istället ville han att vi skulle umgås själva. Ensamma. Hemma hos honom där hans pappa knappt stannade tillräckligt länge för att byta resväska. Jag trodde att det var ett gott tecken. Han blev inte lika full, han var inte hög lika ofta och aldrig på samma sätt. När hans kompisar ringde och jag var med tryckte han bort samtalen, skulle vi umgås med andra ville han göra det hemma hos sig och om någon kom var det inte ovanligt att han försvann bort till en annan del av huset. Ibland kunde inte ens jag hitta honom. Han var bara borta.

Det är klart att han var deppig, men samtidigt hade Sebastian aldrig verkat lika kär i mig som under de där veckorna efter att han kom hem från sjukhuset och gick omkring i pyjamas. Och antagligen var det också då jag älskade honom som mest. Varför var det så?

I slutet av Harry Potter, när de slåss som värst mot Voldemort, då kysser Ron och Hermione varandra. De gör det eftersom de tror att de ska dö. Strax efteråt kysser Harry och Ginny också varandra, av samma anledning. Jag tror att Sebastian älskade mig mer än någonsin för att han förstod att han kunde ha dött. Och jag kände samma sak för att jag också trodde att han kunde ha dött. Först nu, när jag vet vad som hände, tänker jag att han kanske redan då visste att han inte bara kunde ha dött, utan att han skulle dö, eller att han åtminstone visste att det var lätt att dö om det var vad han bestämde sig för att göra.

Den gick över. Den där intensiva kärlekskänslan.

Vi pratar om Claes. Sander ber mig berätta vad han sa, vad han gjorde och vad han inte gjorde.

"Var det jobbigt för Sebastian?"

"Var Sebastian besviken på sin pappa?"

"Pratade ni om det?"

Och jag berättar. Jag berättar om de andra också. Om Lukas och mamman och Labbe och alla festerna och Dennis och drogerna och Samir och allt. Jag berättar om allt.

"Kan du berätta hur Sebastians hälsotillstånd utvecklades?"

Jag gör det också.

Det tog ungefär till påsklovet för mig att erkänna för mig själv att ingenting hade blivit bättre, bara sämre. Alla andra hade förstått tidigare, till och med Amanda. För redan i slutet på februari behövde Sebastian inte längre kräva att få vara ensam, han behövde inte koppla bort mobiltelefonsamtal eller låtsas vara sjuk för att slippa gå på grejer.

271

Vi var ensamma för att ingen ville vara med oss.

Att leva lycklig i alla sina dagar med den man älskar fungerar bara i böcker; "i alla sina dagar" är bara tillräckligt lång tid om man är påhittad. Och kärleken räddar ingen till evigt liv.

Två saker är viktiga för Sander. Det ena är att han vill visa att Sebastian hade en konflikt med sin pappa som jag inte var ansvarig för. Att jag inte övertalade honom att döda Claes, att Sebastian skulle ha gjort det oavsett vad jag sagt eller gjort. Det andra är att han vill visa att Sebastian och jag inte hade gemensamma planer på att hämnas, att vi inte låg i Claes villa och smidde planer för hur vår mördarpakt skulle se ut. Sander vill få domstolen att förstå att jag saknade mina kompisar, att jag inte hatade dem, att det var Sebastian som blev allt sjukare, och argare och konstigare, Sebastian, inte jag.

Så jag berättar om det också för rätten och journalisterna och alla andra. Jag berättar om den växande ondskan. Första gången Sebastian skrek "håll käften" till mig trots att jag inte hade sagt något. "Om du inte håller käften så klipper jag till dig." Och när jag blev övertygad om att han skulle slå mig. Och det andra.

"Var du rädd för Sebastian?" undrar Sander och chefsdomaren lutar sig framåt en smula, tittar på mig, väntar på mitt svar.

Men jag blev inte rädd för honom, inte då, inte första gången. Inte heller andra. Det är svårt att berätta. Jag kan inga formuleringar som får folk att fatta det man känner.

"Är det verkligen sant?" undrar Sander. "Att du inte var rädd?"

Istället för att svara känner jag tårarna komma, jag kan inte hejda dem. Jag skakar på huvudet, nu kan jag inte säga något alls. Jag gråter för mycket.

"Ja", får jag ur mig till slut. "Det är sant. Jag var inte rädd för min skull. Jag var kanske rädd, men inte för att han skulle göra mig någonting."

"Hur menar du då?"

"Jag kunde inte lämna honom."

"Trodde du att han skulle försöka ta livet av sig igen om du lämnade honom?"

Jag nickar. Paniken buktar i svalget.

"Mm."

"Varför trodde du det?"

"För att han sa det. Och det var sant. Jag visste att det var sant."

"Och det ville du inte."

"Det är klart att jag inte ville."

"Pratade du med någon om det här, Maja? Förklarade du hur allvarligt det var?"

Jag nickar igen.

"Ja", säger jag. "Det gjorde jag."

Sebastian och jag

34.

Vi visste inte att Claes skulle vara hemma. Men det var han. Tillsammans med fyra andra gubbar åt han middag i köket. En av gubbarna stod vid spisen. Jag kände igen honom, han brukade ha sitt axellånga hår i en fånig knut (antagligen ville han se ut som ett fotbollsproffs) i ett av alla tre miljoner matlagningsprogram på tv. Nu var håret flottigt och utsläppt och han stod i Sebastians kök och höll en fisk över nacken med ena handen och en kniv i andra. Tv-kocken var skitfull.

Claes var mitt uppe i ett av sina paradnummer, en historia om när han var på jakt i Sydafrika och blev tillsagd av en jaktledare att hämta mer ammunition. Alla måste ha hört den minst tjugo gånger, men de skrattade högt på precis rätt ställen.

"Sätt er ner", sa Claes mitt i en mening, innan han återupptog historien. Vi satte oss. Varför? För att Sebastian alltid gjorde som Claes sa och jag gjorde som Sebastian. "Fixar du fram några tallrikar?"

Han vände sig mot mannen närmast mig, en gubbe i sextioårsåldern. Jag kände igen honom också, han var inte finansminister, men någon annan sorts minister, näringslivsminister kanske, jag hade träffat honom förut. Med en förvirrad min reste han sig och vände sig mot raden av skåp. Ministern hade ingen aning om var tallrikarna stod och dessutom var även han så full att han var tvungen att lägga handen över ena ögat för att kunna se ordentligt. När han pekade med ett knubbigt pekfinger mot kylskåpet och undrade "var har ni tallrikarna" reste jag mig.

"Jag fixar det", sa jag. Jag ville därifrån, snabba på det Claes ville ha oss till, vad det än var för något.

"Och vad är det för fel på dig i dag, Sebastian?" Claes var färdig med historien. "Du ser nykter ut, är du sjuk?"

Sebastian log svagt och hällde upp varsitt glas vin åt oss. Han tömde sitt, fyllde på det, höjde det mot sin pappa i en skål innan han tömde även det.

"Han brås på sin far, ser jag", sa tv-kocken och ställde sig bredvid mig. Han lutade sig fram och placerade ett fat med dillstuvad potatis och en skål med sockerärter på bordet. "Bra smak har han också", la han till och nöp mig i underarmen innan han gick tillbaka för att hämta fisken.

"Där har du fel, tyvärr", sa Claes, tog en slev potatis och skickade vidare fatet. "Mig brås han fan inte på. Jag kollade upp det för några år sedan, märkligt nog är han min, men han är hundratjugo procent fröken Jönköping. Slår till och med originalet. Får sin mor att verka både stabil och smart."

Claes fulla vänner skrattade. Lite tveksamt, kanske. Men skrattade gjorde de. Ingen kunde tro att han menade allvar. Tv-kocken kom tillbaka, drog med sig en stol och klämde in sig mellan mig och Sebastian. Han satte sig så nära att jag kände hans lukt, en blandning av fiskrens, svett och tung herrparfym.

"Men berätta gärna", fortsatte Claes. "Sebastian, familjens solkiga tacka. Hur är det med dig?"

"Bryr du dig?" mumlade jag och försökte flytta stolen en bit åt andra hållet. Jag trodde inte att det skulle höras, men Claes tittade upp från tallriken. Tänkte han börja skratta?

"Om jag bryr mig?"

Tv-kocken la en arm om mig.

"Han bara skämtar, tjejen. Slappna av. Smaka på maten." Han tog min gaffel, spetsade en bit fisk på den och förde den mot min mun. "Ett skepp kommer lastat ... en bit för pappa, gapa nu."

Claes skrattade, explosionsgarvade, en mikrosekund senare skrattade alla andra igen. Jag gapade. Jag vet inte varför jag gjorde det men tv-kocken gjorde i ordning ännu en tugga. Han *tuff-tuff-tuffade* in den i min mun. Medan jag svalde torkade han mig om munnen med sin servett. Jag såg inte Sebastian längre, men jag hörde hur han också skrattade. Det där skrattet han alltid lyckades få ur sig när hans pappa satte igång. Det fick mig att må illa. Sebastian var fast i det här, han

278

kunde inte ta sig ur den här mobbningen, han skulle aldrig göra det. Såg han inte hur sjukt det var? Det är klart att han gjorde. Såg han inte hur sjuk hans pappa var? Jo, det gjorde han. Hur vidrigt han betedde sig? Naturligtvis. Varför gjorde han ingenting? Varför förstod han inte att det inte gick att behandla människor så här? Varför gällde regler för hur man beter sig alla utom Claes? Claes Fagerman fick göra precis hursomhelst. Vi andra bara gapade och svalde.

Kanske var det den tredje tuggan tv-kocken gjorde i ordning som gav mig styrkan. Med båda händerna mot bordskanten sköt jag mig bort från honom och hans jävla gaffel.

"Lilla tjejen …", försökte kocken protestera när jag kommit loss. "Du måste äta om du ska bli stor och stark."

"Gapa stort", flabbade någon. Jag hörde inte vem. Ministern kanske, och jag hörde att Sebastian skrattade igen. *Som sin pappa.* Jag knep ihop ögonen, hårt och snabbt, vita prickar dansade på näthinnan.

Jag vände mig mot Sebastian.

"Jag går hem nu."

Han svarade inte. Jag tror inte ens att han tittade tillbaka. I valet mellan mig och hans pappa förlorade jag alltid.

"Det är nog en bra idé", sa Claes och sträckte sig mot potatisskålen för att fylla på mer mat. "Jävligt gott", fortsatte han, vänd mot kocken nu.

Jag tog fyra steg över golvet och ställde mig precis framför Claes.

"Tycker du verkligen", fick jag ur mig. Min hals värkte. Rösten bar knappt. Jag skulle börja gråta om bara några sekunder och jag måste hinna ut härifrån innan dess. Men jag måste säga det här. "Tycker du att det här är okej? Du tänker inte göra något?" Jag svalde. Det var kört, jag grät redan. "Du skiter i att Sebastian mår dåligt, att han inte fixar … du tänker inte göra något åt det?"

Claes tittade upp mot mig. Han log.

"Göra något?" Hans röst var iskall. "Förklara för mig, Maja … Vad är det du vill att jag ska göra? Vad menar du att jag borde göra som jag inte redan gjort? Förklara gärna för mig vad exakt det skulle vara?"

Jag försökte titta tillbaka. Jag försökte hålla blicken stadig, men det gick inte. Skulle han säga att vi borde prata om det här enskilt? Att det här inte passade sig för en diskussion under en herrmiddag? Nej. Claes skämdes inte, varför skulle han göra det? Han skämdes aldrig, ingenting kunde hota honom, det fanns ingenting han inte kunde säga eller göra med hela världen som vittne. Han lutade sig tillbaka. Besticken hade han lagt ifrån sig. Alla andra hade också slutat äta. De tittade på mig.

"Vi lyssnar Maja. Berätta vad du har på hjärtat. Berätta vad du tycker att jag ska göra." Han snurrade på sitt vinglas. Den gula drycken svepte runt i glaset. Hans andra hand låg stilla bredvid tallriken, fingrarna lätt kurade. Han hade en klackring på vänster lillfinger, han knackade den i bordet.

"Ingenting" fick jag ur mig. Det blev en viskning. Min hals brände av ansträngningen. "Du behöver inte göra någonting." Sedan vände jag mig om och gick därifrån. Sebastian kom inte efter.

Mamma och pappa satt i vardagsrummet och tittade på tv när jag kom hem. Jag gick in på mitt rum direkt. Jag ville inte att de skulle se att jag hade gråtit. Men jag stängde dörren så hårt jag kunde efter mig. Antagligen ville jag vara säker på att de hörde att jag kommit hem, att de skulle fatta att jag inte sov hos Sebastian trots att jag alltid sov hos Sebastian på lördagar. Tre minuter senare knackade pappa på dörren. Jag hade fått av mig jeansen och lagt mig under täcket. Jag grät inte längre.

"Är allt bra, gumman?"

Jag vände mig in mot väggen.

"Visst."

"Vill du prata?"

"Jag vill sova."

Han gick fram till min säng, böjde sig ner och strök undan håret från min kind.

"God natt, älskling."

Morgonen där på satte sig mamma mittemot mig när jag åt frukost.

"Vad har hänt, Maja?"

Jag ryckte på axlarna.

"Har ni grälat?"

280

Jag ryckte på axlarna igen. Det blev tyst en stund.

"Hur är det med honom?"

"Inte bra."

"Vi har förstått det. Vill du att vi ska göra något?"

Ja, det vill jag.

"Nej."

"Är du säker? Du lovar att säga om det är något vi kan göra? Vi fattar att det inte är så lätt, att Sebastian har problem. Vi har pratat med dina lärare, de förstår också. De förstår att du måste vara borta ibland. Och du klarar dig fortfarande bra, de är inte oroliga för dig."

Jag svalde.

De borde vara oroliga för mig. Jag är jävligt orolig för mig.

"Du gör en stor insats, Maja. Han behöver dig och du finns där för honom. Inte många orkar det i din ålder. Är det säkert att du säger till om du behöver hjälp?"

"Ingenting. Du kan inte göra någonting."

Mamma log. Lite för snabbt, lite för brett. Hon blev lättad, det var nästan komiskt att se hur otroligt skönt hon tyckte att det var att slippa ta itu med det här. Samtidigt var hon nöjd, stolt över sig själv. Det här var en toppenmorgon för henne, det här var den mammaroll hon älskade mest att spela. *Lyssna på ditt barn.* Check. *Fråga om du kan göra något.* Check. *Visa att du bryr dig.* Check.

Göra något? Vad skulle det vara? Säg det, förklara för mig, du måste berätta för mig vad jag kan bidra med. Det är inte mitt ansvar. *Herregud! Sebastian har faktiskt egna föräldrar.*

Jag hade lovat att ta Lina till gymnastiken. Hon puttade sin egen vagn, vi tog den med oss för att hon skulle kunna sitta i den när det blev dags för henne att åka hem igen, för då brukade hon vara trött.

Samir klev på bussen vid Djursholms allmänna gymnasium. Han tvekade när han såg oss. En kort sekund tänkte han gå förbi, men när Lina sa hej satte han sig på sätet framför, vände sig om och tittade på oss.

"Hur är det?"

"Går du i skolan på helgerna också?"

Han skakade på huvudet.

"Hade glömt matteboken i mitt skåp."

"Och det vore sannerligen en katastrof", sa jag. "Att behöva ta sig igenom en hel söndag utan matteboken."

Samir fick en liten skrattgrop i kinden. Och plötsligt grät jag igen. Jag var trött på att gråta. Ingenting blev bättre av det. Men det var lättare att inte gråta när Samir inte log. Allt blev mindre svårt när han var sur och jävligt konstig och behandlade mig som skit. Jag försökte le tillbaka, torka bort tårarna utan att han märkte, men det gick inte. Jag tittade ut genom fönstret, lutade mig så långt bak mot ryggstödet jag kunde. Jag ville inte att Lina skulle se.

"Du …", försökte han.

Far åt helvete. Jag hatar dig. Titta inte på mig så där om du inte vill ha mig.

Jag torkade bort tårarna med baksidan av handen.

Du är feg, Samir. Om du inte varit rädd hade det kunnat vara du och jag.

"Vad heter du?" sa Lina. Hon hade klättrat upp på sätet, ställt sig på knä för att nå upp och jag släppte ut ett nervöst skratt och strök henne över håret.

Jag vill inte gråta mer.

Samir skrattade också, han lutade sig fram mot Lina, hans ansikte var bara ett par centimeter från hennes.

"Samir", viskade han och Lina fnissade förtjust.

Lina kunde vara vårt alibi. Vi kunde låta henne babbla på om saker som betydde allt för henne, om hon pratade slapp vi säga det vi borde.

Jag orkar inte vara arg, Samir. Inte på dig också.

Lina ställde sina sedvanliga tjugo frågor om ingenting. Samir svarade. Då och då tittade han på mig och jag fick gott om tid att tvinga tillbaka gråten. Men så tystnade Lina, sjönk ner på sätet igen och plockade upp boken hon tagit med sig för att bläddra i på bussen. Hon låtsades läsa och Samir fick en liten rynka i pannan.

Jag skakade på huvudet. Ryckte på axlarna. Slog ner blicken. Tog mig igenom alla rörelser man gör när man vill att den man pratar med ska förstå att det är åt helvete, allt är åt helvete, men det kan jag inte säga för det säger man inte.

Jag orkar inte prata om det. Tvinga mig.

Han nickade.

"Du behöver inte ta ansvar för honom", började han.

"Jo", sa jag. "Jag behöver faktiskt det."

"Han är sjuk i huvudet, Maja." Samir viskade. "Och det han gör blir inte mer lagligt bara för att han gör det hemma istället för i skolan och på Stureplan. Du behöver inte ta hand om honom. Det är inte ditt ansvar."

Det är inte drogerna, Samir, de är inte värst. Inte längre. Han har blivit en annan. Det växer något i honom. På nätterna får han ont. Det sitter i hans huvud och han ropar högt, rakt ut, det är giftigt, det som finns i honom, ibland klarar han inte ens av ljus, inte minsta lilla strimma ljus. Jag vet inte vad jag ska göra. Hjälp mig.

Jag svalde, pillade lite på Linas tofs, böjde mig fram och luktade på hennes hjässa. Hon hade använt mammas schampo.

Samir nickade. Och jag trodde att han förstod. Att han förstod hur jävligt allt var och att det var därför han inte frågade om det var något han kunde göra. Att det var för att han visste hur illa det var som han inte frågade om han kunde hjälpa mig.

Men jag sa ingenting. Ingenting alls.

Jag och Lina gick av två stationer före Mörby. Vi gick den sista biten till gymnastiken och medan jag hjälpte henne att byta om fick jag ett mess.

"Det kommer att ordna sig", skrev Samir.

Jag borde ha svarat, men det gjorde jag inte. Istället raderade jag hans mess. Han fattade inte. Ingenting skulle ordna sig.

Jag ville inte ha kontakt med Samir, för Samir ville inte ha med mig att göra. Han vågade inte för han var en jävla fegis.

Jag borde ha svarat: *Nej, det kommer inte ordna sig.* Eller åtminstone: *Du är en jävla idiot, Samir Said.* Men det gjorde jag inte.

Kanske var det därför allt gick åt helvete. För det är klart att Samir skulle ha försökt hjälpa till. Och kanske ville han hjälpa mig för att han hade dåligt samvete. Samir var en sådan som trodde att han kunde hjälpa. Det borde jag ha förstått.

Huvudförhandling i mål B 147 66

Åklagaren m.fl. mot Maria Norberg

35.

När jag hade pratat klart blev det Lena Pärssons tur igen. Eftersom det skulle dröja innan Samir behagade ta sig till rätten började chefs-åklagare Lena Pärsson med att kalla den person som ringde in det första larmsamtalet. Det spelades upp i rätten.

Inför domarnas runda, hänförda ögon lyssnade vi på den panik-slagna rösten. Den skrek om skottlossning, en lugn röst svarade och ställde frågor: *Varifrån ringer du? Var befinner du dig nu? Har du informe-rat skolledningen? Har ni börjat utrymma skolan?* I bakgrunden hörde vi också ljuden från utrymningen: elever sprang, grät. Vi hörde hur också den lugna rösten blev alltmer spänd. *Vi är på väg. Det är bilar på väg. Kan du höra dem? Kan du höra bilarna? Kan du ta dig ut ur byggnaden?*

Det syntes på domarna att det där larmsamtalet fick dem att känna det som om *de var där*. Ljuden, de riktiga ljuden, paniken, den riktiga paniken. Skriken. Men mig fick det att känna precis motsatsen, att det vi pratade om, lyssnade på, var något annat än det jag varit med om. Jag kunde inte minnas några sådana ljud inifrån klassrummet. Larm-samtalet skulle ha kunnat handla om vadsomhelst, vemsomhelst. Det hade kunnat vara påhittat.

Kalla-mig-Lena ställde åtta frågor (jag räknade) till kvinnan, en vaktmästare jag aldrig hade sett, som ringt in samtalet. Hon började inte gråta förrän vid den fjärde frågan. Men hon berättade inte någon-ting nytt, ingenting jag inte redan hade hört. Sander ställde inte några frågor.

Sedan kallade kalla-mig-Lena de tre poliser som kom först till plat-sen. En i sänder berättade de om vad de sett, vad de känt när de be-stämt sig för att ta sig in i klassrummet, vad de sett där, vad de gjort och vad de int gjort. Två av dem grät, eller en av dem grät och den andra var tvungen att harkla sig och svälja några gånger för att inte börja gråta. Han som tagit vapnet ifrån mig och pratat med mig, jag kände inte igen honom, men han tittade på mig och när han gjorde det såg han trött ut. Mer trött än ledsen och arg. Han grät inte. Det gjorde däremot domaren till vänster om ordföranden. Hon till och med snöt sig.

Sander visade dem en skiss över klassrummet och frågade dem om de kunde bekräfta att Samir och Amanda hade hittats på de utmärkta platserna. Det kunde de.

Åklagaren hörde också två elever som befunnit sig utanför i korridoren när skottlossningen började, jag kände dem inte, men när den ena tittade på mig började hon skaka, på riktigt skaka, som om jag var en zombie eller typ Charles Manson och så skräckinjagande att man fick epilepsi bara av att vara i närheten av mig. Men när hon började svamla om vad hon hade hört om mig och Sebastian, att *alla visste vad vi höll på med* då avbröt ordföranden henne.

"Nu håller vi oss till ämnet, tycker jag", sa han och hon som bara låtsades att hon kände mig och egentligen inte hade en aning om hur Sebastian och jag hade varit, blev skär om kinderna.

Sander ställde tre frågor till var och en av eleverna. *Kände du Sebastian personligen? Känner du Maja personligen? Var dörren in till klassrummet stängd?* De svarade. *Nej. Nej. Ja.*

Labbe hördes på videolänk. Han vägrade att bli hörd i samma rum som jag och ordföranden hade bestämt att det var okej. Labbe sa att "alla hade varit oroliga" för Sebastian, att "alla visste att han hade problem" och att Sebastian och jag "slutat umgås som förut". Han berättade inte hur de hade undvikit oss, utom när de hade lust att festa och han böjade inte gråta förrän han berättade om den sista festen, när han förklarade att han hade åkt från sin skola "för att det kändes viktigt" och att han sovit över hos Amanda efter festen. När han skulle förkara att han stannat kvar i sängen när hon åkte till skolan morgonen därpå grinade han ännu mer. Man hörde knappt vad han sa. Jag är glad att han inte var i rättssalen. Jag slapp se honom, jag vill aldrig behöva träffa honom. Sander ställde inga frågor till honom. "Tack", sa ordföranden när han pratat klart. "Tack", mumlade åklagar-Lena i sin mick, men då var Labbe redan bortkopplad.

Sedan förhörde kalla-mig-Lena teknikerna. De fick förklara vilket vapen som hade mina fingeravtryck på avtryckaren och vilket som bara hade mina avtryck på pipan. De fick berätta vilket vapen som enligt utredningen hade dödat först Amanda och sedan Sebastian och på vilka grunder det ansågs klarlagt att det var jag som avlossat det. Sanders frågor till teknikerna handlade om skjutvinklar och fel-marginaler och var jag befann mig när jag sköt och han visade rapporten från den utredning han själv hade beställt och lät dem uttala sig om vad de trodde om trovärdigheten i den och jag vet inte om jag hade fattat varför han ställde alla de frågor han ställde om jag inte redan visste att han försökte visa att det inte var konstigt att någon (jag) som inte var van vid vapen kunde missa så grovt (och träffa Amanda istäl-let för Sebastian).

När han hade pratat klart om var teknikerna trodde att jag stod när jag avlossade mina skott började han prata om väskan i mitt skåp. Åklagaren hade frågat: "Går det att utesluta att Maja har hanterat väs-kan?" Teknikern svarade nej. Nu var det Sanders tur. Han undrade:

"Hur sannolikt är det att Maja skulle ha kunnat hantera väskan utan att lämna några fingeravtryck vare sig på eller i väskan?"

"Inte speciellt sannolikt."

Därefter var det dags för honom att diskutera "bomben". I för-undersökningen kallades den "explosiva medel". I åklagarens gär-ningsbeskrivning omnämndes de "explosiva medlen" som en om-ständighet som tydde på att Sebastian och jag hade planerat en "än mer omfattande förödelse", att det "inte kunde uteslutas att syftet varit att utvidga attentatet mot skolan". Utredarna hade lyckats spåra "bomben" till några byggnadsarbetare som gjort en del jobb hemma hos Claes Fagerman. Det var egentligen bara en halv bomb, kan man säga, för själva antändningsprylen saknades. Troligen, stod det i för-undersökningen, hade Sebastian snott grejerna när de var där för att spränga bort ett stenblock som låg i vägen för det som så smånings-om blev Fagermans sjöstuga. Eller så hade det blivit kvarglömt och när Sebastian hittade det behöll han det för egen räkning. Byggnadsarbetarna hade i alla fall aldrig anmält någon stöld, eller velat erkänna att de hade dålig koll på sina saker.

Åklagaren menade att "bomben" visade att Sebastian och jag planerat attacken under en längre tid, men Sander var av en annan uppfattning. Att Sebastian och jag inte ens var tillsammans när de byggde sjöstugan hos Claes var bara en del av hans invändningar. Sander ville också att teknikerna skulle erkänna att det som låg i mitt skåp aldrig utgjorde någon fara. Det kunde inte sprängas, åtminstone inte i det skick det var, medan det låg där. Därför var det ointressant, menade Sander, att diskutera "bomben" och vad avsikten med den hade varit, eftersom det inte ens kunde definieras som en bomb.

Åklagaren menade att Sebastian inte hade förstått att den var värdelös. Hon menade att det "för motivbilden" var "oväsentligt" om bomben gick att använda. Sander och hon grälade en stund om det, tills ordföranden avbröt och sa att vi kunde "lämna Sebastians eventuella insikt om föremålets funktionalitet därhän". Han tyckte att det var ointressant om Sebastian varit dum nog att tro att det gick att använda "bomben".

Sander ställde massvis med frågor till teknikern. Teknikern gav jättelånga svar. Jag förstod inte hälften. Men när ordföranden frågade vart Sander ville komma med sina frågor "med tanke på att åtalet endast omfattade fullgjorda brotten", då blev Sander sur.

"Med hänsyn till att hela brottsutredningen har styrts av den felaktiga uppfattningen att min klient skulle ha planerat att jämna sin skola med marken anser jag att det är utomordentligt viktigt att visa att min klient å ena sidan inte kan bindas till vare sig väskan eller dess innehåll, och å andra sidan att innehållet i väskan inte har utgjort någon fara för omgivningen."

Domaren lät honom fortsätta med frågorna efter det. Men jag tror ändå att det var dumt av Sander, för domaren såg irriterad ut hela tiden. Han tog djupa andetag som hördes, en gång sneglade han till och med på sin klocka, det hade han aldrig gjort tidigare.

När de var klara med bombpratet gick Sander över till "avsaknaden av spår som kan binda väskan, vapenskåpet och övriga vapen upphittade på brottsplatsen till min klient".

290

"Hur sannolikt är det att Maja har packat väskan? Öppnat vapen-skåpet, hanterat de andra vapnen?"

"Det går inte att utesluta."

Sander fick en rynka i pannan.

"Har ni hittat hennes fingeravtryck någon annanstans än på vapen-väskans handtag? På blixtlåset? Inuti? Har ni hittat hennes avtryck på vapenskåpet? De andra vapnen?"

"Nej." "Nej." "Nej, nej, nej."

Sander frågade inte mer efter det. Men rynkan hade inte försvun-nit. Och ordföranden såg fortfarande sur ut.

Jag tror inte att just den här delen av rättegången gick speciellt bra för oss.

Rättsmedicinarna fick berätta om obduktionsprotokollen. Hur gamla offren var (Dennis beräknades vara mellan femton och tjugo år), exakt när de dog (Dennis, Amanda och Christer dödförklarades redan i klassrummet, Sebastian dog i ambulansen på väg till sjukhuset) och hur de dött (det räckte inte med att säga att de blivit skjutna, de var tvungna att berätta exakt vad kulorna gjort för skada och hur de kun-de avgöra vilken skada som var dödlig och vilken som inte var det).

När expertvittnena pratade tittade jag noggrant på dem, intensivt betraktade jag deras ansikten. Jag ville se om deras sätt att prata, klia sig på näsan, bita sig i underläppen, stryka luggen från pannan, kunde ge mig en ledtråd till svaret på en olöslig gåta.

Det funkade inte. Jag ville bara kräkas.

När Amandas mamma skulle höras hade jag bett Sander att få slippa vara med. Men han vägrade. Amandas mamma hade lämnat in en be-gäran om att jag skulle sitta i hörsalen bredvid och följa hennes förhör på videoskärmen, men det hade ordföranden vägrat. Och Sander hade också protesterat, trots att jag sa åt honom att jag tyckte att det skulle kännas bättre.

Amandas mamma fick sitta på en plats inte långt från mig, snett bredvid liksom. Jag såg henne från sidan. Hon hade tappat alla sina färger och hälften av sitt hår, gått från smal till utmärglad, det var knappt att jag kände igen henne. Åklagaren lät henne prata länge om

291

Amanda. Vem hon var, vad hon tyckte om att göra, vad hon skulle ha gjort efter studenten. Domaren sa inte åt henne att hålla sig till ämnet.

Amandas mamma behövde inte prata om när Amanda dog, för då var hon ju inte med, men hon fick berätta om hur hon hade tänkt att det var konstigt att Amanda och jag umgicks alltmer sällan under våren, att hon hade pratat med Amanda om det, att Amanda hade sagt till sin mamma att Sebastian och jag helst ville vara i fred, att Amandas mamma hade varit orolig, att hon hade varit orolig för mig och Sebastian, men aldrig för Amanda.

När det blev dags för Sander att ställa frågor trodde jag att det var över. Om det var en sak jag hade förstått med hans taktik så var det att han aldrig ställde frågor om han inte var säker på svaret. Jag trodde det var självklart att han skulle vilja att Amandas mamma slutade prata så fort som möjligt.

Men när jag hörde vad han sa ville jag slita tag i hans arm. Få honom att ta tillbaka frågan. Ser du inte hur hon tittar på mig, ville jag säga. Ser du inte hur hon avskyr mig? Hon önskar att jag var död och inte hennes Amanda. Jag hade aldrig sett någon hata mig så mycket. *Ser du inte det?*

"Tror du att Maja skulle göra Amanda illa med avsikt?" undrade Sander. Hans röst var alldeles uttryckslös.

Och Amandas mamma grät en stund innan hon svarade. Sedan vände hon på huvudet och tittade rakt på mig.

"Nej", sa hon. "Det skulle Maja aldrig göra. Maja älskade Amanda."

Kvinnohäktet

36.

Jag vägrar. Hela helgen stannar jag i min cell. Inte en chans att de får ut mig på "rast", eller övertygar mig om att jag borde sätta på mig träningskläder och veva fötterna runtrunt på den där trasiga tränings-cykeln, eller att jag går med på "att prata med någon". Jag vill krä-kas bara jag tänker på att en svettig helgvikarie som går sista året på psykologlinjen ska sitta och kolla i sina anteckningar och inte ställa en enda fråga eftersom kontrollistan inte innehåller några frågor, bara så-dant att "vara vaksam på".

Sover hon dåligt? Visar hon tecken på nervositet? Ångest? Plötsliga humörsvängningar? Tuggar hon fradga?

Jag stannar i min säng. *Jag visar tecken på humörsvängning.* De får sätta på mig tvångströja om de ska få ut mig härifrån innan det blir dags att åka tillbaka till rätten. Jag vägrar.

Amanda begravdes en lördag klockan tre på eftermiddagen, fem veck-or efter att jag dödat henne. Gudstjänsten hölls i Djursholms kapell.

Amanda och jag konfirmerade oss i Djursholms kapell sommaren mellan åttan och nian, vi hade likadana vita kåpor och vi bar dem över våra lika vita klänningar, hennes från Chloë, min från Stella McCartney. Hennes var nyköpt, min klänning hade mamma hittat i en secondhandaffär på Karlaplan. Men de såg nästan likadana ut. Klockad kjol, lagom urringning, blank bomull, vi hade varsitt kors i vitt guld runt halsen, smala extra långa kedjor. Redan samma morgon hade vi fått presenter från våra föräldrar, varsin klocka, samma märke, olika modeller, vi hade skrattat åt det, att de var så lika våra föräldrar, att de gjorde lika fåniga grejer, samtidigt, utan att ens behöva prata med varandra innan. Men mest hade vi skrattat åt att vi var så lika, Amanda och jag, vi hade kunnat vara systrar. Pappa sa det till och med, när vi åkte och hämtade Amanda så att han kunde lämna oss i kyrkan en timme innan det skulle börja.

Ni skulle kunna vara systrar.

Det hölls inget konfirmationsförhör såklart. Vi var inte nervösa. Under lägret hade det gått rykten om att vi var tvungna att plugga, att vi kunde få en fråga i kyrkan och att vi skulle bli kuggade om vi inte svarade rätt. Men alla från lägret blev konfirmerade efteråt, vi hade förberett små sketcher från Bibeln, vi började varje sketch med att säga vem vi skulle spela och vi kved av tillbakahållet skratt när de andra presenterade sig. "Hej, jag heter Jacob, jag ska spela vanligt folk." "Hej, jag heter Alice, jag ska spela Jesus."

Några hade valt ett stycke ur Bibeln som de läste upp i kyrkan. Amanda fick berätta "spontant" om "något viktigt hon lärt sig" och hon läste upp vad hon hade skrivit om "varför man inte ska ljuga". Prästen hade fått läsa det innan och rättat lite grann utan att erkänna att han gärna ville bestämma exakt vad hon skulle säga.

Det finns en fängelsepräst i häktet också, med akneärr och skor med en halvdecimeter tjock gummisula. Honom tänker jag inte heller träffa. Hela den här helgen tänker jag ligga kvar i min säng, invänta frukost, sedan lunch och sist middag. Sova. Och göra om samma sak ett dygn till. Nästa vecka är sista veckan.

"Sedan är det över", säger Susse när hon kommer för att "önska mig trevlig helg".

Jomenvisst.

Blod går inte att tvätta bort. Jag såg den där dötråkiga Macbeth med mamma på teatern. Blod sitter kvar oavsett hur man skrubbar. Och skrubbar man tillräckligt hårt går det hål på skinnet och då kommer det nytt blod. Det kommer aldrig att vara över. Amandas mamma kommer aldrig att förlåta. Jag kommer aldrig att förlåta.

Och ni då? Vad tycker ni? Jag vet vad ni har gjort, vad ni fortfarande gör, ni ägnar er tid åt att försöka få mig att passa in i det ni tror att jag är. Ni vägrar att se att jag inte passar in i någon mall, vare sig positiv eller negativ. Jag är ingen klämkäck elevrådsordförande, inget tappert våldtäktsoffer, ingen typisk massmördare, ingen lagom smart, lagom snygg fashionista. Jag stoppar inga gula taxibilar i höga klackar. Jag har inga tatueringar, inget fotografiskt minne. Jag är ingens flickvän, ingens bästa kompis, ingens dotter. Jag är bara Maja.

Ni kommer aldrig att förlåta mig.

Jag tror att ni är typen som går förbi tiggare på gatan och tänker att "det kunde ha varit jag" och blir lite tårögda för att ni är så empatiska och fina människor. Och så tänker ni att alla-kan-bli-sjuka och det-krävs-så-lite-för-att-hamna-i-ekonomisk-kris och kanske få sparken eller bli vräkt och, åhh ... *det hade kunnat vara jag*, tänker ni. Med nedskitna brallor och böjd nacke, vänta på en guldtia, köpa en kaffe på McDonald's. Ni vill visa medkänsla. *Det är fint.* Ni vill vara fina. Men egentligen låtsas ni bara. Aldrig att ni tror att det kunde ha varit ni. Och dessutom är det höjden av egoism att tro att man måste vara personligt berörd för att kunna känna empati. Empati är tvärtom. Det handlar om att känna att det där äcklet som luktar avföring och inte har det minsta lilla gemensamt med mitt liv, han borde inte behöva ha det så där, för oavsett vad han har gjort så förtjänar han inte att bo på en urinmadrass. Om ni vore empatiska på riktigt skulle ni fatta att det gäller mig med.

Samir säger att jag ville att Amanda skulle dö. Att jag sköt henne med flit. Han har sagt från sitt allra första förhör att han såg det tydligt, hur jag siktade och sköt och han säger att han tror att jag lät mig övertalas av Sebastian, att ingen i min värld var viktigare än Sebastian, att jag gjorde allt han sa, att jag offrade mitt liv för honom, att jag dödade Amanda och Sebastian för att han sa åt mig att jag måste göra det.

"Vilka är 'ni'", frågade jag Samir, innan allt hände. "Du förstår inte", svarade han.

Jag tror att ni står på Samirs sida för att ni gillar honom bättre än mig. Och ni tror att det gör er till bättre människor. Samirs öde gör intryck på er, det är honom ni identifierar er med. Jag är bara en rik subba.

Jag tar en sömntablett klockan elva på förmiddagen, sover när lunchen kommer. Men de låter mig hållas. Hittills har jag fått vara ifred. Visst, de kollar mig då och då, men inte tillräckligt ofta för att det ska bli uppenbart att jag står under förhöjd bevakning.

De vet att jag blev "upprörd" av att lyssna på Amandas mamma. De vet att de "behöver" lämna mig ifred, men ändå "hålla mig under uppsikt" eftersom jag kan vara farlig. Farlig för mig själv, eftersom "pressen" på mig "är hög".

Men på lunchbrickan låg en full uppsättning plastbestick. Både kniv och gaffel att försöka lirka in i halsen om jag hade orkat.

En av vakterna har varit här med kvällstidningarna, lagt dem på mitt skrivbord och gått ut igen.

Han sa inget speciellt om tidningarna, det borde betyda att det inte står något om mig i dem, annars brukar de säga till innan.

"Vill du läsa?" frågar de, pekar på rubriken (alltid förstasidan) och det vill jag för det mesta. Om jag inte vill det tar de med sig tidningen ut igen. Men i dag säger de ingenting. Ändå låter jag dem bara ligga där. För även om han inte sa något, vakten, så finns det en risk att det står något om Amandas mamma, eller Sebastians mamma, eller någon annan jävla mamma. Och är det något jag inte orkar just nu så är det sådan skit.

I samband med att chefsåklagare Lena Pärsson hörde rättsmedicin-arna visade hon Amandas obduktionsprotokoll på bildskärmarna. Hon läste det högt. Hon läste högt om var mina kulor träffade Aman-da och vad de kulorna gjorde med hennes kropp. Hon visade på en ritning över klassrummet var Amandas kropp låg och var jag satt när polisen stormade in. Hon släpade till och med in vapnet i rättssalen. Det låg i en hoptejpad plastpåse. Kulorna, fem stycken, låg i två andra, pyttesmå plastpåsar. En påse för Amanda, en påse för Sebastian. Dem hade hon också med sig. Jag har räknat tyst för mig själv till fem, ett, två, tre … det tar fruktansvärt lång tid, hur kunde jag skjuta så många skott? … fyra, fem … Amandas kropp hade hon inte med sig. Den är kremerad och begraven.

Dagen då Amanda skulle begravas låg jag också på mitt rum. Ingen förhörde mig och de lämnade mig i fred hela den helgen också. Jag tror inte att det berodde på att de visade mig särskild hänsyn, jag tror inte att de förstod att jag visste att Amanda skulle begravas och att det skulle vara "jobbigt" för mig. Det var nog en ren slump. Och det var bara i början som de förhörde mig varenda dag, sedan lugnade det ner sig. De visste var de hade mig och de visste att jag inte skulle försvinna någonstans så det fanns ingen större anledning för dem att jobba helger om det gick att undvika.

Jag tyckte att de tittade extra konstigt på mig, vakterna som kom och gick. Kanske visste de att det var Amandas dag, kanske stod det i alla tidningar, kanske var det en förstasidesnyhet, kanske toppade det både Aktuellt och Rapport. Men jag fick inte läsa tidningarna då och till mig sa de ingenting, de bara glodde.

Men jag visste vilken dag det var. Sander hade sagt det och jag glömde inte.

Hela Amandas begravningsdag satt jag i mitt rum, på golvet. Efter lunch ringde jag fyra gånger på vakten för att få veta vad klockan var, när de sa att den var halv tre började jag räkna tyst för mig själv. Trettio gånger en-mississippi-två-mississippi. Och när jag var nästan säker på att klockan var tre satte jag på musiken jag förberett. Mamma hade skickat mig min gamla Ipod. Det hade tagit nästan två veckor innan jag fick den, för polisen hade varit tvungen att kolla att den inte gick att koppla upp på internet och lyssna igenom alla låtarna innan, för att försäkra sig om att, ja, jag vet inte riktigt vad de skulle försäkra sig om, men jag antar att de kollade att det inte fanns något hemligt meddelande instoppat mellan mammas dödstrista hes-sångerska-med-mellanrum-mellan-tänderna-musik och pappas medelålders-jag-lyssnar-på-det-här-eftersom-jag-önskar-jag-hade-en-elgitarr-och-lättare-drogproblem-musik. Eller att det inte fanns något där som skulle kunna få mig att äntligen göra slag i saken och ta livet av mig. När de hade kontrollerat klart fick jag musikspelaren och den lyssnade jag på i min cell, medan Amanda begravdes i kapellet vi konfirmerats i, klädda som systrar.

Förutom musiken som jag lagt in hade mamma köpt och lyckats

ladda ner mina tre mest lyssnade Spotifylistor. Från dem hade polisen tagit bort tre menlösa låtar, men lämnat kvar två stycken som bevisade att om någon hade lyssnat igenom låtarna för att se till att jag inte lyssnade på något som gjorde mig mer självmordsbenägen, då var han eller hon dum i huvudet. Men jag klagade inte. Bara de låtar som gjorde riktigt ont gick att stå ut med överhuvudtaget.

När jag trodde att klockan var tre la jag mig ner på golvet i cellen, det var trångt där, jag fick ligga lite på snedden med fötterna under sängen. Och så föreställde jag mig hur det såg ut vid kapellet. Hur det var fullt med människor. Hur hela skolan, alla, alla, alla, var där. De var klädda i ljusa kläder, precis som Amanda och jag på konfirmationen, de hade blommor med sig. Amandas två syskon och hennes föräldrar hälsade välkomna vid ingången. De hade gråtit tills det inte fanns några tårar kvar. Nu såg de bara trötta och förvirrade ut. Särskilt Eleonora, Amandas lillasyster. Amandas bror var arg. Inte alla fick plats i kyrkan, de som inte var särskilt inbjudna fick stanna utanför, och de ställde sig längs med uppfarten med sina blommor. De som inte kände Amanda tillräckligt för att få komma in i kyrkan, de hade tårar kvar. De grät och kramades medan tv filmade och kyrkdörrarna stängdes och de som grät mest och kramades längst hoppades på att hamna i bild för att kunna se på nyheterna hur ledsna de varit.

Mamma och pappa och Lina kan inte ha varit på Amandas begravning. De kunde knappast skicka blommor eller kort. De skulle ha slängts, bränts, det skulle ha setts som ett hån.

Men jag kunde ändå känna i kroppen hur Lina ryckte i mammas hand och frågade *mamma får jag gå, jag vill ge en blomma till Amanda* och mamma svarade, *nej, älskling, du får inte gå*. Även om det bara är i min fantasi kan jag känna det i kroppen. Jag kunde höra det mamma aldrig skulle berätta för Lina. *De vill inte ha dig där.*

Det är konstigt hur kroppen minns. Jag kan minnas hur det kändes när jag kramade pappa när jag var liten och min näsa hamnade mot hans hårda höftben, hur jag la mina armar om hans ben. Jag kan minnas hur det kändes när han böjde sig ner och lyfte upp mig för att han skulle kunna hålla om mig. Jag kan minnas känslan av att hans händer nådde mig runt midjan. Men jag kan inte minnas exakt när han gjorde det. Jag kan inte minnas första gången, inte sista gången, inte ett enda konkret tillfälle. Jag kan inte minnas det tillräckligt tydligt för att det ska sluta göra ont.

Vet Lina att Amanda är död? Har hon frågat *snälla snälla får jag säga hej då till Amanda*? Min kropp värker när jag tänker på det. Kan kroppen minnas saker som aldrig hänt eller betyder det att hon faktiskt har frågat?

På Amandas och min konfirmation läste jag en bibeltext. Jag hade valt den själv. Amanda och jag hade legat en hel kväll på lägrets obekväma madrasser och försökt hitta något bra. Lukas, Johannes, Psaltaren eller Predikaren, hade prästen föreslagit. Det var en snutt i Psaltaren om Gud som slog "mina fiender på käften", krossade deras tänder, något sådant. Vi skrattade åt det, Amanda och jag. Vi skrattade hysteriskt åt de flesta av de texterna, det var något med språket och prästens min och Amandas gester. Det var omöjligt att ta det på allvar. Ännu värre var det när prästen ville diskutera det där med att Jesus tvättade lärjungarnas fötter ("han visar er sin kärlek, det handlar om er!"). Jag kunde inte ens titta på Amandas äcklade ansikte utan att bryta ihop i fnitterspasmer.

Jag har Bibeln i min cell. Andra eller tredje veckan frågade någon (Susse antagligen) om jag ville träffa fängelseprästen. Jag sa ja. Det var alltid lättare att säga ja än nej. Låta tiden gå, bli förd genom korridorerna, gå in genom dörrar dit vakten pekade, sätta mig på stolar som drogs fram, dricka ur glas inom räckhåll.

Den där prästen på häktet gav mig en bibel. Jag tog med mig den tillbaka till min cell. Och när jag låg på golvet och tänkte på Amandas begravning plockade jag ner den från hyllan och bläddrade i den. Amanda och jag hade hittat en grej om någon med *ondskan inom sig, som en graviditet.* Han gick "havande" med all sin elakhet. Den svällde och växte innan han födde ut allt jävelskap. Vi hade skrattat åt det också. Sedan läste vi en massa halleluja och lovsjunga och prisa herren och Amanda hade ställt sig upp i sin säng med Bibeln i ena handen och andra handen lyft mot hjärtat och jag kissade nästan på mig av skratt och Bibeln är en massa skitsnack, det tyckte jag då och det vet jag nu, för han med ondskan inom sig *ramlade i egen grop*, det var han och ingen annan som drabbades av all elakhet inom honom. Vår konfapräst tyckte att Gud var rättvis och god och han läste saker där den onde dog och hamnade i helvetet och jag undrar vad i helvete prästen sa om *den rättvisa guden som älskar de unga* på Amandas begravning.

Ondskan drabbar inte rättvist. I verkligheten ramlar ingen i egen jävla grop. Och på måndag, om mindre än två dygn, ska Samir prata.

Jag orkade aldrig fantisera speciellt länge om Amanda. Jag hade inte orkat tänka på vår konfirmation sedan jag låg på mitt golv och försökte föreställa mig hennes begravning. Jag hade inte orkat tänka på Amandas begravning heller, inte sedan den dagen.

Utanför mitt fönster var vädret fint. Kanske skulle jag be att få gå ut på rast är då. Jag skulle kunna lägga mig raklång mitt i cementtårtbiten och röka. Förra helgen hade det snöat. När jag kom ut på rasten låg snön där, hånfullt, hoppfullt vit. Dagen därpå hade det blivit cementgråt snorhalt slask och vinden gjorde ont, krossat glas rakt i ansiktet. Men just då hade det varit lättare att andas därute. Lite lättare än inne i cellen i alla fall.

Jag har kvar spellistan jag gjorde till Amandas begravning. De låtar vi dansade till. De vi sjöng tillsammans, så högt att vi tappade rösten. De vi kunde texterna till. När de spelades rusade vi ut på dansgolvet och dansade bara hon och jag, helt galna. *Party girls don't get hurt, Can't feel anything, when will I learn, I push it down, push it down.* Låtar som aldrig någonsin skulle spelas i någon kyrka.

På konfirmationen läste jag högt om när Jesus rymde till kyrkan för att få "vara med sin fader" och hans mamma och pappa var oroliga för att de inte visste var han var.

När jag läst klart var jag tvungen att säga något (mina "egna" ord, som prästen hade "hjälpt mig" med) om att det var viktigt att få vara ifred ibland när man är tonåring. Och att kyrkan kan vara en plats för det.

Om de hade bett mig nu skulle jag ha läst det där om tomhet. Det är det enda som är sant. *Allt är tomhet.* Jagande efter vind. Vi får aldrig det vi vill. Prästen sa att jag skulle läsa något som fick mig att tänka att det handlade om mig och mitt liv. Det borde jag ha läst. Och hoppat över det om att man ska glädja sig åt att vara ung. För det är skitsnack.

Jag ringer på klockan i alla fall. Jag ska kräva att få gå ut på rast. Jag ska ta med mig min Ipod och så ska jag lyssna på våra låtar och röka tills jag mår illa.

Den allra sista kvällen innan, när Sebastians pappa skickade hem alla, alla utom mig, de där korta timmarna före morden, då kysste Amanda sina fingertoppar och viftade med handen åt mitt håll när hon gick genom dörren och ut på trappan.

Jag låtsades fånga hennes kyss i handflatan och trycka den mot mitt bröst. Dramatiskt, fånigt, löjligt, teatraliskt, precis som Amanda.

Det var näst sista gången vi såg varandra rakt i ögonen och allt runtomkring oss var kaos, Sebastian var galen, Claes och Samir och Dennis och alla andra var galna och Amanda skickade en kyss genom luften till mig för att säga, *det blir okej, Maja, det kommer att lösa sig, snart är den här våren ett minne blått* och jag spelade med för att inte visa att vi båda visste att hon hade fel, hon hade så inihelvete fel och ingenting skulle någonsin bli bra igen.

Amanda försökte trösta mig. Jag ljög för henne. För att vara snäll, tror jag. Amanda var alltid snäll mot mig. Hon var snäll mot alla, till och med mot Sebastian, långt efter att alla andra slutat vara det.

Alltid.

Men, tänker ni nu. Vänta nu?

Du har pratat om hur illa du tyckte om Amanda. Du föraktade Dennis, du har erkänt att du hatade Claes Fagerman.

Och, viskar ni till varandra, *du är inte vem som helst.* Det finns ett skäl till att just du sitter i den där cellen. För ni vill inte tänka att "det kunde ha varit jag". Ni vill att det ska vara fel i huvudet på mig. Ni vill vara säkra på att ni inte har något gemensamt med mig. Ni går inte runt och tänker mina tankar, ni skulle aldrig ha gjort det jag gjorde, säga det jag sa, herregud vad ni tycker att det som hände mig aldrig någonsin skulle kunna hända er eftersom jag förtjänar det, jag ramlade i egen grop. Jag var besatt av Sebastian, jag var empatistörd, bortskämd, verklighetsfrånvänd, jag var kanske till och med missbrukare, kan vi inte låtsas det?

Ni är inte besatta, ni håller inte på med droger, ni skulle kontaktat polisen, ni är inte jag.

Varför valde Sebastian mig? Det måste finnas ett skäl! Varför kom han in till mig på hotellet den där kvällen? Varför letade han upp mig i Nice? Varför stannade han kvar? Varför försökte han ta livet av sig när jag gjorde slut med honom?

Slumpen är bara Guds sätt att förbli anonym, har någon sagt. Allt meningsfullt är resultatet av ett lotteri. Det gäller om du föds rik eller fattig, som kvinna eller transperson, om du slår igenom som artist eller vinner tjugofem miljoner på Lotto. Bara en slump. Plötsligt händer det. Och är det så, om det goda bara kan nå oss genom underliga bakdörrar, då måste det vara så med ondskan också.

Slumpen är beviset på att Gud inte finns, skulle jag vilja säga. För upprinnelsen till riktigt hemska händelser kan vara planerad och nedärvd. Men den kan också vara slumpartad. Gränsa till det alldagliga.

Ondska har ingen mening. Det är själva definitionen på ondska. Men att något gör ont behöver inte betyda att skälet till det onda är ondska.

Jag har gjort saker som fått många att ha ont, i det djupaste, på det värsta av alla sätt. Jag förstår inte vad det var för mening med att Claes och Christer och Dennis och Amanda och Sebastian dog. Eller att jag överlevde. Att jag försökte rädda Sebastian, men istället hjälpte honom att dö och att döda. Jag förstår det inte. Det finns inget att förstå. Men jag är inte ond. Jag kanske inte är god heller, men ni vägrar att se det för ni är empatistörda.

När vakten kommer plockar jag upp kvällstidningarna från mitt skrivbord och ber honom att ta med dem ut igen. Jag vill inte läsa. Jag vill att han ska ta bort alla artiklar om bättre psykvård för unga, vapenkontroll i skolan, övervakningskameror och drogkontroller. Jag säger att jag vill gå på rast. "Jag ska kolla schemat", säger han och går ut igen. Han blir irriterad, men han kan inte säga nej, det får han inte, då skickar Ferdinand Amnesty på honom.

304

Och sedan kryper jag upp i min cellsäng, drar till mig den gula äckelfilten, vänder mig in mot väggen och gråter. För tusende gången gråter jag. *I couldn't live without you now, Oh, I know I'd go insane, I wouldn't last one night alone baby, I couldn't stand the pain.*

Jag vet att jag avlossade skotten som dödade Amanda, men jag ville bara leva, jag ville få stopp på Sebastian, jag ville att han skulle sluta, och det var därför jag sköt honom. Jag dödade Sebastian, det är sant att jag dödade honom, det var meningen, men vad skulle jag annars ha gjort? Jag önskar bara att jag hade dödat honom redan första gången jag sköt, jag önskar att jag inte hade skjutit Amanda, jag önskar det mer än jag har önskat något i mitt liv, men jag hade aldrig skjutit med ett sådant gevär förut. Jag har skjutit lerduvor några gånger, men sådana gevär är tröga att trycka av och tunga att hålla i. Det här gick så lätt, jag behövde knappt göra något alls, jag bara plockade upp vapnet och när mitt finger drog åt den där grejen, jag trodde att man skulle osäkra, eller jag vet inte vad jag tänkte, jag bara tryckte av, fem gånger tryckte jag av för det står i förundersökningen och första gången dödade jag inte Sebastian, och inte andra gången heller, men sedan dödade jag honom och före det dödade jag Amanda, och vad spelar det för roll vad jag är för person och vad jag gör för intryck och vad som hände och varför och varför inte? Vad jag gjorde spelar roll, det är det enda som betyder något. Och jag dödade Amanda.

Amanda kommer aldrig att dansa mer. Aldrig sjunga. Aldrig lyssna på musik som hon egentligen inte gillar men förstår att man "ska" gilla.

Jag älskade att Amanda skickade kyssar genom luften och fick mig att fånga dem. Hon var ytlig och fånig och verklighetsfrånvänd och egoistisk och jag älskade Amanda. Det är klart att jag gjorde. Hon var min allra bästa vän. Jag skulle aldrig ha kunnat göra henne illa. *Aldrig aldrig aldrig.* Men jag gjorde det ändå.

Sebastian

37.

Jag vet inte vad jag ska berätta om de sista veckorna. Dagarna gick. Sebastian mådde sämre. Och sämre. Jag gick till skolan oftare, för han krävde inte längre sällskap hela tiden. Men jag satt bara av mina lektioner, längst bak i klassrummet, och när skolan var över gick jag hem till Sebastian även om han inte bett mig komma. Det hände att han skjutsade mig till plugget. Någon gång var han till och med på lektionerna. Ibland satt han utanför och väntade på att jag skulle bli klar. Ett par gånger kom en lärare och undrade hur det var med honom. Han svarade "okej" och läraren sa åt honom att han "måste börja gå till skolan". Han nickade och sedan sa de hej då. Christer försökte få honom att "skärpa sig".

Sedan fick Christer idén att vi skulle uppträda på avslutningen. Det var i sista stund, osäkert om vi skulle hinna få ihop ett fungerande nummer, men enligt Christer skulle det vara bra för att lösa de "identifierade konflikter" som fanns "i gruppen". Han ordnade liknande uppträdanden varje år. Det blev alltid "uppskattat". Amanda älskade idén, Dennis fick nog för sig att det kunde vara bra för hans ansökan om uppehållstillstånd, Samir gjorde allt en lärare bad om, men Sebastian tyckte att det var ett dåligt skämt. Christer insisterade. "Kom i alla fall på första mötet så diskuterar vi vad vi kan göra. Jag är öppen för era förslag." Det blev bara ett möte.

Ett par av de andra lärarna ringde till Claes, för att prata om Sebastians "problem". I alla fall påstod de det efteråt när poliserna frågade. Enligt förundersökningen sökte till och med rektorn honom vid "ett par tillfällen". Han fick inte tag på honom, han var "svår att nå", men han lämnade meddelanden, det skickades ett brev hem till dem. För

Sebastian skulle inte få ett godkänt avgångsbetyg, inte i år heller och det var skolan skyldig att informera föräldrarna om, trots att han var myndig.

I förundersökningen står det att rektorns brev hittades i Claes arbetsrum när det gjordes husrannsakan. Det var oöppnat.

Sebastians mamma då?

Sander hittade henne. Kvällspressen hittade henne också, det finns paparazzifoton av henne utanför huset där hon bor, och det finns ett förhör med henne i förundersökningen. Jag vet att Sander funderade på att kalla henne till rättegången, låta henne prata i domstolen, för jag vet att han hade en idé om att hon skulle kunna ge en bild av vad som hände mellan Sebastian och Claes, att hon skulle kunna förklara att deras relation redan från början var dödsdömd (inte Sanders ord), kanske få henne att säga *vad det var för fel på Claes*, förklara varför han var ett sådant monster till pappa (inte heller Sanders ord), varför han gjorde det han gjorde och vad det gjorde med Sebastian. Ferdinand tyckte att det var en usel idé, faktum är att om Ferdinand hatar någon mer än hon hatar mig, så tror jag att det är Sebastians mamma. Hon sa att det bara var "för mycket". Och jag tror att hon menade att oavsett vad det möjligen kunde finnas för förklaringar, så gick det inte att komma runt Sebastians mamma var en egoistisk idiot och Sebastians pappa var känslomässigt störd. Att ha Sebastians mamma att vittna "för mig", kunde inte vara en bra idé, oavsett vad hon sa för ingen ville bli hopkopplad med den kärringen. Det var som att ha Hitlers morsa som karaktärsvittne.

Jag tror att Sander först fick för sig att Sebastians mamma skulle kunna styrka hans tes om att Sebastian inte behövde övertalas av mig att döda sin pappa. Men sedan slutade han prata om det, jag tror att han förstod att det kunde kladda av sig på mig, den avsmak man automatiskt kände när man hörde den där bitchen försöka förklara varför hon valt att lämna sina barn. Så Sebastians mamma fick försvinna igen, bort, långt bort.

Men jag har läst hennes förhör. I det pratade hon mest om sig själv. Om hur hon inte kunde leva med Claes (så långt förstår jag henne), att hon i början tänkte att hon skulle kunna "läka honom" (det låter som om en terapeut har lärt henne det uttrycket), få honom att älska henne trots att han inte var *så bra på känslor* (antagligen också terapeut-ord), men att hon var "tvungen" att lämna honom och att han då "vägrade" att låta henne få barnen, för att "hämnas". "Vad kunde jag göra?" frågade hon, en retorisk fråga som hon var tvungen att svara på själv för att få det svar hon ville ha. "Jag kunde inte göra någonting. Claes vägrade, och jag hade inget att sätta emot."

Och Lukas har vägrat att samarbeta med både utredningen och Sander. Han pratar inte med någon. Det är han som har övertagit koncernen, sett till att ingå förlikning med alla offer och efterlevande. Men pratar gör han inte. Inte ett ord.

I kvällspressen, efter att Sander presenterat historien om Onde Claes Fagerman, har det skrivits om hans uppväxt på internatskolor, med barnflickor istället för föräldrar, anställda istället för familjemedlemmar. Psykologer som aldrig träffat vare sig Claes eller Sebastian eller Lukas har fått uttala sig och sagt att han antagligen aldrig kunde knyta an till sina barn eftersom han aldrig fick knyta an till sina egna föräldrar. Samma psykologer har också pratat om att Sebastian antagligen ärvt samma beteende av sin pappa, någon drog till och med valsen om att försummade-barn-lider-även-om-de-har-ett-eget-rum-i-en-lyxvilla-i-Djursholm, men den skulle Sander aldrig dra, han är smartare än så. *Vi måste koncentrera oss på vad du har gjort och vad du kan ställas till svars för. Sebastians problem är inte rättsligt relevanta annat än i den mån de styrker din oskuld.*

Men för pressen är det relevant. I allra högsta grad.

Jag har undrat över Sebastians mamma och varför hon lämnade sina barn. Om hon var sjuk, om hon missbrukade, om det fanns någon annan anledning. Kanske är det skälet till att hon inte har gett någon Exclusive Interview med Världens Viktigaste Reporter om Sanningen Bakom? För det har hon inte. Inte en enda intervju. Kanske har hon saker att dölja, saker hon skäms för, saker Claes visste och hotade med. Eller kanske ljuger hon. Hon kanske inte ville ha sina barn, hon kanske tvingade Claes att ta dem, jag vet inte. Eller så var hon faktiskt livrädd för honom, lika förtryckt och hatad som Sebastian. Ingen vet. *Det är inte rättsligt relevant.*

För mig är det ändå viktigt. En del av mig vill tro att hon älskade sina barn, att det var något hon inte kunde hjälpa, jag vill att allt ska vara Claes fel, att han faktiskt förtjänade att dö. Jag vill tro att Lukas också är ett offer, att han var lika rädd för Claes som alla andra. Men det enda jag vet säkert är att varken Sebastians mamma eller Lukas var där, inte när Sebastian behövde dem, inte de sista veckorna. Då var jag ensam. Och jag klarade inte av det.

Ibland försökte jag göra annat än att vara med Sebastian. Det hände att jag ville bort från honom. För den lugna, avtrubbade Sebastian som kom hem från sjukhuset var sedan länge utbytt mot någon annan. Ibland var han galen av ilska, ibland ointresserad. En dag kunde han skrika åt mig att jag var en idiot för att jag kom hem till honom utan att ringa först, nästa dag stängde han av telefonen och sedan skällde han ut mig för att jag sket i honom, sket i hur han hade det, vad han gjorde, sket i honom, sket i allt. Så det hände att jag tänkte att jag borde åka in till stan med Amanda, läsa en saga för Lina, äta middag med familjen. Men jag hade glömt hur man gjorde. De var mina vardagsmänniskor, att vara med dem borde ha varit lika självklart som att andas in och ut och somna när man blir trött, men de kändes främmande. Så jag undvek dem. Jag slutade svara om Amanda ringde, gick och la mig om jag var hemma när någon annan var där, satt ensam i skolan när jag överhuvudtaget gick dit.

Över påsken reste mamma och pappa bort med Lina. Jag sa att jag skulle åka till Antibes med Claes och Sebastian, men Sebastian och jag stannade hemma. Vi gick inte utanför dörren, var mest i poolhuset, fick mat levererad, rökte och lyssnade på musik Sebastian valde. Ibland kom Dennis. Han brukade inte stanna speciellt länge. När jag träffade mamma och pappa igen undrade de hur vi hade haft det.

"Bra", sa jag.

"Hur är det med dig?" undrade mamma.

"Sådär", sa jag och gick in på mitt rum. "Jag tror att jag håller på att bli sjuk."

De ställde inga fler frågor, tyckte inte att det var konstigt alls att jag var blekare än när jag åkte.

312

Vad var det som hände?

Sanningen är att under de där sista veckorna kom ingen vändpunkt, ingen sa något avgörande. Dagarna gick och det var inte bra, det var jävligt dåligt, men den ena dagen efter den andra började och tog slut och ibland var Sebastian inte hög och inte galen och ibland blev han inte arg och ibland tyckte jag att det kändes lite bättre, men antagligen, kan jag tänka så här efteråt, tyckte jag att det kändes bättre bara för att det inte kändes påtagligt sämre.

Många, många dagar var det vidrigt. I synnerhet på helgerna. Helger, när de enda jag träffade på fyrtioåtta timmar var Dennis och Sebastian. Men allra värst blev det om Claes var hemma.

Jag försökte få Sebastian att förstå det, men han kunde inte, ville inte, gjorde ingenting åt det. Ju sämre han mådde, desto vidrigare blev hans pappa. Claes Fagerman rapade ur sig den ena förolämpningen efter den andra, märkligt ointresserat, vilket gjorde dem ännu värre. Han brydde sig inte, Sebastian gick sönder, han brydde sig ännu mindre. Ibland trodde jag att han ville att Sebastian skulle ta livet av sig, för det skulle ha löst problemet, det problem han pratade om så fort han fick tillfälle: *Vad fan ska jag göra av dig?*

Efter middagen med tv-kocken när jag försökte säga åt Claes hade jag också hamnat på kontot, det där han förde bok över Idioter. Antagligen eftersom jag varken kunde få Sebastian att sluta hålla på med det han höll på med, eller få honom att börja göra det han vägrade att göra. Claes slutade hälsa på mig när vi råkade träffas, han pratade bara om mig i tredje person, han såg mig aldrig i ögonen. Han föraktade mig för att jag var med hans son.

Ja, jag tycker att det var Claes Fagermans fel. Om han varit annorlunda, om han inte gjort det han gjort och sagt det han sagt, då hade det som hände aldrig hänt. Jag har sagt det till Sander, att jag ville att han skulle dö, att jag menade det, att jag menade vartenda ord jag skrev och sa och sa igen och skrev i mina mess. Jag tyckte att Claes Fagerman förtjänade att dö för han var Sebastians pappa och han borde ha älskat honom.

313

Sander säger att det ändå inte gör mig skyldig till mordet. Han säger att det krävs att åklagaren kan visa att jag "förmådde" Sebastian att döda honom. Att det går att visa att det finns "kausalitet" mellan det jag sa och gjorde och det Sebastian gjorde, att det hör ihop, att det ena inte skulle ha hänt utan det andra. Det räcker inte ens att jag ville att Sebastian skulle döda honom om Sebastian skulle ha dödat honom ändå, oavsett vad jag tyckte.

För Sander är det uppenbart att Sebastian bestämde sig för att döda sin pappa *på grund av* hur Claes behandlade honom.

Den sista festen, passar in i Sanders modell. Den festen gör det som hände lättare att förstå. Han menar att det som Claes gjorde, att han kastade ut Sebastian, krävde att han skulle flytta, försvinna, ge sig av därifrån, det blev slutet för Sebastian. Han hade ingenstans att ta vägen, han hade misslyckats med skolan, allt det som var hans identitet drogs bort. Och jag låter honom säga det i domstolen. Men verkligheten, den som Sander bara kan gissa sig till, går inte att förklara så där pedagogiskt.

"Berätta om första gången Sebastian slog dig", sa Sander när jag hördes i rätten. Han ville att alla skulle höra om det eftersom det låter så vidrigt och Sander vill att domstolen ska tycka synd om mig. Jag berättade, men jag sa aldrig att det inte var någon speciell grej, inte tillräckligt speciell i alla fall. Jag lät dem tycka att det var vidrigt.

Vi var hemma hos Sebastian, det var strax efter påsk. Claes och Sebastian hade suttit i köket och "planerat" Sebastians "studentskiva" ("jag är inte säker på att jag är i Sverige den helgen", "du får be Majlis att ordna med det praktiska") när jag kom och jag sa inte något medan Claes var med, men när han gått därifrån kunde jag inte hålla mig längre.

Vi grälade. Inte för att det var uppenbart att Sebastian inte skulle ta någon studentexamen, vi grälade inte om sådana grejer. Men jag blev arg för att han lät Claes fortsätta låtsas som ingenting bara han slapp hålla tal för honom på middagen. En studentskiva fick kosta hur mycket som helst, det kunde han betala. Men han tänkte inte komma dit.

Jag fattar inte varför du låter honom behandla dig som skit. Han hatar dig, Sebastian, det har han alltid gjort. Du är inte värd att bli behandlad på det viset.

314

Jag sa allt det trots att jag såg att Sebastian var ledsen. Jag såg hur ont det gjorde. Jag såg att han förstod att han aldrig skulle klara av att göra sin pappa stolt eller ens nöjd. Ändå sa jag det. Skulle det hjälpa? Nej. Sebastian blev alltid straffad men aldrig någonsin omhänder-tagen. Kanske sa jag det för att jag ville göra honom ledsnare. Jag var fruktansvärt elak mot honom, jag visste det och jag var det ändå.

Jag hetsade honom. Jag hetsade honom mot hans egen pappa.

Och då slog Sebastian mig tvärs över ansiktet, han sa inget, det gjorde inte speciellt ont, men jag sprang därifrån och stängde in mig i badrummet, men det gick inte att låsa. Det fanns ingen nyckel till några badrum hemma hos Fagermans, inte sedan Sebastian kommit tillbaka från psyket.

Jag satt där en stund innan han kom. När jag hörde honom närma sig dörren höll jag emot så gott jag kunde. Dörren öppnades utåt, men Sebastian slet inte i den, han försökte inte dra upp den, trots att han skulle kunna göra det eftersom han var starkare än jag. Det tog en stund innan jag förstod vad han gjorde istället, någon minuter kanske, innan värmen tog sig från hans sida av metallhandtaget till min sida. Sebastian hettade upp det. Med hjälp av en brännare han hämtat från köket gjorde han handtaget brännhett, han sa ingenting under tiden, rörde inte ens dörren och när jag blev tvungen att släppa gled den bara upp.

Han kom fram till mig och föste upp min klänning, den knölade ihop sig runt halsen på mig, sedan knäppte han av mig behån och tittade på mig i spegeln.

"Kan vi inte stänga dörren?" viskade jag. Jag kunde höra Claes på nedervåningen. Städerskan var också där, ute i trädgården körde någon en maskingräsklippare och säkerhetsvakterna satt väl där de brukade vid uppfarten. Sebastian svarade inte. Han såg inte ens arg ut. Svullen, svart under ögonen, trött, men inte förbannad. Han knäpp-te upp byxorna, öppnade gylfen, drog ner byxorna och slog mig med baksidan av handen, en uttråkad backhand, tvärs över tinningen, hans armbandsklocka träffade mig på kindbenet, nästan uppe vid örat. Jag la mig ner på golvet, kaklet var kallt, jag lät honom dra av mig trosorna, klänningen var kvar runt min hals. Han sög på min ena bröstvårta, det andra bröstet greppade han med handen. Han tryckte ihop det, drog ut det igen. Och jag ville inte bli våldtagen, jag blev inte våldtagen, för jag tog hans hand och förde den mot min slida, han tryckte in två fingrar i mig, jag kände honom mot mitt lår, och jag lyfte upp foten, jag ville inte bli tvingad och jag tog spjärn mot badkarskanten och sedan trängde han in i mig. Det tog inte så lång tid för honom att bli klar. Sedan gick han därifrån.

När Sander bad mig berätta om när Sebastian slog mig så gjorde jag det. Men jag sa inte att det som fyllde mig när det hände var en känsla av lättnad. Hur mitt blod brusade, dånade i huvudet, att jag faktiskt trodde att jag hade kontrollen då. Att han inte skulle kunna göra mig något längre om han slog mig. Om han äntligen slog mig sönder och samman skulle alla se det, alla skulle äntligen se hur han var, och det skulle befria mig från något, kanske till och med från honom. Jag skulle ha ett skäl att gå och aldrig mer komma tillbaka. Ingen skulle be mig att ta hand om honom, att trösta honom, att följa efter honom. Till och med jag skulle förstå att jag måste släppa taget. Man skulle gå första gången man blev slagen, man skulle aldrig stanna hos en som slog, oavsett hur många gånger han bad om förlåtelse. Det visste alla.

Men Sebastian sa aldrig förlåt. Jag blev lite svullen på kinden, men det syntes knappt; rörde jag den inte gjorde den inte ens ont. Ingen såg vad som hände. Och vart skulle jag gå?

38.

Den sista kvällen kom och det var sista veckan i maj. Sebastian hade ingen studentskiva, vi pratade aldrig mer om den efter det som hände i badrummet. Han hade inte gått på Labbes, trots att han var bjuden (jag gick inte heller), och jag trodde inte att han skulle gå på Amandas.

En vanlig torsdag, det var skola dagen därpå, sa Sebastian att han skulle ha fest. Och luften doftade på ett särskilt sätt den där eftermiddagen; himlen var blåare än den brukade och jag blev glad. Jag kom plötsligt ihåg hur det kunde vara när det var sommar, en liten, kort stund tänkte jag på utekvällar och grillning, nakenbad och bara fötter.

"Kommer det mycket folk?" undrade jag.

"Inte överdrivet", sa Sebastian.

Det var varmt, över tjugofem grader. Jag tänkte att vi skulle hänga vid poolen, vid stranden kanske om det varma höll i sig, dricka men inte supa, prata, lyssna på musik. Det kändes nästan som förra sommaren. *Nästan?* När "vi har inget annat att göra" var allt som behövdes för Sebastian. När "vi har fest" var något roligt.

Sander har sagt till mig att han tror att Sebastian redan hade bestämt sig, att det här bokstavligen var "sista kvällen" för honom. Att det hans pappa gjorde kanske fick honom att gå från ett vanligt självmord till det andra, men att Sebastian redan planerade åtminstone sin egen död. Utredarna har inte hittat något som berättar vad Sebastian planerade, om han planerade. Och Sander kan bara spekulera. Ingen vet. Men jag tror att Sander har rätt.

Dennis kom först. Han hade två kompisar med sig. Sebastian hade inte sagt till mig att han skulle komma, men jag blev inte förvånad, kanske inte ens besviken. Men att Dennis fått ta med sig sina polare var svårare att fatta. Vi hade aldrig umgåtts med hans kompisar. I början höll de sig för sig själva på altanen, vid poolen. De såg inte bortkomna ut, mest fulla i skratt. Som om de inte kunde tro sina ögon, men inte på något bra sätt.

Sedan kom brudarna jag aldrig sett förut. De var inte inbjudna. De var inhyrda, det syntes. De kostade pengar, men inte mycket (det syntes också) och de inväntade sina instruktioner med varsin drink i handen.

Jag trodde att Dennis hade tagit dit dem. Men det var Sebastian som hälsade dem välkomna, även om Dennis fick börja.

Han sa så, Sebastian. "Ni börjar."

Dennis hade shorts och lutade sig ner och drog i tubsockan på vänster fot. Resåren hade släppt. Han försökte få den på plats ändå, tog av sig sin keps och la den uppochner på matsalsbordet. Jag stod en bit därifrån, men jag kunde ändå se den mörkare randen av ingrodd svett och hudflagor. Dennis och hans kompisar gick in i Claes sovrum. Men inte Sebastian, tänkte jag, aldrig Sebastian. Han gjorde inte sådant.

Ni börjar. Och jag sjönk. Rakt ner i kvicksanden, och jag tittade på en av tjejerna, hon närmast mig hade en fnurra på sina svarta strumpbyxor, det var för varmt för nylonstrumpor och det skulle snart gå en maska, hon ställde ifrån sig sin drink, hennes tumnagel var nedbiten ända ner till det rosa skinnet och jag ville att hon skulle titta på mig, men hon vägrade. Om hon bara tittade på mig, om jag bara kunde se hennes ögon så skulle hon bli på riktigt, en verklig människa, någon som räknades och jag skulle kunna bli arg, ledsen, galen av svartsjuka, *rusa därifrån*, men hon undvek min blick och hon gick in i rummet tillsammans med de andra två och jag sjönk djupare och djupare. Jag kunde känna vad hon luktade, en billig parfym och svett, men jag gjorde ingenting. Skrek inte. Grät inte. Jag kunde inte göra någonting, för då skulle jag drunkna.

Sebastian gick in när Dennis och hans kompisar kom ut, jag tror att det var tjugo minuter senare. Jag frågade inte varför. Jag sa inte *gör det inte.* Jag grät inte. Labbe och Amanda hade precis kommit. Innan Sebastian stängde dörren vände han sig om och tittade på mig. Hans ögon var svarta, redan döda.

"Ska du med?"

Men han väntade inte på svar. Stängde dörren efter sig.

Och jag slog ingen, spottade inte vilt omkring mig. Jag gick inte efter in i sovrummet och slet tillbaka mitt liv, jag kunde inte röra mig. Sebastian ville inte ha mig längre. Han hade bestämt sig.

Han ville dö ifred. Det var så här han lämnade dig, Maja.

Och Dennis skrattade åt mig när han såg mitt ansiktsuttryck, han skrattade högt, med öppen mun och tillbakalutat huvud. Ur sina korta, fula byxor tog han upp en liten plastpåse. Han plockade ut det som låg i, det var inte större än ett frimärke. Så lite krävdes, allt jag behövde göra var att släppa taget. Jag skulle slippa det här. Sebastian ville inte ha mig. *Ska du med,* frågade han. *Försvinn,* betydde det. *Du kan inte göra mer, Maja.* Jag kunde inte röra mig. Om jag släppte taget nu skulle jag sjunka ner i dyn, låta mörkret komma. Det svarta slukhålet.

"Gapa stort", sa Dennis. Och jag såg på honom istället. Han förstår, tänkte jag. Han vet hur man gör för att inte drunkna.

Sedan var huset fullt av folk. I poolhuset dånade musiken, jag satt på kanten till bassängen med fötterna i vattnet. Det blixtrade från discolamporna som någon hade satt upp, det rullade ljus runt i rummet, upp och ner på väggarna, in i mitt huvud där det exploderade. Jag la mig ner på poolkanten, min klänning var blöt på sidan och jag såg hur det glittrade, någon hade kastat en champagneflaska i vattnet, den guppade, i otakt med musiken. Glimmer på ytan, små gnistor i mitt huvud, stora, höga turkosa lågor. Jag skulle behöva ta något mer snart för det Dennis hade gett mig var redan på väg att sluta verka.

Jag vet inte hur länge jag var där. Musiken flöt ihop, jag kände den i bröstet, hur den sprängde för att ta sig ut. Det spelade ingen roll vad Sebastian gjorde, jag brydde mig inte, men jag såg henne, suddigt först.

"Amanda", ropade jag, eller försökte i alla fall. Hon hörde mig inte. Jag viskade för mig själv. "Amanda." Hon skulle hjälpa mig, dra mig upp härifrån. Hjälpa mig att ta något mer, hjälpa mig att hämta Sebastian, hjälpa mig hem.

Hon höll Labbe i handen. De tittade sig omkring, de letade efter någon. Det var när Labbe tog honom i axeln så att han vände sig om, som jag såg honom.

Samir. Med mobiltelefonen i hand. Och sedan såg jag vad han filmade.

Sebastian stod med ryggen mot honom. Han portionerade upp lines på golvet och två av de tre nakna fnasken gick ner på knä för att kunna dra dem i sig. Sebastian tog tag i den ena tjejens höfter, drog upp hennes rumpa och tryckte skrevet emot henne. Dennis skrattade.

Samir filmade fortfarande.

Jag vet inte hur jag tog mig upp, men Labbe fick tag i mig innan jag fick tag på telefonen. Jag tror inte att jag skrek, men Amanda höll också i mig och de släpade mig därifrån, in i ett annat rum, musiken var så hög, det sista jag såg var att det var Sebastians tur att dra i sig två linor. Han fångade upp resterna med tungan och vände sig mot den andra tjejen och lät henne slicka upp dem.

Jag tror att jag grät. Samir måste ha följt efter oss. Han höll fortfarande i telefonen och tittade på mig.

"Vi måste få ett slut på det här." Var det Amanda som sa så? Kanske. Eller så var det Samir.

"Vi måste sätta dit honom."

Det var definitivt Samir. Jävla Samir. Han ville göra något, *det rätta*. Herregud. Han skulle inte vara här. Om Sebastian inte varit *upptagen* hade han aldrig blivit insläppt. Han kunde inte göra så här, det skulle inte lösa Sebastians problem. Och sedan blev jag rädd. Livrädd. För första gången för min egen skull.

Om polisen kom skulle allt gå åt helvete.

"Du kan inte göra det." Nu skrek jag. "Du kan inte ringa polisen, du kan inte tjalla på honom. Du får inte. Om du ringer polisen …" Jag började om. Mitt hjärta rusade, det slog för snabbt. "Om du ringer polisen är det inte bara Sebastian som åker dit."

"Vi måste göra något. Han kan inte hålla på så här."

Jag plockade upp min mobiltelefon. Det gick fort. Alldeles automa-

320

tiskt. Som om jag ville det. Som om jag hade planerat det. Jag tryckte fram telefonnumret och lämnade över telefonen till Samir.

"Ring honom. Ring honom istället!"

Trodde jag att han skulle våga? Jag var beredd att tvinga honom. Vad som helst, men inte polisen. Samir knappade in numret i sin egen mobil.

"Vad gör du?" undrade jag. Kanske hann det ifatt mig då. Vad jag hade gjort. Vad det skulle betyda. Samir såg stolt ut, överlägsen. Det-trodde-du-aldrig sprutade ur hans ögon och jag ville klippa till honom. "Vad fan gör du?"

Musiken dånade. Det var så högt att vi fick skrika för att höra var-andra. Ändå hörde jag swischet, ljudet av meddelandet som gick från Samirs telefon till Claes Fagermans privata mobilnummer. Samir hade inte skrivit något i textraden, bara bifogat filen, filmen han just hade tagit.

Din jävla idiot, tänker jag nu. *Ring polisen. Ring polisen*, vill jag skrika från min häktescell på andra sidan. *Be honom ringa polisen. Kräv att han ringer polisen. Om du bara hade ringt polisen istället.*

Det tog inte mer än kanske tio minuter innan helvetet bröt ut.

Huvudförhandling i mål B 147 66

Åklagaren m.fl. mot Maria Norberg

39.

När Samir kommer in i rättssalen ser han ut som vanligt. Nästan i alla fall, magrare kanske, äldre på något vis. Han tittar inte på mig när han sätter sig på sin plats. Men jag tittar på honom. Jag tittar och tittar och tittar och för första gången sedan rättegången började känner jag något som inte liknar panik. Hans hår är längre än det brukade vara och han stryker med handen över sina beiga byxor, som om den var svettig. Han harklar sig för mycket för att det inte ska märkas att han är jättenervös.

Samir lever. Han gör faktiskt det, det är inte bara som de sa. Han överlevde, för han sitter här, så nära att jag skulle kunna resa mig upp och röra vid honom. Det spelar ingen roll, tänker jag, att han är här för att säga att jag dödade Amanda med flit. Huvudsaken är att han lever.

Åklagaren börjar. Hon låter Samir prata i lugn och ro.

"Berätta med dina egna ord ..."

Samir pratar om varför han gick på Djursholms allmänna gymnasium, hur han kände Sebastian, Amanda, Labbe, hur han känner mig, precis, exakt hur väl han känner mig, att han, Amanda och Labbe varit oroliga för Sebastian och mig, att de bestämt sig för att "göra något", vad som hände på festen kvällen innan.

Först kom säkerhetsvakterna. När Claes Fagerman kom hade han med sig ännu fler. Samir berättar att en av säkerhetsvakterna som kom tillsammans med Claes tog hans telefon. Han fick en ny, finare, i obruten förpackning i utbyte.

Samirs gamla telefon (och Claes) finns med i utredningsmaterialet. Vi har redan fått titta på filmen (och en annan som Samir tagit strax innan men aldrig skickade till Claes), och nu spelar åklagaren upp dem igen. Det syns hur hög jag är, det hörs hur vansinnig jag blir när jag märker att Samir filmar. Jag skriker vad-fan-gör-du-är-du-galen. Filmen avslutas med mitt svettiga ansikte i bild, åklagaren låter mig stirra ut över åhörarna en lång stund innan hon klickar bort mig.

Samir berättar om kaoset. När Claes tappade kontrollen och gick från sitt vanliga distanserade, iskalla jag till att släpa Sebastian ut från sovrummet dit han gått tillbaka med fnasken. Sebastian var naken, Claes klippte till honom med knuten näve i ansiktet, inför alla, och när han ramlat ner på golvet sparkade Claes honom i magen.

"Tre gånger, tror jag", säger Samir. "Kanske två. Jag är inte säker." •

En av säkerhetsvakterna fick bort Claes från Sebastian, en annan kom ut från Claes sovrum med Dennis och fnasken. Dennis var helt väck, med brallorna i handen och den svullna daggmasken intryckt mellan sina feta, nästan mörkblå lår.

Samir berättar att han blev hemkörd av en av Claes vakter. Han hade bett att bli släppt en bit bort för att inte hans mamma och pappa skulle se bilen. Men vakten hade insisterat. Samirs föräldrar hade inte märkt något.

Det tar Samir närmare femtio minuter att redogöra för vad som hände i klassrummet. Åklagaren ställer alla sina frågor med en lite lägre röst än normalt. Varje gång Samir börjar gråta (tre gånger) frågar domaren lika lågt om han behöver ta paus. Samir bara skakar på huvudet, han kämpar för att rösten ska fungera, han vill härifrån, han vill få det här avklarat, han rabblar det han har sagt i förhören, det är nästan ordagrant samma formuleringar. Han är "säker", han "vet vad han såg", vad jag gjorde.

När det blir Sanders tur har Samir blivit blank i pannan. Han har en rund rosa fläck på vardera kind, precis ovanför stället där han brukar få skrattgropar. Han verkar irriterad redan innan Sander har ställt sin första fråga.

Sander pratar också med vänlig röst, men han pratar lika högt som vanligt.

"I ditt första förhör sa du att det tog flera timmar innan polisen kom."

"Uhm."

"Kommer du ihåg det?"

326

"Det kändes som flera timmar."

"I verkligheten var det väl inte ens en halvtimme? Jag har rapporten här, det står att klassrummet öppnades femton till sjutton minuter efter att sista skottet avlossats. Det är nitton minuter efter att de första skotten avlossades."

"Spelar det någon roll?"

"Du sa också att den första som blev skjuten var Christer."

"Jamen …"

Sander sänker rösten.

"Det tog du också tillbaka i ditt nästa förhör."

"Jag var fortfarande ganska borta. Jag var nyopererad. De förhörde mig när jag fortfarande var på sjukhuset … jag var …"

"Jag förstår det, Samir. Jag förstår att det inte var lätt för dig. Men det var många saker du sa under de där första förhören som du senare har tagit tillbaka."

"Det är det inte alls det."

"Hur många dagar tog det innan du blev förhörd?"

"Fyra dagar."

"Du hade din familj hos dig de där dagarna?"

"Ja."

"Ni pratade om vad som hade hänt, eller hur?"

"Jag pratade inte så mycket."

"För du var dålig, jag vet. Du fick en massa smärtstillande, det står i din journal. Jag förstår att du mådde dåligt. Men din mamma och pappa … de pratade med dig om det?"

"Det är väl klart att vi pratade. Jag förstår inte varför det skulle vara ett problem."

"Du behöver bara svara på frågan, Samir."

"Mamma grät mest, hon bara grät."

"Vad talar du för språk med dina föräldrar?"

Han tvekar.

"Arabiska."

Pannkakan räcker över några papper till Sander. Han tar emot dem, bläddrar fram till andra sidan och fortsätter.

"Vi har talat med din vårdpersonal. En av sjuksköterskorna har berättat att du frågade vad som hade hänt med Maja." Sander vänder sig mot ordföranden medan Ferdinand delar ut kopior på förhöret med sjuksköterskan. "Hon talar också arabiska."

"Mm."

"Och hon har berättat vad din pappa svarade."

"Vad är det för konstigt med det, min pappa måste väl få svara när jag ställer en enkel fråga?"

"Kommer du ihåg vad han svarade?"

"Att hon satt häktad, tror jag."

"Hon sa att din pappa sa till dig att polisen hade häktat Maja och att Maja borde få ruttna i fängelse för det hon gjort dig."

"Tycker du att det är konstigt att min pappa tycker att Maja borde straffas för det hon har gjort? Att han var arg?"

"Din pappa sa att polisen hade hittat en väska i Majas skåp. Din pappa berättade också för dig vad som låg i den väskan, eller hur?"

"Varför skulle han inte ha gjort det? Polisen gjorde det också, de hittade väskan i Majas skåp, skulle pappa ha ljugit för mig?"

"Din pappa sa till dig att Maja och Sebastian gjorde det ihop, att hon och Sebastian hade genomfört skjutningen tillsammans."

"De gjorde det ihop."

"Din pappa sa det här till dig två dagar innan polisen genomförde sitt första förhör med dig, eller hur?"

"Jag vet inte. Det kanske han gjorde. Men han sa bara som det var, det var ingenting pappa hittade på, det var ..."

"Jag tror inte att din pappa hittade på det, jag tror att han läste det i tidningarna och jag tror att han trodde på det. Maja satt i häkte, din pappa är inte ensam om att tänka att en tonåring knappast skulle bli häktad om hon inte var skyldig. Jag tror att du också har gått i den fällan och att alla dina minnen från klassrummet, allt det du inte förstod när det hände, har anpassats efter vad du sedan fått höra."

"Så du tror att jag har hittat på det? Skitsnack. Maja blev häktad för att hon sköt sin ..."

Sander ser sorgsen ut när han avbryter Samir.

"Din pappa, ja, hela din familj, alla som besökte dig på sjukhuset, belades med yppandeförbud, vet du vad det är för något?"

328

"Ja."

"Det betyder att de inte fick diskutera de här sakerna med dig."

"Pappa diskuterade ingenting med mig."

"Och anledningen till att din pappa inte fick berätta någonting om Maja, eller vad han hade läst i tidningen eller vad han trodde att han visste, anledningen var att polisen ville försäkra sig om att du inte skulle bli påverkad av det du hörde om brottet och om Maja. De ville kunna förhöra dig utan att du redan bildat dig en uppfattning om vad som hänt."

"Jag bildade mig en uppfattning av vad som hänt för att jag var med när det hände. Varför skulle jag hitta på att ..."

"Jag tror inte att du medvetet har hittat på det, Samir. Men jag tror att du vill ... att du mer än allt annat vill förstå din traumatiska upplevelse och att den här konstruktionen verkar mest logisk."

"Pappa sa inte att Maja och Sebastian hade gjort det ihop."

Sander tittar upp, skeptiskt.

"Men han berättade för dig att hon satt i häktet."

"Ja."

"Berättade han varför hon satt där?"

"Han behövde inte ..."

"Nej, det kanske han inte behövde, att säga att Maja var häktad räckte säkert för att du skulle förstå vad polisen misstänkte att Maja hade gjort. Men han gjorde det, Samir. Din pappa berättade för dig vad han hade läst i tidningarna och vad han var övertygad om var sant. Sjuksköterskan som hörde ert samtal, jag har hennes utlåtande med mig. Vi kan kalla hit henne om du vill. Hon hörde hur upprörd din pappa var, och vad han ville göra med Maja, eftersom hon 'hade försökt mörda dig'."

"Det är inte så lätt att ... Pappa ville bara att jag skulle veta att ..."

"Jag förstår det, Samir. Det är faktiskt precis det jag vill att vi ska prata om. Att det inte är så lätt att förklara vad som hände."

Sander låter påståendet hänga i luften medan han smuttar på sitt glas vatten.

"Hur förstod du att du blivit skjuten?"

"Han ... Sebastian sköt Dennis och sedan Christer och sedan ...",

Samir harklar sig. "Han sa …" Samir börjar gråta, harklar sig igen. "Nu ska du dö, sa han. Sedan sköt han. Jag trodde att jag dog då." Han gråter en stund. Sander låter honom göra det innan han fortsätter.

"Var stod Maja när han sköt? Kommer du ihåg det?"

"Vid dörren."

"Hade hon något vapen i handen då?"

"Jag vet inte."

"Men Maja sköt inte dig?"

Samir fnyser.

"Jag har aldrig påstått att Maja sköt mig. Men hon …"

"När förstod du att du inte hade dött?"

"När jag hörde att de pratade med varandra."

"Vilka då?"

"Maja och … Maja och Sebastian."

"Du har sagt i förhör att …", Sander läser från sina papper, "att … 'det var min räddning att de trodde att jag var död'."

Samir höjer rösten.

"Om de hade sett att jag inte var död … "

Sander sänker rösten.

"Du spelade död för att inte bli skjuten igen."

"Ja."

"Blundade du?"

"Inte helt och hållet."

"Så du tittade?"

"Jag tittade utan att öppna ögonen helt och hållet. Ja. Ja, jag såg tillräckligt."

"Var du inte rädd att de skulle se att du tittade på dem?"

"Jag var skiträdd. Jag har aldrig varit mer rädd i hela mitt liv."

"Hade du ont?"

"Jag har aldrig haft så ont i hela mitt liv."

"Det måste ha varit svårt att ligga stilla och spela död."

"Jag hade inget val."

"Du har sagt i förhör att …" Sander plockar fram ett papper och läser innantill. "'De gjorde det tillsammans.' Vad exakt var det de gjorde tillsammans."

330

"De …"

"När Sebastian sköt Christer, Dennis och dig … Sköt Maja också, då?"

"Nej. Hon …"

"Höll hon i något vapen då?"

"Nej, jag tror inte det. Jag vet inte."

"Men hon hade ett vapen när Sebastian sa åt henne att … Vad sa han?"

"Han sa 'du vet att du måste göra det'."

"Och du vet vad han menade med det?"

"Döda Amanda."

"Maja menar att när Sebastian sa 'göra det' så ville han att hon skulle döda honom, att hon var tvungen att döda honom för att han inte skulle döda henne."

"Varför dödade hon Amanda då? Varför skulle hon ha skjutit Amanda om inte Sebastian sagt åt henne att göra det?"

Sander är tyst en stund. Men inte för att han tycker att Samir har en poäng. Utan för att han vill ha allas uppmärksamhet på helspänn.

"Du fick vara med när polisen gjorde en rekonstruktion av skjutningarna."

"Ja. Och då …"

"Men du var inte med på den rekonstruktion vi gjorde."

"Nej. Jag var inte inbjuden till den. Och vad spelar det för roll? Jag var där när det …"

"Den person som spelade dig, eller vad jag ska kalla det, vet du vad han sa om vad han kunde se från där du låg?"

"Hur ska jag kunna veta det?"

"Att han inte kunde se Maja."

"Jag såg Maja."

"Han kunde inte se Maja. För att se Maja var han tvungen att vrida på huvudet. Men om han vred på huvudet kunde han inte se Sebastian längre. Han kunde alltså inte se både Maja och Sebastian på samma gång. Han kunde inte heller se både Maja och Amanda på samma gång. Vred du på huvudet för att kunna titta på Maja?"

"Jag vet inte. Det kanske jag gjorde."

"Du låtsades vara död, eller hur?"

"Ja."

"Låg så stilla du kunde?"

"Ja."

"Vet du vad vår rekonstruktionskille sa mera?"

"Hur i helvete ska jag kunna veta det?"

"Dessutom sa han, killen som spelade dig i vår rekonstruktion, att det från stället där du låg inte såg ut som om Amanda och Sebastian stod i samma skottlinje, det såg ut som om de stod bredvid varandra. Men från Majas håll sett, det vill säga från ett annat perspektiv, stod Sebastian snett framför Amanda. Tror du att det kan ha sett annorlunda ut för dig än det gjorde för Maja?"

"Maja sköt Amanda."

"Vi vet att Maja sköt Amanda, Samir. Men vi vet inte varför Maja sköt henne."

"Hon ville väl att hon skulle dö."

"Är du säker på det?"

"De hade inte … de var inte … Sebastian och Maja hade blivit alldeles …" Samir gråter igen. "Amanda sa att Maja hade slutat ringa henne, att de inte umgicks längre, att hon hade blivit skitkonstig. Amanda var orolig för henne, men Maja ville inte ha med Amanda att göra. Hon var bara med Sebastian. Hon var besatt av Sebastian. Hon sket i allt annat än Sebastian."

"Har du hört Maja säga att hon ville att Amanda skulle dö?"

"Nej."

"Sa Amanda till dig att hon var rädd för Maja?"

"Nej. Men jag förstod inte att Maja ville … inte förrän i klassrummet förstod jag."

"När ambulanspersonalen kom till platsen … den första som undersökte dig, medan du fortfarande låg kvar i klassrummet, hon har uppgivit att du var medvetslös."

Samir rycker på axlarna.

"Var du det?"

"Jag tror det."

"Kommer du ihåg när du blev hämtad från klassrummet?"

332

"Nej."

"För då var du medvetslös?"

"Ja. Jag har aldrig påstått att jag kommer ihåg vad som hände när ambulanspersonalen kom."

"Hur länge var du medvetslös?"

"Inte länge."

"Vi har pratat med din läkare och han menar att det inte är omöjligt att du förlorade medvetandet redan när du blev skjuten."

"Det gjorde jag inte."

"Är du säker på det?"

"Jag såg det jag såg."

"Vad var det?"

"Jag såg att Maja siktade på …"

"Men du kunde inte se både Maja och Sebastian från den plats där du låg. Eller Maja och Amanda. Om du inte vred på huvudet, förstås, men det har du sagt att du inte gjorde eftersom du inte ville riskera att de skulle märka att du levde. Du kan inte heller ha sett om Maja siktade på Sebastian eller Amanda för du låg i fel vinkel."

"Sebastian sa …"

"Han sa 'du vet att du måste göra det', det har även Maja sagt att han gjorde. Men vet du varför han sa det?"

"Jag …"

"Du måste vara försiktig med vad du säger, Samir. Du måste veta säkert. Vet du varför Sebastian sa vad han sa?"

"Nej."

"Vet du – alldeles säkert – varför Maja gjorde det hon gjorde?"

"Hur ska jag kunna …"

"Jag vill bara att du ska svara ärligt, Samir. Vet du varför Maja sköt Amanda?"

"Nej."

"Kan du vara säker på att hon gjorde det med avsikt? Att hon ville döda Amanda?"

"Nej."

"Tack. Då har inte jag fler frågor."

Sebastian

40.

I elva minuter stod jag i Sebastians hall. Jag gick inte därifrån, jag väntade på honom. Jag hörde när han ringde till vakten. "Pappa ska arbeta hemma i dag", sa han. "Han vill inte bli störd."

Vakten ställde inga frågor, han tyckte väl inte att det var speciellt konstigt, det fanns ingen anledning att reagera på det. Med tanke på den kväll och den natt som varit var det normalt om Claes ville ta sovmorgon, ville vara ifred.

Jag ville inte riskera att träffa honom, jag stannade i hallen.

När Sebastian bad mig hjälpa honom att bära väskorna, varför skulle jag säga nej? Jag trodde att han hade packat och skulle åka till sin båt och bo där ett tag. Kanske skulle han åka utomlands? Kanske skulle han försvinna bort? Bo på hotell? Jag vet inte vad jag tänkte mer än att jag inte ville träffa Claes, men inte ville lämna Sebastian ensam, att jag inte ville vara där, men inte vågade gå därifrån.

Vem tror att två tunga väskor innehåller vapen (insvepta i ett lakan) och sprängmedel (insvept i ett annat lakan)? Jag hade blivit mindre förvånad om väskorna innehållit tio miljoner dollar i kontanter, eller kronjuvelerna.

Nej, jag frågade inte Sebastian vad han skulle göra. Nej, jag frågade inte om väskorna. Jag ville inte fråga för jag orkade inte bry mig.

Men, protesterar ni. Om det hade varit packning till segelbåten, varför skulle han vilja ta med sig den in i klassrummet? Varför ville han lämna en av väskorna i ditt skåp? *Tyckte du inte att det var konstigt?* Jag vet inte. Jag ville inget veta. Varför jag inte frågade vad det var? Varför jag inte ställde några frågor? Jag ville inte fråga Sebastian någonting. Jag var trött. Jag ville bara att dagen, terminen, skolan skulle ta slut.

Om jag hade tänkt, då kanske jag hade tyckt att det var märkligt att Sebastian ville åka till skolan. Varför ville han plötsligt gå på Christers fåniga planeringsmöte? Men jag tror att jag för länge sedan hade slutat ifrågasätta vad Sebastian ville och inte ville. När jag trodde att jag förstod varför han gjorde som han gjorde blev det ändå fel. Jag förstod ingenting. Att han ville åka till skolan trots att han aldrig skulle komma på tanken att ställa sig på en scen och sjunga tillsammans med Samir och Dennis, var långt ifrån det mest obegripliga.

Kanske misstänkte jag att han ville konfrontera Samir och Amanda. Skälla ut dem? Klippa till Samir? Eller så trodde jag bara att han ville ha tag på Dennis, få påfyllning, Claes armé av säkerhetsvakter hade tömt huset på knark. Sebastian behövde träffa Dennis, om jag hade funderat på saken skulle jag ha trott att de bestämt träff i skolan.

Christers idé om att vi skulle uppträda ihop på skolavslutningen var så typisk för honom. Han trodde att inga ungdomsproblem var allvarligare än att de gick att lösa genom att man tvingade upp de ungar som det gällde på en scen och gav dem tre mikrofoner att dela på. Och tänk vilken snygg bild det skulle bli till skolans hemsida! Mångfald, gemenskap, integration och solidaritet. "Synd att inte någon av oss sitter i rullstol", hade Sebastian sagt när Christer berättade om sina planer en eftermiddag i korridoren, två veckor innan det hände. Sebastian råkade vara där och när Christer såg oss joggade han ifatt oss, ropade på Amanda och Samir som stod en bit bort, tvingade dem att lyssna också. "Jag pratar med Dennis", hade Christer sagt. "Kom på mötet i alla fall. Vi kan säkert komma på något alla tycker är kul." Och Amanda blev uppriktigt glad, hon älskade att sjunga, hon sjöng på alla skolavslutningar. Och Samir höll god min, antagligen trodde han som jag, att det aldrig skulle bli av i vilket fall som helst.

Men vi kom till mötet. Sebastian gick före mig in i klassrummet. Han slängde upp väskan på en av bänkarna vid dörren, liksom hivade upp den, jag vet att jag reagerade på ljudet, att det lät underligt, det låg något hårt i väskan.

"Stänger du dörren", sa Christer till mig och när jag gjort det hade

338

Sebastian redan tagit upp sitt vapen, ställt sig mitt i klassrummet och när jag släppte dörrhandtaget började han skjuta.

Vapnet dånade. Dennis blev skjuten i ansiktet och i bröstet. Jag såg det samtidigt som jag vände mig om, jag stirrade medan Sebastian sköt Christer och Samir och sedan slutade han. I ljudet efteråt hörde jag hur Dennis astmaväste, tre gånger, sedan blev han tyst och jag tror att Christer sa något, halvropade, innan han blev skjuten men jag vet inte säkert.

Jag hade aldrig hört ett vapen avlossas inomhus och ljudet var så högt att jag nästan inte reagerade. Det var för overkligt. Jag vet inte vad jag tänkte när jag insåg att Sebastian tagit upp vapnet ur väskan och jag vet inte hur många gånger han sköt, de har frågat mig ungefär ettusenfemhundra gånger, men jag vet inte.

När jag vände mig bort från Dennis satt Amanda ner, jag vet inte var hon stod när Sebastian började skjuta och när hon flyttade på sig, men hon var intill väggen vid fönstren när Sebastian slutade skjuta och han skrek, nej förresten, han skrek inte, ingen skrek då tror jag, han prata-de med mig i vanlig ton och bakom honom såg jag hur Amanda hasade bort, en millimeter i taget, hon grät och hennes läppar rörde sig, men jag hörde inte vad hon sa för det pep i mina öron och Sebastian pratade med mig så jag slutade titta på Amanda och tittade på honom istället.

Väskan, den han burit in i klassrummet, låg precis framför mig. Den var öppen, blixtlåset draget så långt det gick. Lukten var starkare då än precis efteråt och jag tror inte att Sebastian tittade på Amanda, bara på mig och det låg kvar ett vapen i väskan, det såg jag, jag såg det tydligt och när Sebastian började prata igen var Amanda längre bort men inte så långt bort ändå för där låg Christer och dit ville hon inte och hon vände sig in mot väggen tror jag och när Sebastian började skrika, för han började skrika, då slutade hon röra sig och jag såg inte hennes ögon längre, inte hennes mun, jag vet inte om hon sa något, jag tror inte det, jag hörde bara Sebastian skrika. Han hade skrikit några timmar tidigare också.

"Stäng din feta käft, ditt jävla as", hade Sebastian skrikit åt Samir, när säkerhetsvakten drog bort hans pappa och Samir skrek tillbaka också, jag vet inte åt vem, men han skrek som om han blivit tokig. Han hade blivit tokig. Alla hade blivit vansinniga. När Claes Fagerman kom, släpandes på Sebastian, såg Samir galen ut, nästan lika galen som Sebastian, men Claes var värst. Hade inte säkerhetspersonalen hindrat honom hade han aldrig slutat slå Sebastian, aldrig slutat sparka.

När alla hade gått och Claes skrek åt Sebastian att försvinna och han gick därifrån, då följde jag efter, vi gick ut ur huset, bort, jag tyckte att han verkade lugn. Vi pratade inget om kvällen. Vi pratade inte om vad Sebastian hade gjort. Om tjejerna och hans döda ögon. Jag berättade inte att jag hade gett Samir telefonnumret till hans pappa, men vem skulle det annars ha varit? Det måste Sebastian ha förstått. Det kunde inte vara någon annan än jag. Ändå verkade han lugn på promenaden, fast det var mitt fel, att det var jag som gjort att hans pappa kom, det var mitt fel alltsammans. Sebastian ville inte ta i mig, inte hålla mig i handen, men han verkade inte arg. Han hade lämnat mig. Han hade lämnat allt.

Väskan var öppen och jag plockade upp vapnet som låg kvar i den. Sebastian skrek inte först. Men sedan skrek han högre än han någonsin skrikit och jag hade ingen aning om hur många gånger han skjutit men jag visste varför han skrek, det är klart att jag visste. Först pratade han vanligt och sedan skrek han. Han pekade på mig med sitt vapen och jag förstod varför. Och då sköt jag och så sköt jag igen och igen och igen. Vad skulle jag annars ha gjort?

Jag tror inte på slumpen. Jag tror inte på Gud heller. Vad jag tror är att allt som händer passar in i det som hände innan, som en länkad kedja. Om det är förutbestämt? Nej. Hur skulle det kunna vara det? Men det är inte samma sak som att säga att det bara hände. Tyngdlagen är inte slumpmässig. Vatten hettas upp och kondenserar. Det är inte en slump, inte heller ett bevis på gudomlig rättvisa. Det bara är.

Vi hade en lärare en gång, han sa att allt går att härleda till gasernas oförmåga att inte explodera. Han var en idiot, det tycker jag fortfarande, för vad har Big Bang att göra med att jag tog upp vapnet ur väskan? Och Amanda? Sebastian? Några minuter senare eller kanske

340

bara sekunder, när allt hade gått sönder inifrån och skjutits i bitar, och bara min armbandsklockas visare fortfarande svävade, oberört, framåt över siffrorna, hur hängde det ihop med universums ursprung? Varför sköt inte Sebastian mig så att Amanda hade kunnat få fortsätta leva? Det hade den där odugliga skitläraren knappast kunnat förklara.

Allt, precis allt, var tyst och stilla och overkligt. Och Sebastian hade fallit bort från mig, han var död, jag hade dödat honom, men jag drog honom till mig igen, så nära som jag bara kunde. Amanda dog utan att jag höll i henne.

Jag såg inte när Sebastian tog upp vapnet ur väskan. Men jag tittade på honom när han höll i det, när han började skjuta. Det lät för högt för att vara på riktigt, ljudet fick inte plats, det exploderade i mitt huvud, jag såg vad som hände, men jag kunde inte förstå.

Jag tog upp det andra vapnet för att jag inte kunde göra annat. Jag förstod att han ville dö, att jag måste döda honom, annars skulle han döda mig. Jag såg inte att jag träffade Amanda men när jag såg att hon var död visste jag att det var jag som hade skjutit henne.

Störst av allt är kärleken, sägs det. Folk säger det hela tiden, vissa verkar till och med tro att det stämmer. Åklagaren sa att jag gjorde det jag gjorde för att jag älskade Sebastian. Att min kärlek till honom var störst för mig. Att ingenting annat betydde mer. Men det är inte sant. För störst av allt är skräcken, rädslan för att dö. Kärleken betyder ingenting när du tror att du ska dö.

Jag vet att jag borde ha en förklaring till varför det hände. Att jag borde kunna göra som Sander, få det till något som passar in eller inte passar in i lagtexten. Att jag ska berätta att först hände det och sedan hände det och då blev det så här. *Det var inte mitt fel. Jag är oskyldig.* Eller: *Det var mitt fel. Jag är skyldig.* Men jag kan inte. Ni hatar mig för det som hände, jag hatar mig själv ännu mer för att jag inte kan förklara. Det finns ingen förklaring. Det är totalt meningslöst.

Huvudförhandling i mål B 147 66

Åklagaren m.fl. mot Maria Norberg

41.

Natten innan rättegångens sista dag försöker jag att inte somna. För på nätterna finns inga lögner. Jag tror att det är tystnadens fel. När till och med fåglarna är tysta och natthimlen är svart, då kommer drömmarna och drömmarna följer inga regler, ingen kan bestämma vad de ska innehålla, de är hänsynslösa. Mina minnen flyger, knäpptyst, svarta kråkor i flock, rakt in i mig, min ryggrad blir till grus, sand, damm. Jag försöker att inte somna men jag kan inte röra mig, tröttheten övermannar mig. Värken går inte att sova bort, sömnen är ingen befriare, i drömmen är jag utlämnad åt sanningen.

Nej, jag planerade inte att döda någon. Nej, jag ville inte att Dennis och Christer skulle dö. Ja, jag ville att Sebastians pappa skulle dö, nej, jag ville inte att Sebastian skulle döda honom. Ja, jag dödade Sebastian, ja, jag gjorde det med flit, jag önskar att jag inte hade gjort det. Och ja, jag dödade Amanda, ja, jag skulle göra vad som helst för att ha det ogjort.

Jag visste inte vad Sebastian tänkte göra när vi åkte till skolan tillsammans, för han sa ingenting till mig. När Samir sa till mig att Sebastian inte behövde mig trodde jag att han hade fel. Jag trodde att Sebastian behövde mig för att leva, jag var övertygad om att ingen var viktigare än jag för honom, men sanningen är att han inte behövde mig till någonting, inte ens till att dö, trots att jag dödade honom.

Det enda jag hade kvar var att Sebastian behövde mig, men jag betydde ingenting.

Folk säger att alla människor har lika värde. Det är vad man säger eftersom man är artig, väluppfostrad och kanske har en akademisk

345

examen, men det gör inte att det blir sant. Egentligen vet alla att människor har olika värde. Det är därför, när ett plan har störtat utanför Indonesien och fyrahundra personer har dött, som rapporteringen fördubblas om det funnits en svensk med på planet. En ynka svettig sexturistande svensk är värd dubbelt så mycket som fyrahundra indonesier. Det är därför det blir löpsedlar (med foto) när en frisk, ung, snygg kvinna med ett framgångsrikt jobb har dött i en lavinolycka och bara en liten notis på sidan bredvid annonserna om biografer och bröstförstoring när en inkontinent frånskild pensionär utan barn har blivit rånmördad på väg hem från tunnelbanan. Det är därför alla artiklar om "Djursholmsmassakern" har minst ett foto på Amanda och inte alls lika ofta ett på Dennis.

Bara idioter låtsas att det inte har någon betydelse vem du är, vad du har gjort. De pratar om människovärde, som om det inte är något vi har hittat på.

Människovärdet är absolut blablabla … Evigt, konstant, beständigt. Vi är alla lika, blablabla. Hitlers liv har samma värde som Moder Teresas.

Men inte Sebastian. Han visste. Sebastian växte upp i ett hus med en egen strand med vit sand dittransporterad med flyg och båt från en före detta fransk koloni. Hur skulle han ha kunnat inbilla sig att han var något annat än en gud, jämlik ingen, överlägsen allt? Varje dag av Sebastians liv bevisade sanningen: han var värd mer än alla andra. Pengar är lättare att förstå sig på än filosofiska påhitt om det absoluta människovärdet.

Problemet för Sebastian var att han också visste att hans värde var beroende av hans pappa. Utan sin pappa var han ingen. Alla lärare som lät honom komma för sent, alla föräldrar som struntade i att förbjuda sina barn att vara med honom, alla köer han gick förbi, alla kompisar han hade, alla som tog fotografier på honom, skvallrade om honom, pratade om honom, de gjorde det bara för hans pappas skull. *Claes Fagermans son*. Och när hans pappa sa åt honom att han aldrig mer ville ha med honom att göra, att han inte var något värd, när han spottade och sparkade på honom, då visste Sebastian att Claes hade rätt. Utan Claes var hans liv slut.

En sak var han duktig på. Han kunde döda. Jaga var han bra på.

346

Med vapen åstadkom han saker på egen hand, han fick till och med beröm.

Det var jag som gav Samir telefonnumret till Claes. Det var jag som bad Samir att inte ringa polisen. Det var jag. Kanske ville jag hämnas på Sebastian, kanske ville jag att Claes skulle se vad han gjorde med de där tjejerna för att jag visste att Claes skulle straffa honom värre än någon annan kunde straffa honom. Eller kanske var jag bara rädd för att åka fast för att jag var hög som ett hus. Men när jag gick hem från Sebastian den där allra sista natten, i morgonljuset, med mina högklackade skor i ena handen och min svettiga mobiltelefon, som snart skulle fyllas av meddelanden skrivna i desperation i den andra, då visste både Sebastian och jag att jag svikit honom igen. Det är klart att han inte berättade något för mig. Det är klart att han hade kunnat döda mig med.

På nätterna är jag som luften en dag utan vind när allting står stilla och ingenting kan fly. Jag minns för mycket. Och sanningen, i den mån ni är intresserade av den, sanningen är att jag är skyldig.

42.

När chefsåklagare Lena Pärsson knäpper på mikrofonen, harklar sig och inleder sin plädering, sammanfattningen av allt det hon vill ha sagt, då låter hon nästan ledsen, som om hon inte ville vara här.

"Det är varje förälders värsta mardröm ... Att släppa iväg sina barn på morgonen, men inte få hem dem till kvällen."

Men sorgsenheten går över. Efter några meningar låter hon sammanbiten och förbannad. Vi ska inte få komma undan så lätt, säger rösten.

"Det är svårt att förstå, närmast omöjligt att begripa, hur unga människor kan hysa tillräckligt med ilska för att döda. Men det får inte hindra oss från att se det som har hänt. Det får inte hindra oss att tilllämpa lagen. Och det domstolen har att avgöra i dag är den tilltalades skuld. Domstolen måste våga göra det rätta och fastställa att den tilltalade gjort sig skyldig till anstiftan, medhjälp, mord och försök till mord. Den tilltalades ansvar för brott är visat bortom varje rimligt tvivel."

Hennes röst blir starkare och starkare, allteftersom hon arbetar sig igenom sina argument, efter bara någon minut låter hon nästan triumferande.

Två saker står klart: hon har inte låtit sig imponeras av Sanders frågor till Samir och hon står fast i sin övertygelse att jag ska dömas till lagens hårdaste straff.

"Tolkningar", säger hon med en fnysning "är inga enkla saker att göra om man vill få dem att överensstämma med sanningen. Och vad ..." Hon tvekar, hon vet inte vad hon ska kalla dem. "Vad försvarets experter har kommit fram till är bara en av flera möjliga tolkningar. Vilket inte innebär att deras resultat är korrekt."

Försvarets experter. Alla förstår vad hon vill att vi ska förstå. *Jag har betalat dem. Den åtalade försöker köpa sig fri.*

Rika jävla subba.

"Polisens utredare är inga amatörer. De vet vad de gör, det här är inte deras första utredning. Inte deras andra, inte heller tredje. Ingen säger åt dem vad de ska titta efter, vilket resultat som behövs. De utreder förutsättningslöst, inte på beställning av den åtalade. Och kom ihåg", säger hon. "Kom ihåg vad Samir sa från början, vad han har sagt under hela förundersökningen, vad han har stått fast vid trots att tiden har gått. Samir var där. Han såg klart och tydligt vad som hände i klassrummet under de där mardrömslika minuterna, han har kunnat berätta vad den åtalade gjorde. Var han tvungen att vrida på huvudet för att se det? Kanske. Vad spelar det för roll? Han såg det han såg. Och vad gäller den tilltalades roll har Samir knappast varit otydlig. Det första förhöret ska aldrig underskattas, i synnerhet inte när det styrks av den tekniska utredningen, och i polisens fall har den tekniska utredningen genomförts av NFC, vårt nationella forensiska centrum."

Hon betonar nationella, som om bara det ordet var nog för att man skulle förstå vad som var rätt och vad som var fel.

Statens experter. Inte Sanders amatörer, inte den åtalades legosoldater.

Chefsåklagaren står alltså fast vid det hon har sagt hela tiden. Men en sak har ändrats och det tar en liten stund för mig att uppfatta, men när jag tänkt tanken första gången kan jag inte släppa den. För när hon drar sin story, när hon berättar hur Sebastian och jag, isolerade från omvärlden, planerade vår mordiska hämnd, vänder hon sig inte till chefsdomaren längre. Det är nämndemännen hon tittar på, de domare som inte är jurister.

"Jag hyser inga tvivel om att det har varit jobbigt för den åtalade. Maria Norberg ångrar sig säkert nu. Det är möjligt att hon till och med ångrade sig i klassrummet, när hon såg hur döden ser ut i verkligheten. Då blev hon förmodligen rädd. När Sebastian Fagerman dött, då ville hon inte längre dö. Men det gör ingen skillnad i skuldfrågan."

Om Lena Pärsson spelat ilsken åklagare i en amerikansk tv-serie hade hon lutat sig över jurybåset vid det här laget. Stirrat jurymedlemmarna i ögonen, en efter en, för att se om de inte tänkte börja gråta. Hon spelar på hela känsloregistret nu, för hon vet att om hon bara får nämndemännen med sig så är det kört för mig. När domstolen ska komma fram till ett domslut är varje nämndeman precis lika viktig som rättens ordförande. De har en röst var, varken mer eller mindre. Ordföranden och hans paragrafer kan bli överkörda hur lätt som helst.

Jag tittar på nämndemännen. Försöker läsa i deras ansikten vad de tänker, vad de tycker. Men jag ser ingenting, ingenting jag förstår, ingenting jag kan tolka, bara ansikten.

När Lena Pärsson är klar tackar ordföranden henne. Inga frågor, ingenting. Och sedan är det Sanders tur. *Varsågod.* Sander börjar inte prata med en gång. Istället låter han Ferdinand sätta på projektorn. Hon klickar fram en löpsedel.

"Massaker i Djursholms allmänna gymnasium – flicka häktad."

Sedan byter hon bild. En ny löpsedel grinar mot oss:

"Claes Fagerman mördad – sonens flickvän krävde: 'Han måste dö!'"

Och en ny.

"Källor bekräftar: Hon dödade sin bästa vän."

Och en ny. Och en ny.

När den sjätte löpsedeln flimrar fram harklar sig Sander. Han läser början av den högt.

"Alla skulle dö, det fanns ingen annan utväg."

Men under rubriken får vi själva läsa:

"Så här bor hon nu – sju sidor om Djursholmsflickans liv i häktet."

Sedan fortsätter han:

"Jag hade tänkt att jag borde berätta för er hur många artiklar som skrivits om Maja när den här rättegången startade. Men jag kan inte göra det. Det är nämligen omöjligt att redogöra för. Under de första fjorton dagarna efter morden figurerade min klient på samtliga löpsedlar i de tre största rikstäckande svenska tidningarna. Samtliga. Hon, eller de brott hon påstås ha varit delaktig i, var huvudnyhet i Rapport, Aktuellt och TV 4:s nyheter i tre dagar efter dåden och det var en av huvudnyheterna under ytterligare åtta dagar. När polisen mindre än ett dygn efter händelserna i Djursholms allmänna gymnasium släppte

350

informationen om Claes Fagermans död blev uppmärksamheten lika explosionsartad även i internationell media. Och de var knappast ointresserade innan. Mina medarbetare har upplyst mig om att när de googlade 'Maja Norberg' kvällen innan den här rättegången skulle börja fick de drygt 750 000 träffar, trots att flertalet av de svenska medierna ännu inte publicerat hennes namn. Termen 'Djursholmsmassakern' resulterade i drygt 300 000 träffar och kombinationen Sebastian Fagerman och Maja Norberg i ungefär lika många."

Han suckar. En djup suck. Han beklagar att han är tvungen att berätta det här. Han tittar på ordföranden. Till skillnad från fula-Lena riktar sig Sander till honom. *Vi jurister, vi låter oss inte påverkas av trivialiteter som kvällstidningar och internet, professionella tyckare och debattprogram, utländska nyheter och så vidare i all oändlighet.* Hela Sanders väsen utstrålar *jag-litar-på-dig*, men säger också att det är ordförandens skyldighet att förklara det för nämndemännen, om det behövs.

"Anstiftan. Min klient är åtalad för att ha anstiftat mordet på Claes Fagerman. Den delen av åtalet är också bärande för påståendet att min klient tillsammans med den framlidne Sebastian Fagerman, skulle ha planerat och gemensamt utfört morden i Djursholms allmänna gymnasium samma dag."

Min klient. Sander har inte kallat mig för sin klient under rättegången, annat än undantagsvis. Men nu har han den ökentorra rösten. Juriströsten.

"För att rekvisiten för anstiftan ska anses vara uppfyllda krävs dels att åklagaren visar att min klient haft uppsåt att anstifta mordet på Claes Fagerman och dels att det finns ett direkt samband mellan det min klient sagt eller gjort och mordet. För att leda detta påstående i bevis har åklagaren åberopat ett antal meddelanden som min klient skickat till Sebastian Fagerman under den aktuella natten och morgonen, meddelanden i vilka min klient uttryckt vad åklagaren tolkar som uppmaningar att döda."

Jag förstår inte varför Sander tjatar om det här. Han vet att jag avskyr att behöva höra vad jag skrev, ändå envisas han. Nu är Ferdinand framme vid bildprojektorn igen. Hon klickar fram en bild på storbildsskärmen. Den är från Sveriges mest följda Instagramkonto, en sextonårig tjej från typ Borlänge och det är ett foto på en glass med strössel. "Hellre begår jag SJÄLVMORD än börjar äta paleo" står det. Jag hör ett par korta skratt bakom mig. Ordföranden skrattar inte. Men två av nämndemännen ler.

Hon klickar vidare. Ett foto på en kyckling som kikar upp över kanten på en kastrull. Bredvid – ett annat foto inifrån en kycklingfabrik. Texten lyder: "Köttätare = MÖRDARE!"

Sander släpper ner armarna i en uppgiven gest medan Ferdinand bläddrar bland bilderna.

"Vi använder olämpliga ordval. Även vuxna uttrycker sig dubiöst. Jag brukar säga till min fru att jag hellre dör än ser ännu en av Melodifestivalens delfävlingar, ändå ser jag dem allesammans utan att begå självmord i pauserna. Ibland telefonröstar jag på de mest avskyvärda bidrag bara för att mina barnbarn säger åt mig att jag måste. Jag brukar anklaga dem för att de vill se mig död. Men jag tror inte att det är deras egentliga avsikt, åtminstone inte primärt."

De har hittat massvis med exempel på tonåringar på nätet som vill "döda" andra tonåringar som lyssnar på musik de inte gillar, som uppmanar till att en känd skådis som varit otrogen "ska piskas offentligt". Ferdinand visar också kommentarerna på en av Idol-deltagarnas bloggar och tre, eller till och med fyra fotbollsbanderoller som ser ut att vara från Snapchat.

Sedan viftar Sander irriterat med handen. *Stäng av*, säger handen. *Jag orkar inte se eländet. All dumhet.* Hans röst är gravallvarlig igen.

"Det här är inte avsett att vara skämtsamt. Den situation vi har att bedöma framkallar inga skratt. Maja hade ingen anledning att skämta och hennes meddelanden till Sebastian under de sista timmarna var allt annat än komiska. Jag försöker bara påpeka det uppenbara: Vi använder ord och uttryck som hänvisar till döden utan att mena det. Ungdomar uttrycker sig ofta inte bara slarvigt utan också direkt olämpligt. Är det brottsligt? Betyder det att lagens krav på anstiftan är uppfyllt? Nej."

Bildskärmen blir svart och Ferdinand sätter sig ner.

"Men låt oss leka med tanken", säger Sander. "Låt oss anta att Maja menade vartenda ord. Att hon befann sig i en så desperat situation att hon såg Claes Fagermans död som det enda som kunde rädda Sebastian. Låt oss anta att hon verkligen ville att Sebastian skulle döda sin pappa. Har hon då gjort sig skyldig till anstiftan? Nej. Åklagaren måste nämligen fortfarande kunna visa att hennes handlande har varit avgörande och att Sebastian inte skulle ha mördat sin pappa, oavsett vad Maja tyckte om den saken. Har åklagaren kunnat visa kausalitet? Nej."

Sander påpekar att inte bara Samir har vittnat om den där sista festnatten. De har hört Labbe, de har hört fnasken, de har hört säkerhetsvakterna, de har hört alla som var där men inte dog en dag senare. Och visst skiljer sig deras historier åt, de har alla sin version, men alla har berättat om Claes Fagermans ilska. Om hur han slog Sebastian och sparkade honom tills de drog honom därifrån. De har kunnat säga hur det såg ut, att Sebastian blödde, att han verkade chockad, arg kanske, men ingen har kunnat berätta vad han kände. Jag har sagt vad jag tror, men mig är det svårt att lita på.

"Istället har bilden av en sårig relation trätt fram, en relation mellan en skadad pojke och hans pappa. Vi vet inte i detalj vad som hände under morgontimmarna när Claes Fagerman dog, men vi vet att far och son var ensamma när Sebastian sköt honom och vi vet att de strax innan hade slagits under våldsamma former. Vi vet också att Sebastian Fagerman var påverkad av starka droger. Att han missbrukat under lång tid och att han haft psykiska problem. Verkar det sannolikt att Majas spridda meddelanden var avgörande för Sebastians agerande? Eller är det mer sannolikt att förklaringen finns att hämta i relationen mellan Claes och Sebastian Fagerman och i Sebastian Fagermans psykiska hälsotillstånd? Jag är övertygad om att rätten bedömer den frågan på samma sätt som jag gör."

Sedan pratar han en stund om vad det har för konsekvenser för den övriga bedömningen, att domstolen "måste" komma fram till att jag inte fick Sebastian att döda sin pappa. Och sedan är den torra rösten tillbaka igen. Nu går han igenom vad åklagaren har för "konkret" bevisning mot mig.

"Finns det några omständigheter, vittnesmål eller annan bevisning som visar att min klient skulle ha planerat, tillsammans med den avlidne Sebastian Fagerman, att utföra dåden på Djursholms allmänna gymnasium? Nej. Finns det några omständigheter, vittnesmål eller annan bevisning som visar att min klient skulle ha gjorts uppmärksam på vilka planer Sebastian hade? Nej."

Sander upprepar det han redan sagt under själva rättegången. Inga fingeravtryck på insidan av väskan, på blixtlås, på vapenskåp, hela det paketet. Sander påpekar också (igen) att Sebastian anskaffat de explosiva medlen (som inte gick att spränga i luften) långt i förväg, när han och jag inte kände varandra.

"Finns det någonting i den ganska intensiva telefontrafiken mellan Sebastian och Maja som visar att Maja är medveten om att Sebastian avser att döda sin pappa innan han gör det? Nej. När Maja kommer tillbaka till Sebastians hem har Claes Fagerman varit död i närmare två timmar. Finns det något i utredningen som tyder på att Sebastian har informerat Maja om detta innan hon kommer? Nej. Finns det något som visar att Maja får reda på att Claes Fagerman är död när hon befinner sig i huset? Att hon får veta att Sebastian har dödat sin pappa? Nej. Ingenting sådant finns i åklagarens material. Jag får istället använda min tid till att påminna er om vad åklagaren inte har kunnat visa. Åklagaren har inte kunnat visa att Maja skulle ha känt till säkerhetskoden till vapenskåpet där de aktuella vapnen förvarades, inte heller har hennes fingeravtryck kunnat hittas på eller inuti skåpet ifråga. Däremot har teknikerna kunnat säkerställa avtryck från såväl Claes som Sebastian Fagerman både inuti och utanpå vapenskåpet. Ingen teknisk bevisning tyder alltså på att Maja ska ha hjälpt till att hantera vapenskåpet. Majas fingeravtryck har inte heller återfunnits i någon av väskorna eller på blixtlåsen, enbart på väskornas handtag samt på den ena väskans underrede. Inte heller finns det några spår kopplade till Maja på de explosiva medel som återfunnits i hennes skåp. Majas fingeravtryck finns på det vapen hon senare använder, men inte på avtryckaren till det vapen Sebastian använt."

Så tar Sander en kort paus, bläddrar i papper, tar en liten klunk vatten. Han tar god tid på sig. Och sedan börjar han om.

"Finns det då några omständigheter, vittnesmål eller annan bevisning som visar att min klient skulle ha bistått Sebastian Fagerman vid utförandet? Att hon skulle ha uppsåt till mord eller medhjälp till mord? Ja! Det gör det faktiskt." Han låter överdrivet förvånad. Ironiskt förvånad. "Åklagaren presenterar ett vittnesmål. Upptaget under tveksamma förhållanden och givet av en svårt skadad pojke som för säkerhets skull redan i god tid innan det första förhöret informerats om att min klient häktats misstänkt för att ha gjort det pojken förhörs om. Pojken har under det här förhöret hävdat att han iakttog hur Maja agerade på ett sätt som står i strid med det hon själv berättar. Han har vidare sagt att han hörde hur min klient samrådde med den avlidne Sebastian Fagerman och att han sedan såg hur min klient avsiktligen sköt ett av offren."

Och så drar han detaljerna i den utredning om Samirs vittnesmål han låtit utföra. Detaljer vi redan hört.

"Och vad har åklagaren att anföra mot det entydiga resultat till min klients förmån som denna undersökning kommer fram till? Jo, åklagaren menar att den inte skulle vara utförd av tillräckligt kompetent personal under tillräckligt fria och förutsättningslösa former." Sander tittar upp från sina papper och skakar långsamt på huvudet. Sedan tar han upp ett papper ur högen och börjar läsa innantill.

Det är en beskrivning av vilka personer som deltagit i testet, vad de har för utbildning, vad de har använt sig av för kontrollmetoder, det är smockat med tekniska termer och det är dödstråkigt.

Och sedan håller han på i samma stil ett tag till. Hans röst maler och maler. Och jag får svårt att andas. Jag vecklar upp servettknölen i min knytnäve, knölar ihop den igen. Jag vill resa mig, jag vill springa fram till nämndemännen. Lyssna, vill jag skrika. Hör ni vad han säger? För sanningen är, inser jag, det slår mig rakt i magen, jag är helt oförberedd men jag vill tro på Sander. Jag vill tro att han har rätt när han säger att jag inte ska dömas, att jag har rätt till en framtid.

Jag vill att han ska ha rätt.

Ni kommer antagligen inte ens att minnas hur den här rättegången slutade, om jag dömdes, eller vad jag dömdes för. Ni kommer att prata om mig på en fest om några år och säga att det "var så", eller "det var hon aldrig ens anklagad för" och *vad konstigt – är du säker?*

355

– *jag tror att hon* ... Min sanning kommer snart inte att finnas annat än i de pärmar som är materialet från min rättegång, arkiverade i ett kyligt källarrum.

Ni kommer att behöva googla för att bli säkra, se hur det var, hur det gick. Eller så kommer ni att säga att det var en välskriven dom, eller ett dåligt skött polisarbete, eller att *det var väl för väl att hon åkte dit*, för att visa att ni har koll, ni vet.

Oavsett vilken version ni väljer kommer ni att minnas mig som en mördare. Men jag skiter i er och era förbannade åsikter. Jag vill ändå härifrån. Jag vill att domstolen ska tro på Sander.

Trötttheten som övermannar mig när jag tillåter mig själv att tänka tanken är så förlamande att jag först tror att jag ska ramla av min stol. Men jag klamrar mig fast. Jag måste stå ut, jag vill inte vara här. Jag vill härifrån.

Min mormor hade en gungstol. Hon gungade i den, fram och tillbaka, och läste, eller sydde och den finns fortfarande hemma hos morfar och jag vill gunga i den igen. Jag vill att morfar ska viska i mitt öra "du har hela livet framför dig", och jag ska nicka för att göra honom glad. *Allt kan hända*. Jag vill göra någon glad. *Allt är möjligt*.

Och jag vill inte behöva tänka att det är när allt kan hända, när alla dörrar står öppna som det blir korsdrag och allt smäller igen och går i baklås. Jag är arton år och vill vara en Disneyprinsessa och ropa med gäll pipröst: "Jag ska följa mitt hjärta och bli lycklig." Och ingen ska tro att jag är Snövits styvmor som följer sitt onda, svarta hjärta och bestämmer sig för att mörda. Jag vill skaffa mig en utbildning, sitta på ett kontor, tjugoåtta våningar över marken utan att golvet ger vika, byggnaden rasar under mig och jag faller. Jag vill till ett ställe där jag slipper föreställa mig massorna som lägger sig över mig och begraver min kropp.

Lyssna på Sander. Ordföranden och nämndemännen och alla journalister. Håll med honom. Låt mig vara.

Med läsglasögonen nedskjutna på näsryggen blänger Sander på ordföranden. Nu, tänker jag. Nu säger han det som får alla att förstå. Som gör dem tvungna att låta mig gå. Men det gör han inte.

356

"Åklagaren har inte styrkt ansvar för brott", säger han bara.
Efter det säger han inget mer. Istället är det domaren som pratar.
Och sedan är det slut. Allt är slut.

43.

Vi har fått ett nytt rum att vänta i. Stolen jag sitter på är skålformad och av plast. Min ena skinka har domnat, ändå har jag inte suttit här speciellt länge. Kaffet jag håller i handen är grumligt. Uppenbarligen har jag tackat ja till både grädde och socker, ändå kan jag inte minnas att jag fått frågan.

Jag trodde att jag skulle bli skjutsad tillbaka till häktet. Vi trodde alla det, det var så det var planerat, min skjuts väntade. Men domaren hade andra planer. När han skulle avsluta sa han blabla-förhandlingen-i-mål-blabla-är-härmed-avslutad och "nu tar rätten en kortare enskild överläggning och kommer därefter att meddela dom eller beslut". Och så vände han sig mot Sander och nickade mot chefsåklagaren och sa, "ni kan vänta här, vi kommer att ropa upp målet när vi är klara".

Det gick liksom en susning i salen av vad-betyder-det-här och folk runtomkring vände sig mot varandra och tittade, väntade på att få en förklaring. Jag vände mig bara mot Sander. *Vad betyder det här?* Mamma vände sig mot pappa. *Vad betyder det här?* Men ingen svarade, ingen visste och jag tänkte att det vet väl alla att det bara är de enkla målen, de där det gäller att skicka den vidriga brottslingen till dödscellen så fort som möjligt, bara de skyldiga får sina domar fort.

Det går för fort. Jag vill inte.

Och vi reste oss, allesammans reste vi oss och gick ut.

Nu var det slut. Allt var slut.

Och jag trodde att jag skulle kräkas, rakt ut, eller kvävas, men jag gjorde ingenting utom att sätta mig och uppenbarligen tackade jag ja till en kopp kaffe.

Sander sitter inte ner. Pannkakan är ute och undviker att svara på frågor från pressen. Ferdinand skriver frenetiskt på sin telefon, jag vet inte vad, jag vet inte till vem.

Sander svarar inte på tilltal. Han ser nervös ut, jag har aldrig sett honom se så nervös ut förut, han försöker hälla upp en kopp kaffe till sig själv men plastkoppen glider undan och kaffet hamnar på bordet och Sander svär, högt. *Vad i helvete!*

Jag tror att det är första gången jag hör honom svära.

Vi väntar i en timme. Ingenting. Fem minuter senare sätter sig Sander. Han läser på sin telefon. Ferdinand tittar på mig, räcker över sin snusdosa, jag skakar på huvudet och hon ger mig en karta med nikotintuggummin och jag trycker ut fyra stycken i handflatan, häver in dem i munnen och börjar tugga.

Vi väntar i tjugo minuter till.

Hur länge ska vi vänta, frågar jag. Ingen svarar. Jag frågar igen. Hur långt är det kvar? Min röst låter som en tjatig unge. *Är vi framme snart?*

"Det går inte att svara på", säger Sander till slut, men han slutar inte glo på sin telefonskärm, läser, läser, hur kan han läsa? Vad läser han?

Två timmars väntetid. Och elva minuter.

Sedan knastrar det i högtalarna. Och vårt mål ropas upp.

Sander ställer sig strax bakom mig, lägger handen mot min svank, som om han ska föra mig till bordet. Eller till min avrättning? Med en säck över huvudet. Vart ska vi? Är vi framme snart?

Vi går till våra platser, domarna sitter redan, Lena Pärsson har skjutit ut stolen, hon håller benen tätt ihop, fötterna står prydligt sida vid sida. Händerna har hon knäppt och lagt i knät. När ordföranden börjar prata susar det i mina öron. Jag hör knappt, jag vet inte vad det betyder, jag tittar på Sander medan domaren pratar.

"Den skriftliga domen meddelas senare, den kommer att redogöra för domskälen mer detaljerat."

Vad betyder det? Vad säger han?

Och jag hör hur pappa drar efter andan, det låter som om han har ont, som om någon slagit honom i magen. En kort sekund tror jag att han blir arg, att han ska skrika sådär som han gör när han tappar humöret men sedan hör jag att han gråter. Han gråter och gråter och mamma lugnar honom, hennes röst brister den också och då märker jag mina egna tårar. Journalisterna mumlar allt högre, snart pratar de rakt ut, avbryter varandra, det är ingen tystnad i salen längre. Ordföranden har ett papper framför sig. Men han behöver inte titta på det för att veta vad han ska säga.

"Tingsrätten har funnit att åtalet ska ogillas i samtliga delar. Då åklagaren inte har visat att den tilltalade har haft någon form av uppsåt till mord, försök till mord eller medhjälp till mord, eller att rekvisiten för anstiftan är uppfyllda skall den tilltalade omedelbart försättas på fri fot."

44.

Mamma och pappa sitter på varsin sida om mig i baksätet på Sanders bil. Pappa har lagt armen om mig, hans rygg är spikrak, han andas i korta andetag genom munnen och har hållit i mig utan att släppa ända sedan domaren sa att jag skulle få åka hem. Pappa höll till och med i mig när han kramade Sander, två fingrar om min skjortärm, han klämde mig om axeln medan han skakade hand med Pannkakan och han hade handen om min nacke när han drog till sig Ferdinand, det hade kunnat bli en gruppkram om Ferdinand bara hade begripit att hon skulle bli kramad.

Mamma är varm i hela kroppen, hon darrar lite och har dragit till sig båda mina händer, hon stryker mig över fingrarna, naglarna, knogarna, som om hon behöver räkna dem, kontrollera att allt finns på plats, att jag verkligen är här, att det inte bara är något hon har fantiserat ihop. Då och då tar lutar hon sig mot mig, sticker in en hand under mitt säkerhetsbälte och stryker bort någon skrynkla på mina kläder. Hon klappar mig över kinderna, andas i mitt hår. Vi har inte pratat så mycket. Vi har inte sagt att vi är "glada". Vi har inte sagt "jag älskar dig", vi har inte sagt "tack gode Gud". Pappa har mumlat tusen gånger tack, tack-tack-tack, åt alla han träffar säger han tack-tack-tack och mamma viskar förlåt när hon kramar mig, varje gång viskar hon samma sak. Förlåt-förlåt-förlåt. Bara jag hör henne, hennes röst är så låg att den nästan är som ett andetag och jag kramar henne tillbaka. *Förlåt*.

Jag säger ingenting. Det går inte. Jag kan inte.
Min mamma.

Sander har sagt att vi ska få bo på hans landställe ett par dagar för att komma bort från media. Det är ett ställe vid vattnet, vi åker båt sista sträckan, en större passagerarbåt, men vi är de enda ombord, den måste vara chartrad, inhyrd. *Hur hann han det?* Här finns inga journalister, ingen frågar hur jag känner mig, om jag är glad, om det blir ett överklagande. När de frågade åklagaren, *kommer ni att överklaga?* då lät Lena Pärsson sur, *jag måste få tillfälle att läsa domskälen för att kunna ta ställning till det.* Sander lät desto säkrare: *Vi är nöjda med resultatet, domstolen har inte haft några större problem med att fria min klient, det skulle förvåna mig om domskälen ger åklagaren utrymme för ett överklagande.*

Lät Sander säker bara för att en journalist frågade? Jag tror inte det. Han låter inte säker i onödan. Det lämnar han åt Pannkakan och hans nu-har-jag-lossat-på-slipsen- och fy-fan-vad-vi-är-bra-leende.

Jag går ut på däck, ställer mig med magen mot räcket och ansiktet mot vinden, blundar mot den iskalla luften, mina ögon tåras. Vinden, jag visste inte att jag har saknat vinden, lukten av syre, kylan känns frisläppt här ute på havet, den klamrar sig inte fast i betong och galler och taggtråd. Jag står där en stund, det sticker i kinderna, sedan märker jag att Sander står bredvid mig. Han har en tjock jacka jag inte sett tidigare och fodrade skinnhandskar, en pälsmössa med öronlappar som fladdrar i blåsten.

Han påminner om morfar.

"Morfar väntar på dig", sa mamma i bilen. "Han är så glad, han har längtat."

Sander räcker mig en nött näsduk i tunn bomull. Jag torkar mig försiktigt om näsan och ögonen. Den luktar svagt av pipa och jag viker ihop den i handen.

Röker du, advokat Peder Sander? Det är så mycket jag inte vet om dig. Ska jag kalla dig för Peder?

"Är det över nu?" frågar jag istället. Han svarar inte. Tittar på mig, ett leende hinner sväva över hans ansikte. Men innan det får fäste biter han ihop och klappar mig på axeln.

"Ja", säger han. Han klappar tre gånger, låter handen ligga kvar när han är klar. Han är kanske Sveriges bästa advokat. Ändå syns det att han ljuger. "Nu är det över."

362

Och jag tar hans hand och ett halvt steg emot honom och kramar honom, en lång kram i den iskalla blåsten, hårdare än jag egentligen vågar. Det är i alla fall över för honom. Han har räddat mitt liv och lämnat in sin kostnadsräkning till rätten. Näsduken stoppar jag i fickan.

Vi lägger till vid en privat brygga, båten har motorn på medan vi kliver av. Det är kallare här ute än det var i stan, nu är det snö i luften, havet är grått som plåt och skymningen börjar lägga sig över skären, smyga upp längs klipporna. Mina saker är kvar på häktet, jag har ingen väska att bära. Jag börjar gå upp mot huset och ser henne vid trappan.

Hon sitter på verandan, hon är längre än jag minns henne. Hennes hår verkar oborstat, den lockiga luggen bråkar i en smal tofs vid pannan. Jag halvspringer den sista biten. När jag sätter mig på huk alldeles bredvid henne ser jag att hon har tappat två mjölktänder i överkäken. Men hon tittar mig inte i ögonen. Hennes blick vandrar, omöjlig att fånga, som en solkatt.

"Kommer du hem nu?" undrar hon.

Jag nickar, min röst litar jag inte på och då kryper hon in i min famn, lindar sina smala armar om mig, krokar benen om min midja, klamrar sig fast och gråter mot min hals. Och det som varit hårt så länge, suttit fast med vassa klor inuti mig, smälter och rinner ut i kroppen.

"Nu kommer jag hem."

Tack

Jurister resonerar, författare fantiserar. Jag har varit jurist mer än dubbelt så länge som jag har varit författare. En jurist vill att det ska bli rätt. Författare däremot, de gör precis hur de vill.

Tack advokat Peter Althin, för att du läser mina manus och svarar på mina frågor, för att du påpekar fel, diskuterar rättegångstaktik och är så generös med din tid och din ovärderliga erfarenhet. När jag ignorerar vad som står i rättegångsbalken för att kunna berätta min historia, när jag väljer att skriva målnumret fel (och inte sätta ut årtalet), när jag låter målsägaren höras på fel dag och Maja kalla rättens ordförande för chefsdomare, då är det författaren som har fått bestämma. F.d. advokaten Malin Persson Giolito hade lyssnat bättre.

Tack också till Per Melin, Christina Österberg, Håkan Bernhardsson och alla andra inom kriminalvården som har hjälpt mig att förstå – lite bättre – hur vardagen för en ung häktad människa kan se ut. Jag tar på mig allt ansvar för hur min tolkning blev.

Maja och hennes kompisar går på Djursholms allmänna gymnasium. I verkligheten finns ingen skola som heter så. Själv gick jag i högstadiet på Djursholms samskola och jag tog studenten på Danderyds gymnasium. Jag har varit fräck nog att låna detaljer från de miljöerna, utan att fråga någon om lov.

Mari Eberstein. Vi var i åttaårsåldern när vi började skriva berättelser om märkliga djur som gjorde vardagliga saker. Redan då blev du min bästa vän och allra viktigaste läsare.

Åsa Larsson. Författare brukar påpeka vilken ensam syssla det är att skriva romaner. Men tack vare dig känner jag mig sällan ensam. Inte med min text, inte med det andra. Du fick mig att tro att jag skulle klara av att skriva klart den här boken, trots att jag länge tvivlade. Tack.

Författare fantiserar inte bara, de har drömmar också. Min förläggare Åsa Selling, min redaktör Katarina Ehnmark Lundquist på Wahlström & Widstrand, mina agenter Astri von Arbin Ahlander och Christine Edhäll och Kaisa Palo på Ahlander Agency. Tack vare er vågar jag drömma stort. Ni är mitt *dream team*.

Mamma. Pappa. Hedda. Elsa. Nora. Béatrice. Och Christophe. Störst av allt är kärleken till er. Franskans *merci* har samma ursprung som det latinska ordet för nåd. Välsignelse, om man så vill. Precis så känns det.

Och, ja. Nu får det räcka med sentimentalt dravel.

Referenser

Sid. 23 ("Sorgerliga saker hända, än i våra dar minsann"). Ur "Visan om den sköna konstberiderskan Elvira Madigans kärlek och grymma död" av Johan Lindström Saxon, 1889.

Sid. 70 ("när inget finns att vänta mer och inget finns att bära på"). Ur "Stjärnorna" av Karin Boye: Först publicerad i *Gömda land*, Albert Bonniers förlag, Stockholm 1924.

Sid. 74 ("Preacher takes the school, One boy breaks a rule, Silly boy blue, silly boy blue"). Från "Silly Boy Blue", David Bowie, *David Bowie*, Decca, 1967.

Sid. 83 ("Keep your 'lectric eye on me babe, Put your ray gun to my head, Press your space face close to mine, love"). Från "Moonage Daydream", David Bowie, *The Rise and Fall of Ziggy Stardust and the Spiders from Mars*, RCA, 1972.

Sid. 83 ("Would you carry a razor, just in case, in case of depression?"). Från "Young Americans", David Bowie, *Young Americans*, RCA, 1975.

Sid. 301 ("mina fiender på käften"). Fritt efter Psaltaren, psalm 3:8.

Sid. 301 ("ondskan inom sig, som en graviditet"). Fritt efter Psaltaren, psalm 7:15.

Sid. 302 ("Party girls don't get hurt, Can't feel anything, when will I learn, I push it down, push it down"). Från "Chandelier", Sia, *1000 Forms of Fear*, RCA, 2014.

Sid. 302 ("Allt är tomhet"). Predikaren 1:2.

Sid. 305 ("I couldn't live without you now, Oh, I know I'd go insane, I wouldn't last one night alone baby, I couldn't stand the pain"). Från "Addicted to You" Aviici, *True*, PRMD, 2013.

Sid. 341 ("Störst av allt är kärleken"). Fritt efter Första Korinthierbrevet 13:13.

Bokcirkelfrågor

1. Vad tyckte du om huvudpersonen Maja i början respektive slutet av *Störst av allt*? Ändrades din syn på henne under berättelsens gång, och i så fall på vilket sätt?

2. Vad tror du författaren ville uppnå med att skildra hela händelseförloppet uteslutande ur Majas synvinkel? Vad hade det för effekt på din läsning?

3. *Störst av allt* utspelar sig huvudsakligen på Djursholm och i häktet och rättegångssalen, miljöer som alla kan sägas vara slutna på olika sätt. Hur tycker du att författaren arbetar med miljöerna, och varför tror du att hon har valt just överklassens Djursholm som bakgrund till skolskjutningen?

4. Hur ser Maja på de vuxna som omger henne, i dåtid och nutid? Vad för slags relation har hon till sina föräldrar och advokaterna till exempel? Går det att se ett mönster i hennes förhållningssätt till vuxna?

5. Sebastian och Samir har mycket gemensamt, bland annat ett intresse för Maja, och är samtidigt totalt olika om man till exempel ser till klass och bakgrund – hur kontrasteras de mot varandra och nyanseras under berättelsens gång? Vad tyckte du om Majas förhållande till dem?

6. Den amerikanska föreläsarens besök på skolan är en nyckelscen som samlar flera av bokens centrala karaktärer – vad tror du författaren ville visa med denna scen, och på vilka sätt förstärker den de olika karaktärernas personligheter?

7. Maja är på väg att ta klivet in i vuxenlivet när skolskjutningen sker, men det är en tonårsvärld med festande, skola och sociala medier vi möter i *Störst av allt*. Hur formar tonårstiden bokens stämning, språk och relationer?

8. Hur tror du att du själv hade agerat om du var i Majas situation och dragits in i den destruktiva, men ändå åtråvärda, relationen med Sebastian?

9. Frågan om skuld är central i boken, vem/vilka tycker du bär skulden för skolskjutningen? På vilket sätt?

10. Vad tror du händer med Maja efter slutet? Hur går hon vidare efter rättegången?